Studer, Gottlieb

Das Panorama von Bern

Schilderung der in Berns Umgebungen sichtbaren Gebirge

Studer, Gottlieb

Das Panorama von Bern

Schilderung der in Berns Umgebungen sichtbaren Gebirge

Inktank publishing, 2018

www.inktank-publishing.com

ISBN/EAN: 9783750140929

Das *Rudolf*

Panorama von Bern.

~~~~~~~

Schilderung

der

in Berns Umgebungen sichtbaren Gebirge,

von
[Gottlieb]
G. Studer.

—

Mit einer vom Eichplatz in der Enge aufgenommenen

Alpenansicht.

AZ 923

Bern, 1850.
In Commission in der L. R. Walthard'schen Buchhandlung.

Inhalt.

5

Einleitung.

Sechzig Grade oder den sechsten Theil des Horizonts umfassend, erscheint von Bern aus gesehen im Südosten die vielgezackte Alpenkette. Ihre nächsten Felsenstufen sind in gerader Linie nicht mehr denn 6 Stunden entfernt; die Eispyramiden des Hochgebirges haben kaum mehr als 12 Stunden gerader Entfernung. Diese Nähe des Gebirges verleiht dem Alpenpanorama von Bern den Vorzug der Erhabenheit und Deutlichkeit vor den Alpenansichten der meisten andern Schweizerstädte. Es zeichnet sich aber nicht weniger durch die Schönheit seiner Formen und durch eine höchst malerische Gruppirung aus. Fast jeder einzelne Gipfel des Mittelgebirges oder der Hochalpen fesselt das Auge, sei es durch seine riesenhaften Verhältnisse, sei es durch seine schöne, regelmäßige Gestaltung. An den einen bewundert man die kühne Felsenstruktur, an den andern die Pracht und Reinheit der Firnbekleidung. Die verschiedenen Gruppen sind zu einem großen herrlichen Ganzen geordnet; jede entferntere Gebirgsreihe steht amphitheatralisch über den näheren aufgethürmt, und das Auge eines Uneingeweihten wähnt in diesem vielgegliederten Bau eine einzige, himmelanstrebende Gebirgswand vor sich zu sehen, welche von der

1

7

Grundfläche des Aarthals bis auf die Spitze der Jungfrau eine Höhe
von mehr als 11,000' mißt.

Lasset uns dieses Panorama näher betrachten!

Im Vordergrunde liegt eine offene fruchtbare Landschaft, aus
deren Schooß die Häuserreihen mit dem altersgrauen Münsterthurme
der Bundesstadt herausblicken. In mäßiger Entfernung, eingerahmt
von den genahten Anhöhen des Ostermundigenhügels und des
noch höhern Bantiger auf der einen Seite, des Gurten auf der
andern, entsteigen reichbewaldete und wohlangebaute, ja schon mit Alpweide gekrönte, niedere Bergzüge von gedehnter, sanftgewölbter Form
der Weite des Aarthals. Diese Bergzüge haben durchschnittlich eine
Höhe von 2500—4000' ü. d. M.; der Gipfel der Blume steigt selbst
bis auf 4800' an. — Hinter diesen Vorwällen treten in einer Höhenlinie von 6000 bis 7500' mit alpinischem Charakter und scharf ausgeprägten Profilen die Felsengebirge auf, deren steile Abstürze wir
mit Schafweide, dünnem Wald und Trümmerhalden bedeckt, stellenweise auch mit kahler Fluh umgürtet sehen, während ihre verborgenen
Buchten und Thalgründe und ihre vorgeschobenen Fußgestelle mit dem
sammtenen Teppich reicher Alpweiden geziert sind, auf denen das Vieh
jene trefflichen Futterkräuter findet, wie die Mutteren, das Adelgras,
die Romeyen und den Thaumantel. Zu diesen Felsengebirgen gehören
die Schratten, ähnlich einer gewaltigen Festungsmauer, der Brienzergrat, das wilde Gerüste des Hohgant, die glänzenden Wände
der Sohlfluh, das Sigriswyler-Rothhorn, die aussichtsreiche
Suleck, die Pyramide des Niesen und des Stockhorns nackte
Felsenkuppe. — Gruppen von höheren Gebirgen, die zum Theil schon
immerwährenden Schnee auf ihren Scheiteln tragen, luegen
hinter jenen Felsenketten hervor, eine Höhe von 8000—9000' behaup-
tend. Unter ihnen gewahrt man die Spitzen des Wildgerst und
Schwarzhorns, des Faulhorns Kegelgestalt, die gemsenreiche
Schwalmeren, des Schilthorns Schneehaube, die Hundshörner und die Firsten des Oeschenengrats. — Als höchste Stufe
folgt der Kranz der Hochalpen, jene schimmernde Reihe von Eis-
gebilden, welche einer andern Welt anzugehören scheinen, wenn der
Frühstrahl der noch unsichtbaren Sonne oder des Abends Purpurgluth
sie verklärt, indeß das weite Land um sie her in grauer Dämmerung

ruht. Und so wie diese Hochgipfel, gleich den Zinnen einer aus Sil=
ber aufgebauten Titanenstadt, in ihren vollendeten Formen zierlich in
das Blau des Himmels ragen, so wohlklingend lauten auch ihre
Namen. Dort lagert auf breitem Felsenpfeiler des Wetterhorns
Eispyramide. Mitten aus tiefen Firnthälern und Schneekämmen schwingt
sich des Schreckhorns Riesengestalt empor, den Felsenleib spärlich
mit Eis bepanzert. Ihm folgt des Finsteraarhorns ätherdurch=
schneidende Nadelspitze. Auf starker Schulter trägt der Eiger sein
greises Haupt. Der stolze Mönch schützet die ihm zur Seite thro=
nende Jungfrau, gleichwie dort in den Tyroleralpen das Hochfräuli
hinten im Stubayerthal den Wilden Pfaff zum Nachbarn hat.
Die Jungfrau selbst entfaltet die schönste Harmonie in ihren kolos=
salen Verhältnissen. Sie ist der Diamant in der Mitte der Juwelen=
schnur, die hier um den Busen der schönen Europa geschlungen ist. An
sie schließt sich eine blinkende Eismauer, deren Krone sich staffelförmig
senkt, bis dahin, wo des Breithorns Kuppe wieder als isolirte Gi=
pfelmasse aufsteigt. Etwas näher gerückt, weist das Gspaltenhorn
seine scharfen Zähne. Der Eispallast der Blümlisalp erinnert an
das hellpolirte Stahlschloß des Zauberers Atlas, mit ihrer spiegel=
glatten Dachung und den vorspringenden Wachtthürmen. Auch hier be=
dürfte der Sterbliche eines Flügelrosses, um sich auf jene luftigen
Zinnen emporzuschwingen. Weiter fesselt den Blick des Dolben=
horns dreigezackter Gipfel. Als äußerster westlicher Vorposten hält
die Altels ihren blanken Riesenschild den Sternen über ihr, dem
Menschengeschlechte unter ihr entgegen. — Diese beeisten Hörner,
welche zum großen Theil die Marken zwischen den Gebieten von Bern
und Wallis bezeichnen, sind sämmtlich über 10,800' erhaben und er=
reichen im Finsteraarhorn eine Höhe von nahe an 13,200' ü. d.
M. Dort auf den peruanischen Hochgebirgen, wo die tropische Sonne
ihre Strahlen senkrecht auf die Erde fallen läßt, grünen in solcher
Höhe noch Fruchtfelder, auf gebahnten Straßen wandeln Züge von Last=
thieren, und bevölkerte Städte beherbergen in ihren Mauern den Luxus
der Reichen und der Armen Elend *).

---

*) Die Minenstadt Cerro de Pasco liegt 13,673 engl. Fuß ü. M. — Gerste wächst
auf den Cordilleras noch in einer Höhe von 13,200 engl. Fuß. (Tschudi.)

Ein stets wechselnder Zauber, durch die Wirkung des Lichts und die athmosphärischen Zustände bedingt, ist über die Alpen ausgegossen; er gibt diesen todten, starren Massen Leben, Ausdruck und Farbenschmelz, stellt sie den Blicken bald näher bald ferner dar und verleiht ihnen jenen eigenthümlichen Reiz, der Auge und Gefühl in ihrer Betrachtung und Bewunderung niemals satt werden läßt. — Wer hat die Alpen im Zeitpunkt eines klaren Sonnenuntergangs, die Lichteffekte an den Felsen, das wunderbare Glühen der Gletscher gesehen und hat sich dabei nicht von stiller Begeisterung ergriffen gefühlt! Wer erlabt sich nicht an ihrem Anblick, wenn an schönen wolkenlosen Sommertagen die beeisten Wände gleich Spiegelflächen schimmern und ein helles Licht zwischen scharfbegränzten Schatten von den Flühen und Alpen- firsten zurückstrahlt, oder wenn aus dem zarten Duft, der sie umhüllt, diese Gebilde still und groß und mit freundlichem Ernst auf das son- nige Land herniederschauen! — Zuweilen erscheint die Alpenkette zwar wolkenfrei, aber nicht von der Sonne beschienen. Dann ist ihr ernstes, düsteres Aussehen fast unheimlich. Als scharfgezeichnete Massen um- gürten die Felsenketten dannzumal den Fuß der Hochalpen, und nur die wenigen Schneeflecken an den höheren Kuppen unterbrechen die all- gemeine dunkle Färbung, in der sie stehn. An den Hochalpen selbst treten hinwieder die kahlen Felsenstellen bestimmter hervor, und die Firnwände und die schneeigen Häupter erscheinen matt und glanzlos. — Geisterhafter und schauerlicher noch nehmen sie sich in einem solchen Zustande aus, wenn die Felsenketten und Vorberge in Nebel gehüllt sind und über diese formlose Masse die Gletscherriesen gleich phantas- magorischen Bildern wild und blaß emportauchen. — Bald zeigen sich wiederum die Vor- und Mittelgebirge zwar in ihren scharfen Umris- sen, aber unbeleuchtet, in finsterem Ernst, während die Hochalpen oder einzelne Theile derselben hehr und prächtig im Strahl der Sonne sich spiegeln. Zu diesem steten Wechsel gesellen sich die Veränderungen, die das Schmelzen des Winterschnees, das Grünen der Wälder und Al- pen, das bunte Kolorit des Herbstkleides an den Bergen hervorbringen.

In älterer Zeit dachte sich der Flächenbewohner die Alpenkette mit ihren Schneegipfeln und kahlen, zerklüfteten Wänden als eine unzu- gängliche Wildniß. Nur einzelne kühne Forscher und Naturfreunde wagten es, in das Innere des geschlossenen Heiligthums zu bringen, und erzählten sodann begeistert von dem, was sie dort gesehen und empfunden hatten. Es ist seitdem anders geworden. Man begnügt sich nicht mehr damit, die Alpen aus der Ferne zu betrachten und, wenn es viel ist, sich ihre Namen anzueignen, um sie demnächst wieder zu vergessen. Man will ihre Wunder und Schrecken in der Nähe sehen, ihre Gipfel erklimmen, dem Brausen der Fallbäche sein Ohr leihen, an dem Sturze donnernder Lawinen sich ergötzen, auf grüner Alpentrift die duftenden Blumen pflücken, in den aufgerissenen Felsenspalten den Bau der Erdfeste ergründen. Ja, der Tourist hat sich schon seinen Weg mitten über das Eis der Gletscher gebahnt, und die höchsten Spitzen der Alpen sind nicht mehr gesichert vor dem Fuß entschlossener Männer. Es bedarf jetzt eines schnellen Entschlusses, und Pferdekraft und Dampfmacht bringen den gemächlichen Stadtbewohner auf ebenen Straßen, über den glatten Seespiegel, in einem Tage in das Herz der Hochalpen hinein. An den Vorabenden seiner Reise, wenn ihm die Alpen in ihrer Glorie entgegenstrahlen, wird er sie sinnend betrachten und seine Blicke mit gespannter Erwartung über ihre lichten Höhen und dunkeln Thäler schweifen lassen. Mit Lust dürfte er dann wohl ein Schriftchen zur Hand nehmen, das ihm als Wegweiser in jene unbekannten Regionen dienen könnte, die er zu besuchen gedenkt.

Und wer seine Reise vollbracht, wer die großartige Welt der Berneralpen durchzogen hat, wer unter den Wallnußbäumen von Interlaken gelustwandelt, von den sonnigen Triften der Wengernalp die Majestät der Jungfrau bewundert, auf dem Eismeere von Grindelwald des Schreckhorns kühnen Bau betrachtet hat; wer des Faulhorns oder Rothhorns Gipfel oder die stolze Suleck bestiegen und im Genusse der Prachtaussicht geschwelgt, wer den Gießbach in seiner zermalmenden Größe gesehen hat, wer auf dem Perlenteppich des Aarfirns gewandert, vielleicht sogar nach den verborgenen Alpengründen des Kanderthals oder der Emme hingepilgert ist und, von da zurückgekehrt, aus den Umgebungen Berns die leuchtenden Gipfel wiederum begrüßt, in deren unmittelbarer Nähe er jene Genüsse gekostet, dem möchte wiederum ein Schriftchen willkommen sein, das ihm die Scenen seiner Wanderung vergegenwärtigt und die Schilderung mancher von ihm besuchten Oertlichkeit in sich faßt.

Aber auch derjenige, der nicht selbst den Wanderstab ergreift, der aber mit Lust und Eifer der Betrachtung von Berns herrlichem Alpen-panorama sich hingibt, hat wohl schon den Wunsch gehegt, ein Vademecum zu besitzen, aus dem er Angesichts der Natur Belehrung und Aufschluß schöpfen könnte über die Merkwürdigkeiten dieser Gebirgs-welt, die er an jedem heiteren Tage vor sich prangen sieht.

Somit wäre der Zweck der nachfolgenden Blätter ausgesprochen. Sie sollen dem Gebirgsfreunde eine Panoramazeichnung nebst einer, möglichst gedrängten, näheren Beschreibung eines jeden Berges und Gi-pfels der von Bern aus sichtbaren Alpenkette anbieten und so in die Reihe ähnlicher Panoramenschilderungen der verschiedenen Schweizer-städte treten, welche im Jahr 1839 mit dem Panorama von Zürich eröffnet worden ist.

Noch seien mir einige Worte vergönnt über die Entstehungsart der gegenwärtigen Schrift.

Es war Anno 1790, als Stubers Kunstblatt, betitelt: *„Chaine d'Alpes vue depuis les environs de Berne,"* herauskam. Der Eich-platz in der Enge, 20 Minuten vom Aarbergerthore entfernt, hatte dem Künstler zum Standpunkte seiner Zeichnung gedient. Nach den höchst mangelhaften Arbeiten von Gruner und *Michel Ducrêt* war die Chaine d'Alpes das erste Blatt, welches eine richtige Darstellung der Alpenkette enthielt, und was dessen Werth um Vieles erhöhte oder ihm vielmehr eine wissenschaftliche und praktische Bedeutung gab, war die reichhaltige und zuverlässige Nomenklatur, die das Erklärungsblatt ent-hielt. Die Zeichnung selbst war mit einer solchen Treue ausgeführt, daß der große Gebirgskenner Ebel sie als ein unübertreffliches Muster für alle Zeichner von Gebirgsketten erklärte. Die später erschienenen Alpenansichten aus Berns Umgebung von König, Schmid, Wagner ꝛc. mögen ihren künstlerischen Werth besitzen, aber hinsichtlich der Rich-tigkeit und Treue der Gebirgszeichnung erreichen sie das Stuber'sche Blatt nicht. Es fehlte diesen Künstlern eine Eigenschaft, welche der Herausgeber der Chaine d'Alpes sich vorerst durch sorgfältige Forschun-gen an Ort und Stelle erworben hatte, nämlich eine umfassende und genaue Gebirgskenntniß. Ohne eine solche ist es geradezu unmöglich, eine in allen ihren Theilen richtige Zeichnung der Alpenkette aufzuneh-men, weil das Auge allein, selbst das bewaffnete, nicht genügt, um aus der Ferne mit Sicherheit zu unterscheiden, welche Gebirgstheile mit einander in Verbindung stehen, welche oft kaum wahrnehmbaren Punkte und Spitzen einer näheren oder entfernteren Gebirgskette angehören, und inwieweit deren Auffassung von Bedeutung ist. Deshalb bewahrt die Chaîne d'Alpes einen bleibenden Werth in den Augen eines jeden Gebirgskundigen.

Schon der Herausgeber derselben hatte den Vorsatz gehabt, seiner Arbeit einen ausführlicheren Text beizufügen, um ihr dasjenige Interesse zu geben, das nothwendiger Weise einer blossen Nomenklatur abgeht. Der Verfasser des Gegenwärtigen hat es versucht, die Idee seines für die Förderung der Alpenkunde zu früh verstorbenen Vaters zu verwirklichen. Mit schwachen Kräften, aber mit Vorliebe für den Gegenstand hat er das Werk unternommen. Diese Vorliebe wurde genährt durch den Hochgenuß, der ihm auf so mancher Wanderung in die Alpenwelt zu Theil geworden. Wer sich ähnliche Genüsse bereiten will, der gehe hin und besteige jene Bergeshöhen. Dort fühlt sich der Mensch dem Himmel näher, er athmet Freiheit in der reinen Alpenluft. Unter sich sieht er die bewohnten Länder als ein Gottesgarten ausgebreitet. Er ist dem Gewirre leidenschaftlichen Treibens entrückt; die Bande scheinen loser, die ihn an das Irdische, an die Welt mit ihrer eiteln Lust gekettet haben. Umgeben von riesenhaften Gestalten, den zertrümmerten Denkmälern einer schönern Erde, schwingt sich auch sein Geist aus der Sphäre des Alltäglichen zu höheren Gedanken und Ahnungen empor. In der Größe der Natur empfindet er die Größe des Schöpfers und er feiert Augenblicke, die er zu den schönsten seines Lebens zählen wird. Wenn auch zuweilen die Mißgunst der Witterung den Genuß vereitelt, er wird sie dennoch liebgewinnen, diese Gottesaltäre, die nach den Sternen zeigen. Das schöne Vaterland wird ihm theurer werden, wenn er es in seiner reichen Festtagshülle von den lichten Höhen herab erblickt; als Nachklang und Gewinn der erhabenen Eindrücke, die seine Seele aufgefaßt, wird er auch einen edlern, reineren Sinn mit sich in die Heimath tragen.

Solchen Erlebnissen sind die nachfolgenden Blätter entsprungen. Dem Texte sind die Umrisse zur „Chaîne d'Alpes" beigefügt. Auf diese bezieht sich die Folgenreihe der Nummern. Jede Nummer enthält Namen, politische Lage, Höhe und Gebirgsart des bezeichneten Gegenstandes, sowie dessen gerade Entfernung von Bern in

Schweizerstunden zu 16,000'. An diese speziellen Angaben reihen sich topographische, mitunter auch historische, etymologische, geologische und botanische Notizen an.

Auf die richtige Bestimmung der Gebirgsnamen ist besondere Sorgfalt verwendet worden. — Wer die Alpen bereiset, erfährt es nur zu oft, wie schwer es hält, unter den mancherlei Berggestalten, die den Wanderer umgeben, gerade diejenige wieder herauszufinden, die er sich aus der Ferne gemerkt hat. Aber noch schwerer hält es, ihre richtigen Namen zu erforschen. Selbst die nächsten Anwohner wissen oft den Gipfeln und Hörnern, die sie doch täglich vor Angesicht haben, die Benennung nicht zu geben. Sie bekümmern sich in der Regel wenig darum, wie diese unwirthlichen Felszacken oder Schneegipfel heißen mögen; nur wenn ein Berg durch seine Lage, durch eine auffallende Form oder durch andere Eigenthümlichkeiten sich auszeichnet und gleichsam klassisch geworden ist, vermag sich seine Benennung allgemeine Geltung zu verschaffen. Was aber die vielen weniger gekannten Berggipfel betrifft, so sind Gemsjäger und Schafhirten beinahe die einzigen Leute, an die man sich zu Erforschung ihrer Namen mit Sicherheit wenden kann. Eine umfassendere, wenn auch nicht so spezielle Lokalkenntniß besitzen auch einzelne Bergführer. Es bedarf daher langjähriger Selbstforschung an Ort und Stelle, und eine genaue Kenntniß der einzelnen Theile des gesammten Alpengebiets, um sowohl die verschiedenen Berggipfel aus der Ferne und in der Nähe in ihren sich verändernden Formen wieder zu erkennen, als auch ihre wahren Namen sich zu verschaffen. Wer alle diese Schwierigkeiten erwägt, wird es verzeihlich finden, wenn der Verfasser, trotz seiner Bestrebungen zu der Feststellung einer richtigen Nomenklatur, sich hierin noch hin und wieder eines Irrthums schuldig gemacht haben sollte. Er erkennt diese Möglichkeit zu gut an, als daß er nicht jede dießfällige Belehrung mit Dank entgegennehmen wird.

Die Höhen sind in französischen Fußen über dem Meere angegeben. Der Standort des Panoramas mag so ziemlich im Niveau der Sternwarte von Bern liegen, welche nach Trechsel eine Höhe von 1792' ü. d. M. hat. Die Höhenangaben, denen ein Fragezeichen angehängt ist, sind von zweifelhaftem Werth oder nur approximativ bestimmt. Die

trigonometrisch berechneten sind mit **T.**, die barometrisch aufgenommenen Punkte mit **B.** bezeichnet.

Die nicht unbedeutende Differenz zwischen den trigonometrischen
Höhenbestimmungen von Tralles und denjenigen der eidg. Ingenieurs
(Eschmann, Buchwalder) beruht wesentlich darauf, daß Tralles der
Fläche des Thunersees, als der Basis seiner Vermessungen, eine Höhe
von 1780' beimaß, während Eschmann dieselbe auf 1713' bestimmte.
Wenn letztere Angabe als die richtigere anzunehmen ist, so sind alle von
Tralles bestimmten Höhen um 67' zu hoch über dem Meer gesetzt.

Die Bestimmung der **Gebirgsart**, sowie die meisten geologischen Notizen, sind dem Verfasser gütigst von Herrn **Carl Ludwig Rütimeyer** in Bern mitgetheilt worden. Ebendemselben,
sowie der Gefälligkeit des Herrn **Pfarrer Stuber** in Vinelz, verdankt er die **botanischen** Nachweisungen. Leider erlaubte es die
Tendenz des Werkes nicht, aus dem Reichthum unserer Alpenflora mehr
als das Allerwesentlichste aufzunehmen. Um diese Lücke einigermaßen
zu ergänzen, werden die Freunde der Botanik auf folgende **Litera-
tur** verwiesen:

J. Gaudin, Liber manualis helvetico-botanicus. (Band VII der
Flora helvetica. Zürich 1833.)

J. Brown, Catalogue des plantes qui croissent dans les environs
de Thoune et dans l'Oberland bernois. Thoune et Aarau 1843.

**Mittheilungen der Naturforschenden Gesellschaft in
Bern.** 1845. N⁰. 39. 40. 1847. N⁰. 87. 88.
(Nachträge zu Browns Catalog von Hrn. v. Fischer-Ooster.)

Hegetschweiler. Flora der Schweiz. Zürich 1846.

Diese drei Werke enthalten die Pflanzen des ganzen Oberlandes.
Spezieller gehalten sind:

F. N. König. Reise in die Alpen. Bern 1814. Pag. 109—119.
(Enthält die Flora der Lauterbrunnen- und Grindelwald-Thäler
von Seringe.)

J. Schweizer. Das Faulhorn in Grindelwald. Bern 1832.
Pag. 33—41. (Ein treffliches und s. 3. vollständiges Verzeichniß der Faulhorn-Flora von dem um dieselbe so sehr verdien-
ten Herrn Guthnik.)

Schweizerstunden zu 16,000′. An diese speziellen Angaben reihen sich topographische, mitunter auch historische, etymologische, geologische und botanische Notizen an.

Auf die richtige Bestimmung der Gebirgsnamen ist besondere Sorgfalt verwendet worden. — Wer die Alpen bereiset, erfährt es nur zu oft, wie schwer es hält, unter den mancherlei Berggestalten, die den Wanderer umgeben, gerade diejenige wieder herauszufinden, die er sich aus der Ferne gemerkt hat. Aber noch schwerer hält es, ihre richtigen Namen zu erforschen. Selbst die nächsten Anwohner wissen oft den Gipfeln und Hörnern, die sie doch täglich vor Angesicht haben, die Benennung nicht zu geben. Sie bekümmern sich in der Regel wenig darum, wie diese unwirthlichen Felszacken oder Schneegipfel heißen mögen; nur wenn ein Berg durch seine Lage, durch eine auffallende Form oder durch andere Eigenthümlichkeiten sich auszeichnet und gleichsam klassisch geworden ist, vermag sich seine Benennung allgemeine Geltung zu verschaffen. Was aber die vielen weniger gekannten Berggipfel betrifft, so sind Gemsjäger und Schafhirten beinahe die einzigen Leute, an die man sich zu Erforschung ihrer Namen mit Sicherheit wenden kann. Eine umfassendere, wenn auch nicht so spezielle Lokalkenntniß besitzen auch einzelne Bergführer. Es bedarf daher langjähriger Selbstforschung an Ort und Stelle, und eine genaue Kenntniß der einzelnen Theile des gesammten Alpengebiets, um sowohl die verschiedenen Berggipfel aus der Ferne und in der Nähe in ihren sich verändernden Formen wieder zu erkennen, als auch ihre wahren Namen sich zu verschaffen. Wer alle diese Schwierigkeiten erwägt, wird es verzeihlich finden, wenn der Verfasser, trotz seiner Bestrebungen zu der Feststellung einer richtigen Nomenklatur, sich hierin noch hin und wieder eines Irrthums schuldig gemacht haben sollte. Er erkennt diese Möglichkeit zu gut an, als daß er nicht jede bießfällige Belehrung mit Dank entgegennehmen wird.

Die Höhen sind in französischen Fußen über dem Meere angegeben. Der Standort des Panoramas mag so ziemlich im Niveau der Sternwarte von Bern liegen, welche nach Trechsel eine Höhe von 1792′ ü. d. M. hat. Die Höhenangaben, denen ein Fragezeichen angehängt ist, sind von zweifelhaftem Werth oder nur approximativ bestimmt. Die

trigonometrisch berechneten sind mit **T.**, die barometrisch aufgenomme=
nen Punkte mit **B.** bezeichnet.

Die nicht unbedeutende Differenz zwischen den trigonometrischen
Höhenbestimmungen von Tralles und denjenigen der eidg. Ingenieurs
(Eschmann, Buchwalder) beruht wesentlich darauf, daß Tralles der
Fläche des Thunersees, als der Basis seiner Vermessungen, eine Höhe
von 1780' beimaß, während Eschmann dieselbe auf 1713' bestimmte.
Wenn letztere Angabe als die richtigere anzunehmen ist, so sind alle von
Tralles bestimmten Höhen um 67' zu hoch über dem Meer gesetzt.

Die Bestimmung der Gebirgsart, sowie die meisten geolo=
gischen Notizen, sind dem Verfasser gütigst von Herrn Carl Lud=
wig Rütimeyer in Bern mitgetheilt worden. Ebendemselben,
sowie der Gefälligkeit des Herrn Pfarrer Stuber in Binelz, ver=
dankt er die botanischen Nachweisungen. Leider erlaubte es die
Tendenz des Werkes nicht, aus dem Reichthum unserer Alpenflora mehr
als das Allerwesentlichste aufzunehmen. Um diese Lücke einigermaßen
zu ergänzen, werden die Freunde der Botanik auf folgende Littera=
tur verwiesen:

J. Gaudin, Liber manualis helvetico-botanicus. (Band VII der
  Flora helvetica. Zürich 1833.)

J. Brown, Catalogue des plantes qui croissent dans les environs
  de Thoune et dans l'Oberland bernois. Thoune et Aarau 1843.

Mittheilungen der Naturforschenden Gesellschaft in
  Bern. 1845. N⁰. 39. 40. 1847. N⁰. 87. 88.
  (Nachträge zu Browns Catalog von Hrn. v. Fischer=Ooster.)

Hegetschweiler. Flora der Schweiz. Zürich 1846.

Diese drei Werke enthalten die Pflanzen des ganzen Oberlandes.
Spezieller gehalten sind:

F. N. König. Reise in die Alpen. Bern 1814. **Pag. 109—119.**
  (Enthält die Flora der Lauterbrunnen= und Grindelwald=Thäler
  von Seringe.)

J. Schweizer. Das Faulhorn in Grindelwald. Bern 1832.
  Pag. 33—41. (Ein treffliches und z. Z. vollständiges Verzeich=
  niß der Faulhorn=Flora von dem um dieselbe so sehr verdien=
  ten Herrn Guthnik.)

F. Meisner. Annalen der Schweizerischen Gesellschaft für die Naturwissenschaft. Bern 1824. Bd. II. pag. 72—107. (Ein sehr vollständiges Verzeichniß der Pflanzen besonders des westlichen Theils der Stockhornkette [Rüeggisberg bis Weißenburg], von Trachsel.)

Desor. Excursions et séjour sur les Glaciers. Neuchâtel 1844. Pag. 567—572 (Flora der Aargletscher von Godet) und pag. 618—628 (Flora von Rosenlaue, vom dortigen Wirth, Herrn Brunner).

Nr. 1. Brienzer-Rothhorn.

Politische Lage. Bern, A. Interlaken, Grenze gegen Luzern und Unterwalden.

Höhe. 7238' eidgenössische Vermessung. T.

Gebirgsart. Schwarzer, an der Oberfläche leicht röthlich verwitternder Kalk und Schiefer. (Alpinische Kreide.)

Entfernung. 10½ Schweizerstunden.

Das Brienzer-Rothhorn ist der höchste Gipfel jener Gebirgskette, welche das nördliche Ufer des Brienzersees bogenförmig umschließt und sich von dem felsigen Harder (4340) bei Unterseen bis auf die Einsattlung des Brünig (3423) auf einer Strecke von fünf Stunden ausdehnt.

Der Brienzersee hat nach den neuern eidg. Vermessungen eine Höhe von 1735'. Das Rothhorn entsteigt daher dem Becken des Sees bis zu einer vertikalen Höhe von 5500'. Sein Gipfel stellt sich als eine Doppelspitze dar. Die östliche, etwas höhere, ist die eigentliche Rothhornspitze. Ein Markstein von Granit, der im Jahr 1829 hier aufgepflanzt worden ist, bezeichnet den Grenzpunkt dreier Kantone. Die westliche Spitze heißt Schoneck oder Breitengrat.

Mittagwärts löst sich von den jähen Abstürzen des Rothhorns vermittelst der sattelförmigen First der Werreneck ein schmaler Seitengrat ab, der seine nackten Felsenwände dem Brienzersee zukehrt und in gezacktem Kamme über den Dürrengrind (Grind gleichbedeutend mit Kopf), das Tanngrindel und die Roßeck abfällt. Zwischen diesem Grat und dem ihm an Höhe weit überlegenen Rothhorngipfel befindet sich das Hochthal der Planalp (5065), 270 Kuhrechte haltend, von dem Planalp- oder Mühlebach bewässert, der hinter dem Dorfe Brienz einen sehenswerthen Sturz über hohe Felsen bildet. Wyß *) gibt die Höhe dieses Falles auf 1100 Fuß an. Die südlichen und östlichen Abhänge des Berges sind in ihren unteren Theilen von

---

*) Reise ins Berner-Oberland.

tiefen und weiten Gräben durchzogen, deren lockere Schiefermaſſen bei
Hochgewittern und in Regenzeiten oft als verheerende Schlammſtröme
ſich herunterwälzen und jedesmal den am Fuße liegenden Ortſchaften
Brienz, Tracht, Schwanden, Hofſtetten und Kienholz
den Untergang drohn. Durch einen ſolchen Schlammſtrom ſoll im 15.
oder 16. Jahrhundert das große Dorf Kienholz ſammt dem Schloſſe
theils überſchüttet, theils in den Brienzerſee hinausgeſchwemmt worden
ſein. Wyß *) theilt uns die Ueberlieferung mit, daß infolge eines
ſeltſamen Zufalls einige Zeit nach jener Kataſtrophe ein alter Mann
ſammt einem Knaben des verunglückten Dorfes lebend in einem Kel-
lergewölbe aufgefunden worden, die ſich in dieſer Gruft die beträchtliche Zeit hindurch mit Wein und Käſe und herabſickerndem Waſſer
das Leben gefriſtet hatten. Auf ähnliche Weiſe wurden im Jahr 1797
zu Hofſtetten und Schwanden 37 Häuſer, viele Gärten und fruchtbare Wieſen zerſtört, und einige Monate lang trübte die Menge des
in den See geſtürzten Schlammes deſſen Gewäſſer. Die Regierung
von Bern beſtimmte zwölftauſend Kronen zu Verſetzung des Dorfes
Schwanden in eine ſicherere Lage, die Einwohner konnten ſich aber nicht
entſchließen, den angeſtammten gefährlichen Boden zu verlaſſen, ſie wieſen die angebotene Summe zurück und wurden 1807 von Neuem über-
ſchwemmt **). Auch am 3. Nov. 1824 erzeugte ſich ein ſolcher Schlammſtrom, wodurch viel Land verwüſtet wurde und ſechs Perſonen das Leben verloren.

An ſeiner Nordſeite iſt das Rothhorn bis in den Grund des freundlichen Marien- oder Sörenbergthales (3520) in grauſen Trümmerhalden abgeriſſen, welche theils durch den von der Schoneck ſich ab-
löſenden kahlen Felsgrat des Eſel, theils durch die begraste ſteile
Firſt eingedämmt ſind, die ſich etwas öſtlicher von der Ecke der Tags-
weid auf den ſeiner reichen Flora wegen berühmten Neſſelſtock abſtuft und von dieſem ſteil in jenes Thal niederfällt. Nordweſtlich eine
Stunde unterhalb des Rothhorngipfels liegt in einem einſamen Thal-
keſſel, von grüner Alpweide und finſtern Felswänden umſchloſſen, das
Becken des Mai- oder Ei-Sees (6080), auf der Unterwaldneralp

---

*) Reiſe ins Berner-Oberland.
**) Erdkunde der Schweiz. Eidgen., von G. Meyer.

gleichen Namens *). Oberhalb des Sees soll sich eine merkwürdige Stalaktitenhöhle befinden. Auf tieferen Terrassen sieht man die Alpen Stäffeli, Dreitannen und Rämsiboden. Hier quillt die kleine oder Waldemme in beträchtlicher Wassermasse aus dem Berge hervor. Sie ist wahrscheinlich der unterirdische Ausfluß jenes Alpensees. Im Thalboden längs dem nördlichen Fuße des Rothhorns sind die vorzüglichsten Alpen des Entlebuchs gelagert. Darunter gehören: Schönenboden, Schlacht, Habchegg und Wytmoos.

Ueber die Abnahme der Holzvegetation auf diesem Gebirge gibt uns Kasthofer folgende interessante Notiz: „Am Rothhorn liegt der oberste Saum der gegenwärtigen Rothtannenwaldung nicht höher als etwa 5200' ü. d. M., und in diesem obersten Saum stehen die Rothtannen nur buschartig, höchstens zehn Fuß hoch, alle wipfeldürr. Wohl tausend Fuß höher am Berggrat stehen noch Spuren von einen Fuß starken Rothtannenstöcken und Baumwurzeln im Erdreich **).“

Was die geologischen Verhältnisse des Rothhorns anbetrifft, so bilden schwarzer Kalk und Kalkschiefer (alpin. Kreide) die ganze Kette der Brienzergräte (Nr. 1. 7. 9. 29.) und treten daher besonders längs deren Fuß zu Tage, wie z. B. zu Goldswyl, dessen bekannte Steinbrüche dieser Gebirgsart angehören. Erst am Brünig erscheinen als tiefere Grundlage der Kette dunkle Kalke, welche dem mittlern Juraetage beizuzählen sind (Hochgebirgskalk). Die dunkeln Kreideschiefer erreichen an vielen Stellen die Gräte und Gipfel der Kette und nehmen daselbst durch die Verwitterung oft eine rothe Färbung an (Rothhorn), werden aber an wenigen Stellen noch von hellem, gelblichem Nummulitenkalk und -Sandstein bedeckt, wie am Tarnhorn, Augstmatthorn, Rothschalpburg.

Wenn wir hier noch ein Wort über die Flora des Brienzer-Rothhorns beifügen, so haben wir zu bemerken, daß die Brienzer- und Sigriswylgräte mehr oder weniger eine Flora beherbergen, die sich in allen Alpen wiederfindet. Ein gedrängtes Verzeichniß der gewöhnlichen Alpenpflanzen haben wir bei der Beschreibung des Sigriswyler-Rothhorns (Nr. 49 hienach) aufgenommen. Einzelne seltene

---

*) Ei bedeutet eine Wiese am Wasser, aus dem alten A, oder dem celtischen Ey, Wasser.

**) Bemerkungen auf einer Alpenreise.

Spezies des Brienzer-Rothhorns sind: Ranunculus Traunfellneri, Hoppe. Papaver alpinum L. Linum montanum Schl. Asperula taurina L. Phaca frigida L. Digitalis purpurea L. (zweifelhaft).

Die hohe und freistehende Lage des Rothhorns mußte den Lieb= haber von Gebirgsaussichten schon frühe auf dessen Gipfel locken, weil er sich mit Recht den Genuß einer prachtvollen Aussicht versprechen konnte. Diese Aussicht schildert denn auch bereits Schnyder in sei= nem Werke „Besondere Beschreibungen etlicher Berge des Entlebuchs, Luzern 1783," mit kräftigen und begeisternden Zügen. Im Jahr 1806 skizzirte mein seliger Vater ein Panorama von diesem lohnenden Stand= punkte. Erst in neuerer Zeit richtete sich jedoch der Sinn spekulativer Wirthe und das Auge des Touristen mit mehr Aufmerksamkeit nach dieser schönen Alpenspitze. Im Jahr 1838 (?) wurde kaum 10 Minu= ten unterhalb des Gipfels an dessen steilem östlichem Abhang ein Wirths= haus erbaut, und ein Reitweg dahin von Brienz aus durch Schwan= den angelegt. Auf der Spitze selbst ward zum Schutz gegen Wind und Kälte ein kleiner Pavillon aufgerichtet. Diese Anstrengungen hät= ten mehr Würdigung von Seite der Fremden verdient. Allein der Zug der Touristen wendete sich bald wieder dem klassischen Faulhorn zu. Schon im Jahr 1846 stand die Wirthschaft auf dem Brienzer Rothhorn öde, weil der Unternehmer nicht dabei zu bestehen vermochte. Gebäude und Wege fiengen an in Verfall zu gerathen, und am 19. November gleichen Jahres zerstörte ein Brand das Wirthschafts= gebäude.

Außer dem Reitweg durch Schwanden führen noch mehrere Pfade in 4 bis 5 Stunden auf den Rothhorngipfel. Von Brienz kann man z. B. über die Planalp dahin gelangen. Der Pfad geht durch Wal= dung steil empor nach den freien Triften eben jener Alp, und steigt von Stufe zu Stufe hinter dem Felsgebilde des Dürrgrindes hindurch nach der Werreneck und von hier längs der gäh aufstrebenden First auf die Spitze. Brienz ist 15 Wegstunden von Bern entfernt. Be= quemer und kürzer ist der Weg, der von Sörenberg in 4 Stunden über die Alp Maisee auf das Rothhorn führt; noch kürzer aber mühsamer ist derjenige, der sich von dort durch jene mit Trümmerhalden bedeckte Schlucht zwischen dem Esel und dem Nesselstock emporzieht. Sören= berg ist 3¾ Stunden von Schüpfheim, dieses 11 Stunden von Bern

entfernt. Endlich läßt sich das Rothhorn auch von Giswyl aus in 5
bis 6 Stunden ersteigen, indem man, den Giswylerstock umgehend,
nach den Arnialpen sich wendet, dann über den Grat zum Maisee nie=
dersteigt und von da wiederum die Höhe gewinnt.

Als ein seltenes Ereigniß ist zu erwähnen, daß das Rothhorn am
19. Januar 1845 von 24 rüstigen Männern von Brienz bestiegen
wurde. Sie trafen bloß an einigen schattigen Stellen Schnee an.
Die Temperatur war vom Sonnenschein äußerst gemildert.

Was den allgemeinen Charakter der Aussicht anbelangt, die man
auf dem Brienzer=Rothhorn genießt, so sind freilich die Riesen des
Berner Oberlandes hier schon im zweiten Gliede sichtbar und ihr be=
gletscherter Fuß wird durch die Faulhornkette verdeckt. In dieser Be=
ziehung steht daher die Rothhornaussicht an Großartigkeit derjenigen
des Faulhorns etwas nach. Dagegen ist der Gesammtüberblick auf
ersterem freier, freundlicher und ausgedehnter. Man sieht
im Centrum einer schönen und mächtigen Gebirgswelt, die mit ihren
zahllosen Hörnern und Kuppen in den verschiedensten Gestalten vor
dem Beschauer entfaltet ist und von den Vorarlbergen und dem
Alpstein bis zur *Dent de Bored* am Genfersee einen Längendurch=
schnitt von 60 Schweizerstunden besitzt. Die Gebirgsketten des Titlis,
der Susten= und der Oberhaslethäler, die auf dem Faulhorn durch
nähere Felsgebilde dem Auge größtentheils entzogen sind, stellen sich
hier ganz unverkümmert den Blicken dar. Durch das Becken des
Brienzersees von dem hohen Bollwerke der Faulhornkette getrennt,
sieht man die Reihe der erhabenen Eisgebirge von Grindelwald und
Lauterbrunnen jene dennoch bedeutend überragen, und in dieser Be=
ziehung hat die Aussicht vom Rothhorn einen entschiedenen Vorzug vor
der des Rigi, wo man sich zu entfernt von den Hochalpen befindet, um
sie so in der Fülle ihrer Größe und Pracht bewundern zu können.
Wohl steht dann wiederum die Rothhornaussicht in Bezug auf die
malerischen und lieblichen Bilder des Vordergrundes, wie man
sie auf dem Rigi zu seinen Füßen hingezaubert erschaut, im Nach=
theil; indessen ist der Blick auf die Thäler und Gewässer, [die den
Fuß des Berges umziehen, unbeschränkt und räumt der Rothhornaus=
sicht wieder einen Vorzug ein vor derjenigen des Faulhorns, das sei=
ner zurückgeschobenen Lage wegen weder eine ungehemmte Anschauung

des Brienzersees noch der den Fuß des Berges umziehenden Thal-
schaften gestattet.

Es würde zu weit führen, die Aussicht vom Brienzer-Rothhorn
in allen ihren Einzelnheiten zu schildern. Zur Aufmunterung rüstiger
Naturfreunde mag es genügen, in gedrängten Zügen darauf hinzudeuten, wie man gegen Norden das zahme Alpengelände der Emmen-
thaler-, Entlebucher- und Unterwaldnergebirge, umstellt
von der wilden Schratten, dem Napf, der Vorderen Fluh
und dem Pilatus, überschaut; wie aus dem grünen Thalgrunde,
durch den die Waldemme sich schlängelt, die nahen Kirchen von Sörenberg und Flühli erglänzen, während in dämmernder Ferne der
Jura, die Vogesen und der Schwarzwald den Horizont um-
ziehn; wie ostwärts der liebliche Maisee und weit darüber hinweg die Wasserspiegel des Sarnen- und Vierwaldstättersees
und am Fuße des Rigi der See von Zug dem Auge entgegenschim-
mern; wie von Osten nach Süden in mehrfachen Reihen und seltsamen, riesenhaften Gestalten der prachtvolle Kranz der Hochgebirge
und ewigen Firnen von den Gebilden des Säntis und Glärnisch
über die gezackte Titliskette, die Gadmer-, Triften- und Grim-
selgebirge, das Hohritzli, die Wetterhörner, das Schreckhorn, Finsteraarhorn, die Viescherhörner, Eiger, Mönch,
Jungfrau, bis auf die Blümlisalp und das Doldenhorn, ja bis
zu den fernen Eispalläßten des Strubels und Wildhorns, den blauen
Himmel umgürtet, während die gewaltigen Vormauern wilder Fels-
ketten ihren Fuß umstehen *); wie tief zu den Füßen des Schauenden die trübe Aar, das freundliche Meiringen bespühlend, durch
das ebene Haslethal strömt, der dunkelblaue, fast grüne Spiegel
des Brienzersees in seinem ganzen Umfang, mit niedlichen Ortschaften bekränzt, zwischen den waldbesäumten, mannigfach terrassir-
ten Abstürzen der Faulhornkette und den schroffen, dürren Hängen
des Brienzergrats gebettet ist; und wie das Auge in größerer
Entfernung über das Gelände von Interlaken und einen leuchtenden Streifen des Thunersees schweift; wie endlich gegen Westen

---

*) Der Montblanc ist vom Brienzer-Rothhorn nicht sichtbar.

über die Riesenkette, die Simmenthalberge, bis zu den kaum mehr erkennbaren Spitzen Savoyens, Gebirgskette an Gebirgskette sich reiht und wie an der Grenze der Alpen die duftigen Hügel und Flächenländer von Bern und Freiburg bis an die Seen im Rebengelände und an das blaue Band des Jura sich ausdehnen! — Sollte nicht der Anblick eines solchen Naturgemäldes die Mühen der Wanderung vielfach lohnen?

Als der Verfasser im Jahr 1839 das Rothhorn bestieg, benutzte er den günstigen Tag, um die herrliche Aussicht in leichten Zügen auf das Papier zu bringen. So entstand das Panorama, das von Wagner lithographirt, durch die L. R. Walthard'sche Buchhandlung in Bern herausgegeben wurde. Im nämlichen Jahre nahm F. Schmid eine Rundzeichnung vom Brienzer-Rothhorn auf, welche von ihm selbst auf Stein gezeichnet und veröffentlicht wurde. In dem Panorama von Schmid ist der Charakter der Aussicht im Allgemeinen treffend wieder gegeben; im Einzelnen fehlt aber eine fleißige und gewissenhafte Ausarbeitung, und die ziemlich dürftige Nomenklatur wimmelt von Mißschreibungen.

Nr. 2. Scheibengütsch (Schratten).

Politische Lage. Luzern, A. Entlebuch.

Höhe. 6280' (?)

Gebirgsart. Hellgrauer Rudistenkalk, in der Tiefe schwarzer schiefriger Kalk (alpinische Kreide).

Entfernung. 9 Stunden.

Unter den Bergen des Entlebuchs erhebt sich ein steiles, wildes Gebirge, welches sich von Thorbach gegenüber dem Pfarrdorf Flühli bis zur Ausmündung des Bärsolbachs in die Emme auf eine Länge von beinahe drei Stunden in südlicher Richtung ausdehnt. Dieses Gebirge heißt die Schratten oder Schrattenfluh*). Schratten bedeutet in der Bergsprache Schrund, Spalte, und es bezeichnet dieser Name treffend den Charakter des Gebirges, das in seinen oberen Theilen wunderbar gespalten und zerklüftet ist.

---

*) Eine ausführliche Schilderung der Schratten steht in Schnyders Beschreibungen etlicher Berge des Entlebuchs, Luzern 1785.

Auf die wald- und alpenreichen Vorberge der Bäuchlen, des Hürnli und der Lochseite fußend, zwischen denen Bergwasser in tief eingefressenen Tobeln nach dem Hauptthal der Emme und Ilfis hervorströmen, zeigt die westliche oder dem Dorf Marbach zugekehrte Seite der Schratten neben stufenlosen Trümmerhalden jähe begraste Abstürze, welche von Fluhsätzen unterbrochen und von vertikalen Furchen durchzogen bis an den Felsenkranz des höchsten Joches reichen. Die Schafweide berührt stellenweise dieses selbst und gestattet dem rüstigen Gänger dessen Erklimmung.

Eine ganz andere Beschaffenheit bietet die Ost- oder Schüpferseite dar. Weniger steil abgerissen gleicht das Gebirge bis auf die Mitte herab einer öden Felsenwüste. Lose Schuttfelder und weite Strecken eines scharfkantigen, seltsam ausgewaschenen und ausgekerbten, zum Theil blendend weißen Gesteins bedecken den Boden, der vielfach durch tiefe Querspalten von einander gerissen ist. Es ist die sogenannte Karrenbildung in ihrer ganzen Eigenthümlichkeit. Jede Vegetation ist da erstorben. Trichterförmige Vertiefungen, in denen das Schneewasser im Frühjahr Teiche bildet, wechseln mit hochgethürmten Felsenterrassen. Waldung und Alpen bekleiden den untern Theil des Berges bis an das Ufer der Waldemme.

Das höchste Joch zeichnet sich durch seine Profilbildung aus. Man gewahrt weder die gleichförmige Gipfelreihe des Brienzergrats, noch den zertheilten Kamm des Pilatus, noch die Kuppenbildung der Stockhornkette, sondern eine langgestreckte schmale First, die sich in ziemlich regelmäßiger Zeichnung zu einzelnen, die Normalhöhe wenig überragenden Gipfelpunkten aufwirft und nur an beiden Enden und in der Mitte kühner geformte Felsgestalten erscheinen läßt. Gleichsam als äußerstes Bollwerk der riesenhaften Alpenfestung hingestellt, beginnt die Schratten an ihrem nördlichen Ende mit der thurmähnlichen Felsenspitze, welche Gemschigrat oder Strick, auch wohl Salzbodenfluh genannt wird, und erhebt sich von dieser auf die ansehnlichere Kuppe der Heftifluh, von wo der Grat, eine Reihe nackter Felsen bildend, die Heftizähne geheißen, auf den höchsten Gipfel, die Thierweid, auch Bättenalpfluh und Vorderhengst genannt, ansteigt. In schwacher Senkung neigt sich dann der Gebirgsgrat bis zu den zwei merkwürdigen Felsenzinken des Großen

und Kleinen Bättenalphengstes, steigt sofort wieder empor
auf den Gipfel der Steinwangfluh*), der an Höhe der Thierweid
nahezu gleichkommen wird, und führt von da in langer, aber sehr
schmaler First, deren einzelne Theile Imberg und Gertlenfluh
genannt werden, nach der Ecksäule des Scheibengütsch, welcher
als äußerster Gipfel am südlichen Ende der Schratten in sehr charak-
teristischer Form auftritt. Der Scheibengütsch besteht in einer mehrere hundert Fuß hohen, beinahe senkrecht abgerissenen Felsenmasse,
von deren Fuß sich die steilen Abhänge theils über die felsige Ecke
des Weiß= oder Achsgütsch, theils über die vorspringende Felsenkuppe
der Bölifluh in das von der Emme durchflossene Bumbachthal nie-
dersenken. Die westlichen, sehr schroffen und felsigen Abstürze zur Seite
des Scheibengütsch werden mit dem Namen Scheibenfluh belegt
(vergl. Nr. 3 unserer Alpenansicht). Sie enthalten das sogenannte
Scheibenloch, eine weit geöffnete Höhle mit Gewölben und Gängen.

Trotz seinem drohenden Aussehen ist der Scheibengütsch leicht
ersteigbar. Von Marpach ausgehend, welches 9½ Wegstunden von Bern
entfernt ist, erreicht man die Spitze in 3½ bis 4 Stunden. Der Weg
führt anfangs dem Bette der Steiglen entlang, dann verfolgt man
die Bergseite zur Rechten des Tobels, gelangt auf die Alpen Nesselboden, Wyttenferren und Imberg. Hier fängt das strengere Steigen
an. Mühsam, doch gefahrlos, sind die schroffen Grashänge zu erklettern. Die letzten Tannen zieren noch spärlich die Bergseite. Lockere
Schutthalden wechseln mit steiler Schafweide. Auf der Imbergfluh
erreicht man das höchste Joch und kann sich über dieses nach dem
Scheibengütsch oder nordwärts nach den anderen Höhenpunkten der
Schratten hinbegeben. Von der Schüpferseite läßt sich die Ersteigung
der Schratten aus dem nächstgelegenen Thalgrunde in 2½ Stunden
vollbringen. In noch kürzerer Zeit, nahezu in 2 Stunden, gelangt
man von dem Bade im Kemmeriboden, 2 Stunden hinter Schangnau
gelegen, auf den Gipfel des Scheibengütsch, der sich von da in selt-
samer Form dem Auge darstellt.

---

*) Wang muß nicht mit Wand verwechselt werden. Ersteres bedeutet in der Berg-
sprache eine begraste Halde, welche nicht so steil wie eine Wand ist. Daher sagt man:
der Maienwang (Blumenhalde), der Breitwang, der Hochwang ꝛc. Wand bezieht sich
mehr auf einen steilen, felsigen Absturz.

Auf der ganzen Schratten, insbesondere aber auf dem Scheiben=
gütsch und noch vorzüglicher auf der Steinwangfluh, eröffnet sich eine
sehenswerthe Fernsicht. Gegen Osten sieht man hinter den Bergzügen
des Entlebuchs den **Pilatus, Rigi, Sentis, das Stanzerhorn,**
den **Brisen,** den **Glärnisch** und den **Gebirgstock des Engel-
bergerthals;** gegen Süden umschließen den Horizont: die lange
Riesenmauer des **Brienzergrats,** das gewaltige Felsengerüste des
Hohgant und die Reihe der **Crizflühe;** darüber hinaus erglänzen
im Silbergewande die Firnen der Hochlandskette vom **Titlis** bis zu
den **Diablerets,** und selbst der **Montblanc** hebt sein stolzes
Haupt hervor. Weithin dehnen sich die Gebilde der **Niesen=** und
Stockhornkette aus; einige Gruppen der Berge des inneren **Sim=
menthals** sind sichtbar, und in der weitesten Entfernung erkennt
man die Spitzen der *Tours d'Ay* und *Mayan* und die *Brenleire-
Kette.* Westwärts schaut man zu seinen Füßen das von der Emme
durchschlängelte Bumbachthal, das alpenreiche Schangnau, die
grünen Höhenzüge der **Oberenfluh** und **Rämisgummen,** überhaupt das ganze Höhengebiet der Emme und darüber hinaus die fruchtbaren Landesflächen und die bewaldeten Hügelreihen bis an die blaue
Grenzmauer des Jura. Berns Thürme sind erkennbar. Nordwärts
hat man die Bäuchlen, den Gebirgsstock des Napfs mit seinen
vielfachen Verzweigungen, und in dämmernder Ferne die Bergzüge
hinter **Solothurn** und **Aargau.**

Von der Schüpferseite der Schratten erzählt die Sage, daß dieselbe einst mit reicher Alpweide bedeckt gewesen sei. Drei Brüder,
welche den Berg von ihrem Vater geerbt und gemeinschaftlich besessen,
hätten den Entschluß gefaßt, dieses Besitzthum unter sich zu verthei-
len. Einer der Brüder sei aber blind gewesen und von den andern
benachtheiligt worden; dieser Frevel sei sodann durch Verwandlung
des Berges in jene unwirthbare Felsenwüste von höherer Macht geahn-
det worden.

Auch von seltsamen Schlangen und Drachen, die in den Klüften
der Schratten hausen und schon manchen kühnen Jäger und Hirten in
Schrecken sollen gesagt haben, wissen die Leute der Umgegend Vieles
zu berichten.

Die Schrattenfluh besteht größtentheils aus alpinischer Kreide, die schwarzen Kreideschiefer der Brienzergräte bilden auch die Grundlage dieser Kette, werden aber in großer Mächtigkeit von Rudistenkalk (ebenfalls alpin. Kreide) überlagert, der den ganzen Grat bildet und hier wie anderwärts sich durch seine der Vegetation äußerst ungünstige Wirkung und durch die fast nur seinem Bereich angehörenden Schratten oder Karrenfelder auszeichnet, die der ganzen Kette den Namen gegeben haben. Nur am südlichen Fuß der genannten Kette bedeckt tertiärer Nummulitensandstein den sekundären Rudistenkalk.

Obschon geologisch sehr verschiedenen Formationen angehörig, zeigen doch im äußern Anschein die Stockhornkette und die der Schratten viele Analogien. Beide fast ausschließlich aus harten Kalken zusammengesetzt, zeigen schroffe Wände, rauhe, schmale Gräte. Diese mineralogische und topographische Aehnlichkeit, verbunden mit ungefähr gleicher Höhe, mögen es vorzugsweise bedingen, daß diese beiden weit von einander getrennten Gebirge beinahe die nämliche, und zwar eine sehr reiche Pflanzenwelt ernähren. Neben den gewöhnlichen Alpenpflanzen (vergl. Nr. 49) kennen wir von der Schratten folgende Spezies: Thalictrum minus L. Arabis pumila Wulf. Thlaspi rotundifolium Br. Petrocallis pyrenaica Br. Draba tomentosa Wahl. Coronilla vaginalis Lam. Phaca astragalina DC. Potentilla minima Hall. Sibbaldia procumbens L. Imperatoria Ostruthium L. Athamanta Libanotis L. Lonizera alpigena L. Erigeron uniflorus L. Hieracium prenanthoides L. H. Succisæfolium All. Senecio sarracenicus L, Campanula thyrsoidea L. Arbutus alpina L. Gentiana nivalis L. Androsace villosa L. Allium Schænoprasum L. Eriophorum Scheuchseri Hoppe. Carex brachystachys Schr.

Nr. 3. Scheibenfluh.

Theil der Schratten, siehe die Schilberung dieser bei Nr. 2.

Nr. 4. Ostermundigenberg.

Politische Lage. Umgebung von Bern.
Höhe. Circa 2200' (?).
Gebirgsart. Muschelsandstein (obere Molasse) nebst Nagelfluh.
Entfernung. 3/4 Stunden.

Der Ostermundigenberg ist ein mit Buchen- und Tannen-waldung bewachsener, sanft gerundeter Hügel, westlich von Bern ge-legen. Um seinen Fuß liegen die Ortschaften Ostermundigen, Deißwyl und Gümligen. An seinem nördlichen Abhang, von der Straße durchschnitten, die von Ostermundigen nach Deißwyl führt, befindet sich der noch jetzt stark benutzte Sandsteinbruch, welcher das Baumaterial zum Münster in Bern geliefert hat. Das kleine schmale Gümligenthal mit seinem freundlichen Wiesengrunde zwischen schön bewaldeten Anhöhen, welches den Ostermundigenberg ostwärts von dem Amselnberg trennt und durch welches ein schmaler Fahrweg führt, der die Ortschaften Deißwyl und Gümligen mit einander ver-bindet, ladet den Freund ländlicher Stille und Abgelegenheit zum flüchtigen Besuche ein.

Nr. 5. Wyl.

Politische Lage. Bern, A. Konolfingen.
Höhe. Circa 2100' (?).
Entfernung. 2¾ Stunden.

Wyl, auch Schloßwyl genannt, Schloß und Pfarrdorf am nördlichen Fuß des bewaldeten Hürnbergs, 1/2 Stunde von Höchstet-ten, in einer etwas winterlichen Lage, jedoch von schönen Matten, Kornfeldern und Fruchtbäumen umgeben. Das weithin sichtbare, die Gegend dominirende Schloß ist in jetziger Zeit Sitz der ersten Be-zirksbeamten des Amts Konolfingen und enthält in seinem starkgebau-ten Thurm, dessen Mauern unten 12 Fuß, oben 8 Fuß dick sind, die Gefangenschaftsräume. Von den Anlagen um das Schloßgebäude, insbesondere von dem wallähnlichen Plateau der Lindenallee, genießt man einer ausgedehnten Fernsicht.

Am Ende des verflossenen Jahrhunderts wurden in Wyl celtische Alterthümer entdeckt, unter andern ein ehernes Götzenbild *).

Nr. 6. Rysseseck.

Politische Lage. Bern, A. Signau.
Höhe. Circa 3000' (?).
Gebirgsart. Nagelfluh.
Entfernung. 4¾ Stunden.

Den Namen Rysseseck trägt eines der 7 Güter, in welche die Gemeinde Röthenbach vertheilt ist. Zu demselben gehören etwa 15 Wohnhäuser. Unsere Nummer bezieht sich jedoch auf jene großentheils bewaldete Anhöhe zwischen Röthenbach und Bowyl, auf welcher die Bauernhöfe Rysseseck zerstreut liegen.

Nr. 7. Hintere Fluh.

Politische Lage. Luzern, A. Entlebuch, Grenze gegen Bern, A. Interlaken.
Höhe. Rothschalpburg. 6320' (?).
Gebirgsart. Schwarzer Kalk und Schiefer (alpinische Kreide), in der Höhe Nummulitenkalk.
Entfernung. 10 Stunden.

Dieser Name kommt der dem Entlebuch zugekehrten Seite des Brienzergrats zu, und zwar im Gegensatz zur Vordern Fluh, unter welcher Benennung der Gebirgszug verstanden wird, der sich vom Kragenbach bei Flühli über die Schafmatt und den Schymberg bis an den Pilatus hinzieht. Der Brienzergrat aber begreift den zwischen dem Tannhorn (vergl. Nr. 9) und dem Rothhorn (vergl. Nr. 1) liegenden Theil jener Gebirgskette in sich, die den Brienzersee nördlich umfaßt.

---

*) Meyers Erdkunde der Schweiz.

Das höchste Joch der **Hinteren Fluh** bezeichnet die Grenze zwischen den Kantonen Bern und Luzern. Es ist durchgehends sehr schmal, ja stellenweise in solcher Schärfe aufgekämmt, daß nur der Schwindellose darüber wegschreiten darf. Es gibt sogar Stellen, wie die **Schersär**, wo der kühnste Gänger sich kaum hinwagt. Die einzelnen Bezeichnungen des Jochs, wie sie vom **Tannhorn** bis auf das **Rothhorn** auf einander folgen, sind: die **Schersär**, s'**Balmi** (überhängender Felsen), die **Rothschalpbriefe**, die **Rothschalp-burg**, die **Planalpbriefe**, das **Lanzisgummhorn**, die **kleine Spitze des Tannhorns**, die **Kruteren-Zähnd** oder **In Zähn-den***) und die **Schoneck-Schnür**.

Auffallende Gipfelformen hat die **Hintere Fluh** keine, wenn man die beiden stolzgebauten Wachthürme des Rothhorns und Tannhorns ausnimmt. Einzig die ungefähr in der Mitte zwischen diesen beiden aufstrebende Spitze der Rothschalpburg verdient noch einige Beachtung. — Zahlreiche Schafheerden lagern im Sommer auf diesen Firsten, so weit sie ihnen zugänglich sind. Tiefer breiten sich auf der Brienzerseite die Triften der **Rothschalp** (240 Kührechte haltend) aus und jähe Gras- und Wälbhänge, mit Felsbändern begürtet, fallen stufenlos nach dem Seebecken nieder. Auf der Entlebucherseite dacht sich die **Hintere Fluh** in wilden Trümmerhalden und Felswänden, wie in der **Blattenfluh**, steil nach den am Fuße liegenden Alpen **Dachseck, Schwarzeneck, Luegberg, Blattenfluh, Käs-boden, Arniberg** und **Bärsol** ab, die den Raum ausfüllen zwischen den Quellen der großen und kleinen **Emme**. An einigen Stellen reicht die Schafweide auch an der Nordseite bis an das höchste Joch; z. B. an der **Kruteren**, wo ein Uebergang aus dem Entlebuch nach Brienz leicht thunlich ist, und von wo aus man auch durch eine von der Natur mit Treppen versehene Krinne nach der **Planalp** und auf das **Rothhorn** gelangen kann.

Nach **Gruner** befinden sich am Brienzergrat 2 Schwefelquellen mit etwas Vitriol, und nicht weit davon bei **Murosweid** ein Sauer-brunnen.

Der Flora des Brienzergrats haben wir bei Nr. 1 erwähnt.

---

*) Zahn dens, Goth. tundo, Gall. dent.

Nr. 8. Triftenhörner.

Politische Lage. Bern, A. Oberhasle, Grenze gegen Uri.
Höhe. Hinter-Thierberg 10,286'. T. Frei. Schneestock 10,500' (?).
Gebirgsart. Gneis und Glimmerschiefer.
Entfernung. 17 Stunden.

Hinter dem Brienzergrat treten einige ferne Schneegipfel hervor,
welche dem hohen Gebirgskamm angehören, der zwischen Uri und Bern
die natürliche Grenze bezeichnend, nördlich an die Gletscher des Su-
stenhorns, südlich an den Galenstock sich anschließt. Der von der Linken zur Rechten zuerst erscheinende, bei schärferer Beobachtung drei-
zackig aufstrebende Gipfel ist der „Hinter-Thierberg." Er entsteigt den Massen des Stein- und Triftgletschers und schwingt
sich in mächtigen Felsenpfeilern zu einem schmalen, kaum zugänglichen
Firn- und Felsenkamme empor. Seine westlichen Abstürze sind mit
dem Eispanzer des Thierberggletschers angethan; nordwärts
entsendet der Thierberg einen Gebirgsast nach dem Gabmerthal.

Mit dem Thierberg durch einen niedrigern Grat verbunden, der
als schmaler Schneesaum kaum unserem Horizont entragt, zeigt sich
die zweite Gruppe in der Form eines sanft gebogenen Firnrückens und
bildet als solcher das höchste Joch zwischen dem Thierberg und dem
Galenstock. Dieser Firnrücken, der mit seinen glatten Eishängen auf
den höchsten Terrassen des Triftgletschers gelagert ist, heißt auf
der Gabmerseite Schneestock oder Gallen (vom celtisch. gall, Felsen), auf der Urnerseite aber Winterberg. In schroffen Abstürzen
senkt er sich ostwärts in das an seinem Fuß liegende Hochthal der Gö-
schenenalp, gegen welches er mehrere mächtige Gletscher, wie den
Kehlenfirn und Dammafirn *), ausstößt. Wenn man auf der

---

*) Firn bedeutet alter Schnee oder Eis. In dem westlichen Theil der Schweizer-
alpen, insbesondere im Kanton Glarus und in einem Theil des Kantons Uri, werden die
Gletscher „Firne oder Firren" genannt. Das Wort stammt vom alten firn — alt, ver-
legen. Aus gleicher Quelle kommt fern, vorjährig. Im Tyrol heißen die Gletscher
„Ferner."

Gotthardstraße nach dem kleinen Dörfchen Göschenen am Ausgang
der Schöllenenschlucht gelangt, so wird man des Winterberges ansich-
tig, der im Hintergrunde des Göschenenthales seine blauen Eiswände
zur Schau ausstellt. Nach Gruner *) sollen zwischen dem Thierberg
und dem Galenstock die „guten Flühe" liegen. Es scheint jedoch
dieser Name verschollen zu sein. Längs dem westlichen Fuß des Schnee-
stocks und des Thierbergs dehnt sich im Schooß gewaltiger Gebirge
die prachtvolle, wenig bekannte Eiswelt des Triftgletschers aus,
welchem zu lieb denn auch jene Schneegipfel mit der allgemeinen Bezeichnung Triftenhörner belegt werden mögen. Wohl eine halbe
Stunde breit, in seinen flächern Theilen wenig zerschrunet und leicht
zu betreten, wälzt sich jener Gletscher, allmälig den Hochfirnen zur
selbstständigen Eismasse entwachsend, stufenweise in die Region der
Tannen herunter, bis er in seinem letzten Absturz furchtbar zerklüftet
und zu seltsamen Thurmgestalten aufgezackt in die enge wilde Kluft
niederstürzt, welcher der Triftbach entströmt, der sich nach kurzem Laufe
mit dem Gadmerwasser vereiniget.

Der Verfasser unternahm es im Jahr 1839 diese bis damals für
unzugänglich gehaltene Gegend auszukunden, und es gelang ihm, mit
Hülfe unerschrockener Führer, sich Bahn zu brechen und in kurzer
Tagreise von der Trift nach dem Rhonegletscher und von da nach der
Grimsel vorzubringen **).

Diechterhorn.

Politische Lage. Bern, A. Oberhasle.
Höhe. 9930'. T. Frei.
Gebirgsart. Granit und Gneis.
Entfernung. 16¼ Stunden.

Noch gewahren wir zur Rechten des Tannhorns eine dritte Gruppe
ferner Schneegipfel. Diese gehört bereits dem Gebirgstocke der Grimsel an. Es ist das Diechterhorn, das sich zwischen dem Trift-

*) Die Eisgebirge des Schweizerlandes.
**) Topogr. Mittheilungen. Bern, 1843.

gletscher und dem Thale von Guttannen als ein gezackter, firnbeklei=
deter Grat erhebt. Seine westlichen Hänge sind mit dem mächtigen
Diechter= und Gelmergletscher belastet. Aus diesem schäumt
der Gelmerbach über hohe Felsenstufen in das hochgelegene wilde
Alpenthal, in dem das kleine Becken des Gelmersees liegt; die=
sem entfließt der Bach, der sich vor seiner Vereinigung mit der Aar
in prächtigem, von den Wanderern auf der Grimselstraße vielbewun=
dertem, Fall über eine Felsenwand stürzt. Nordwestlich entsendet das
Diechterhorn einen kurzen Seitengrat nach der niedrigern Spitze des
Triftenstocks (9777'), nördlich hängt es mit dem Kilchlihorn, südlich
mit dem Thieralpligrat zusammen.

Nr. 9. Tannhorn.

Politische Lage. Bern, A. Interlaken. Grenze gegen Luzern,
   A. Entlebuch.
Höhe. 6532'. B. Wahlenb.
Gebirgsart. Rummuliten kalk, darunter schwarzer schiefriger Kalk
   (alp. Kreide).
Entfernung. 9¾ Stunden.

Als Nebenbuhlerin des Rothhorns, jedoch an Höhe ihm nach=
stehend, ist des Tannhorns Pyramide auf dem Rücken des Brien=
zergrates aufgepflanzt. Den Charakter dieser Gebirgskette ha=
ben wir bei Nr. 7 geschildert. Westwärts stuft sich die First des
Tannhorns über den Seeligrat (oder Thierwangshorn) und das
Aelgäuhorn nach der Gebirgseinsenkung der Gumm*) ab, über
welche ein für kleines Vieh gangbarer Alpenweg in 7 Stunden aus
dem Schangnau nach Brienz und Interlaken führt. Die Aussicht von
der Höhe dieses Gebirgspasses auf die erhabene Bergwelt des Ober=
landes und Entlebuchs ist entzückend und zugleich, wenn man, von der
Nordseite herkommend, das Joch erreicht hat, und plötzlich dicht zu

---

*) Gumm gehört als Wurzelwort zu dem Geschlechte derer, die ein tiefes Be=
hältniß, eine Vertiefung, anzeigen; es ist synonym mit dem allem. Gumph, dem ital.
gumba, dem franz. combe, dem isl. gunga (v. Stald. Idiotikon).

feinen Füßen in graufer Tiefe ben gefammten, von dem Riefenwall
steiler Höhen umschlossenen, Wafferspiegel bes Brienzerfees überschaut,
überrafchend und schwindelerregend, und man begreift nicht, wie man
an ben stufenlofen Abstürzen ber Mittagfeite hinabzugelangen vermag.
An ben nörblichen Abhängen bes Paffes liegt bie Alp Vogtsälgäu
ober Mürren mit 170 Kuhrechten.

Die oberste Spitze bes Tannhorns ist nur von ber Sübseite her
und zwar längs ber östlichen ober westlichen Kante bes Horns ersteig=
bar. Kommt ber Reisende von Schangnau her, so gelangt er in zwei
Stunden durch ben Bumbach in das Kemmeribobenbad, wo er ein
bequemes Nachtquartier finbet. Von hier sind es 3 Stunden auf bie
Paßhöhe bes Brienzergrats, und von biefer hinweg geht es längs bem
obersten Rande bes Aelgäu= und Thierwanghorns, stellenweife über
bie kaum fußbreite Schneibe auf schlechtem Schäferpfabe ohne bebeu=
tende Steigung bis an bie letzte steile Gipfelerhebung, beren Erklim=
mung noch einige Schweißtropfen kostet. Von ber Paßhöhe bis auf
bas Tannhorn ist eine Stunde zu rechnen. Der leichteste Weg führt
von ber Rotschalp bahin. Auf biefe gelangt man von Brienz aus in
2 bis 2½ Stunden. In weiteren 1½ Stunden erreicht man ben
Gipfel, indem man einer begrasten First entlang hinansteigt. Im=
merhin bedarf es eines schwindelfreien Kopfes, um biefe schmalen
Gräte mit ihren schroffen Abstürzen erklettern zu können, und im Spät=
herbst, wenn bie Berge abgeweidet ober abgemäht sind, und ber glatte
ausgedörrte Rafen bem Fuße keinen Haltpunkt mehr bietet, bürfte bie
Besteigung bes Tannhorns felbst mit einiger Gefahr verbunden fein.

Die Ausficht von biefem Alpengipfel ist großartig und merkwür=
big. Sowie bas Tannhorn an Höhe und Entfernung zwischen bem
Rothhorn und ber Augstmatt bie Mitte hält, so ist auch ber Gefichts=
kreis nicht ganz so ausgebehnt wie auf jenem, aber freier und erha=
ebener als auf biefem.

Nr. 10. Baumgartenfluh.

Theil bes Hohgantgebirges, fiehe beffen Schilberung bei Nr. 13.

Nr. 11. Hürnberg.

Politische Lage. Bern, A. Konolfingen.
Höhe. Hürnberg, Häusergruppe 2470' (?)
Gebirgsart. Molasse und Nagelfluh.
Entfernung. 2¾ Stunden.

Von den Ortschaften Wyl, Konolfingen, Hurfellen, Münsingen (1752') und Trimstein umgeben, dehnt sich als niedriger Vorwall des Gebirges gegen das Aarenthal in gerundeter Form ein Hügel aus, dessen höchster Rücken und nördliche, reichbewaldete Abdachung mit dem Namen Hürnberg belegt wird. Die Häuser gleichen Namens liegen am südwestlichen Abhange.

Nr. 12. Winterseite.

Politische Lage. Bern, A. Konolfingen.
Höhe. Circa 3700' (?).
Gebirgsart. Molassensandstein und Nagelfluh.
Entfernung. 4½ Stunden.

Nördlich hinter dem im freundlichen Baumgehäge gruppirten Pfarrdorf Dießbach (1880') steigt ein zahmes Gebirge in steilen Waldhängen, welche schon in ansehnlicher Höhe mit dem Felsenbande der Dießbach- oder Glasholzfluh gekrönt sind, empor und sein höchster, schmaler Rücken zieht sich von da in nordwestlicher Richtung über eine Stunde lang vorerst über die Schönthaleck sanft aufwärts nach dem durch seine zugespitzte Form leicht erkennbaren Gipfel des Höhhübeli, führt von diesem weiter über ein ebenes Wiesenplateau, wo im Schatten schön belaubter Fruchtbäume die stattlichen Bauernhöfe von Aeberfolb prangen, gestaltet sich sodann als höchste Erhebung zu einem gleichförmig fortlaufenden Rücken, an dessen Süd- und Ostseite die Häuser von Ringgis liegen, während die Winterseite oder Wintereck die waldfreie Gipfelhöhe und deren gegen Norden gekehrte Abhänge mit ihrer Alpweide bekleidet. Außerhalb Ringgis vertieft sich der Bergrücken nahmhaft gegen Mühlesellen, um sich an die in gleicher Richtung fortgehende Rüggeck und an das Höhensystem

37

anzuschließen, das nach dem Röthenbach, der Emme und dem Schüp=
bach abfällt. Die südlichen Abhänge dieses Bergzuges senken sich
äußerst steil in die Thalgründe des Dießbachs und Jasbachs. Dieser
läuft ostwärts in das Thal von Röthenbach, jener vereinigt sich bei
Dießbach mit der Kiesen. Durch die flache Wasserscheide, welche zwi=
schen beiden sich erhebt, wird das diesseitige Gebirge mit dem jensei=
tigen Buchholterberg verbunden. Trotz der Steilheit der mittäglichen,
mit Wiesen und Pflanzungen, sparsam mit kleinen Waldgruppen be=
deckten Berghänge, sind die vorspringenden Ecken und die Winkel und
Gründe der thalförmigen Buchten reich mit Häusern und kleineren
Ortschaften geschmückt. Der in gleichförmiger Abdachung niederstei=
gende nördliche Abhang ist in seiner ganzen Ausdehnung von der Glas=
holzfluh bis unter die Winterseite weit herab mit dem obrigkeitlichen
großen Dopp= oder Hohwald bekleidet (Dopp bedeutet feucht).
Den finsteren Gräben und Schluchten des Doppwaldes entströmen die
Quellen der Kiesen, welche, bald selbstständig hervortretend, den nörd=
lichen und westlichen Fuß dieser Gebirgsstrecke umzieht und von Dieß=
bach ihren Lauf der nahen Aare zuwendet. In einer jener Schluch=
ten unweit Bowyl ist das einsam gelegene Wildeneibad (2800').
(Der Begriff des Wortes Ei findet sich bei Nr. 1 erklärt.) Zwischen
dem unteren Saume des Doppwaldes und der Kiesen breitet sich ein
vielfach zertheiltes Hügelgelände aus, auf welchem Allmende oder Ge=
meindweide mit Waldung und schönen Gütern abwechseln. Die Höfe
und Ortschaften Schwändlen, mit seiner eisenhaltigen Badquelle,
Oberhünigen, Appenberg, Rüttenen und Brunnenbach
sind auf dieser weiten Bergstufe gruppirt.

Die hier geschilderte Bergstrecke wird mit dem allgemeinen Na=
men Kurzenberg belegt, obwohl diese Benennung in ihrer eigent=
lichen Bedeutung dem neu errichteten Helfereibezirke zukömmt, welcher
die gesammte Thalstrecke von der Linde bis oberhalb Dießbachs und
die beidseitig ansteigenden Bergabhänge umfaßt. Besonders gehören
dazu die an der Mittagseite des geschilderten Bergzuges gelegenen
Ortschaften und Gemeinden Außerbirrmoos, Innerbirrmoos,
Baarschwand, Schönthal und Otterbach, wohin auch die
Häuser auf Ringgis zu zählen sind. Die neue Kirche im Kurzen=
berg liegt 3030' über d. M. Die Winterseite liegt in der Gemeinde

Höchstetten, Mühleseilen in der Gemeinde Röthenbach und
Aebersold in der Gemeinde Wyl.

Da der nördliche Höhenrand des oben geschilderten Bergzuges mit
Wald besäumt ist, so hat man nach dieser Seite nur an wenigen
Stellen freie Aussicht. Desto unbeschränkter ist der Ueberblick gegen
die Mittagseite hin. Freilich ist in dieser Richtung der Vordergrund
durch den genahten Bergrücken der Aeschlenalp und des Buchholter-
berges eingenommen, und die Kette der Schneegebirge tritt nur strich-
weise zum Vorschein hinter den Bollwerken der Kalkalpenkette, die aber
ihrerseits dem Auge nahe gerückt durch ihre imposanten Felsmassen und
kühn gebauten Firsten ein interessantes und erhabenes Naturgemälde
darstellen. In lieblichem Kontrast mit diesen ernsten Gestalten steht
der Anblick der umliegenden angebauten Höhen und des reizenden
Geländes von Thun. Der schönste Standpunkt ist auf der Winterseite
und Ringgis (Nr. 12 unserer Alpenansicht).

Hier sind gegen Norden das reich angebaute Gelände von Höchstetten, die Höhen von Blasen und Hundschüpfen, das freundliche Thal
von Signau, die zahmen Berge hinter Langnau und Sumiswald und
die Alpenhügel der Napfkette entfaltet. Gegen Osten, hinter den ausgedehnten Höhenzügen, die dem engen Schooße des Röthenbachthals,
dem Egglwyl und Schangnau entsteigen, sind die Entlebuchberge, der
Pilatus, der Schymberg, die Bäuchlen, der Feuerstein, die Blattleck,
die riesenhafte Schratten, das Brienzer-Rothhorn, das Tannhorn und
das Hohgaut in seiner wilden Majestät sichtbar. Ferne Schneegebirge
von Uri und Unterwalden zeigen ihre weißen Häupter. Gegen Süden breiten sich die Stauffen-, Raters-, Gabelspitz- und Hohneckalpen
aus. Auf lieblichem Plateau schimmert die Kirche von Schwarzeneck.
Die Sohlfluh und der Sigriswilgrat thronen in finsterem Ernste und
lassen ihre wilden Klüfte und Spalten erkennen. Hinterbirg, Faulhorn, Schwabhorn, Röthehorn und Wintereck sind vor dem Schreckhorn
gelagert. Der erhabene Kranz der Hochalpen dehnt sich vom Wetterhorn bis zur Gemmi, und von der Riesenkette unterbrochen, bis zum
Wildhorn aus. Bis zum Ochsen sind die stolzen Gebilde der Stockhornkette an einander gereiht. Aus dem Thalgrunde schimmert die
Aare. Aus der Ferne winkt das Guggershorn. Gleichsam als
ergänzender Theil des gegen Westen durch den Wald der Ringgishöhe

unterbrochenen Panoramas, eröffnet sich von der Anhöhe bei Aebersold die Aussicht gegen das Hügelland des Längenberges und Gurtens, gegen Bern, die Seen von Neuenburg und Biel und den Jura, während auch hier noch der südliche Horizont bis zum Wetterhorn sich frei ausdehnt.

Von Höchstetten, welches 3½ Wegstunden von Bern entfernt ist, sind 1½ Stunden nach dem Wildeneibad und von da 1 Stunde auf die Winterseite zu rechnen. Von Höchstetten oder Stuilen gelangt man in etwa 2 Stunden über Schwändlen nach Aebersold. Auch von Dießbach und Röthenbach aus lassen sich die verschiedenen Punkte dieses Höhenzuges leicht besuchen. Dießbach ist 4½, Röthenbach 7—8 Wegstunden von Bern gelegen.

Nr. 13. Furggengütsch (Hohgant).

Politische Lage. Bern. Grenze zwischen den A. Interlaken und Signau.

Höhe. { Furggengütsch 6772'. T. eidg. Verm. Steinige Matt 6670' id.

Gebirgsart. Gipfel weißer Nummulitensandstein, meist in große Trümmer zerfallen, darunter grauer Nubistenkalk und in der Tiefe schwarzer Kalkschiefer.

Entfernung. 8¼ Stunden.

Wer das mit seinen Wiesen und Baumgruppen am mittäglichen Fuß des Oberberges freundlich hingelagerte Schangnau (3990 [?]) besucht, das wohl nicht mit Unrecht in früherer Zeit Schöngau geheißen, der vermag sein Auge kaum abzuwenden von der steil aufgebauten, schreckbar wilden Gebirgsmasse, die gleich einer himmelhohen Mauer den Thalkessel der Emme gegen Süden verschließt. Den Fuß mit Waldung und bis zu einer ansehnlichen Höhe mit köstlichen Alpbergen umgürtet, richtet sich die Gebirgswand in schroffen Stein- und Rasenhängen, deren schattige Furchen und Höhlungen weit in die späte Sommerzeit hinaus mit Schnee belastet bleiben, empor nach dem untern Saum eines breiten, senkrecht aufgestellten Fluhbandes. Dieses Fluhband reicht bis an das höchste Joch und umzieht dasselbe mit geringer Unterbrechung in seiner ganzen Ausdehnung, indem es die Rich-

tung der in der Mitte etwas eingedrückten und zu beiden Seiten bo=
genförmig sich aufschwingenden Höhenlinie genau verfolgt.

Dieses gewaltige Gebirge ist im Schangnau und im weiteren Kreise
der Emmenthaleralpen, über die es gleichsam wie der Fürst des Lan=
des thront, unter dem Namen Schangnauer=Furgge oder schlecht=
weg Furgge bekannt, während es im Oberlande den Namen Hoh=
gant trägt *). Auch auf unserer Alpenansicht nimmt dasselbe eine
nicht unbedeutende Stellung in der Reihe der nördlichen Kalkalpen ein.

Der Gebirgsstock des Hohgant erhebt sich südlich vom Schang=
nau= und nördlich vom Habkernthal; ostwärts ist derselbe von der Emme
umflossen, die seinem Schooß entspringt; westwärts ist er theilweise
von den Quellen der Zulg umgrenzt. Seine ganze Länge mag der
Grundlinie nach zwei Stunden betragen. Bei der Hübelialp, am
Ufer der Emme, wo diese bei den „wilden Bocken“ schäumend und
brausend durch ein enges Felsenbett sich drängt, nimmt das Gebirge
seinen Anfang, strebt sogleich schroff zu dem waldumkränzten Felsgütsch
der Kemmeribodenfluh empor und erstreckt sich als ein schmaler
gezackter Felsgrat in westlicher Richtung über das Gschoß oder die
Rothe Fluh, den Brünneligrind, das Grätlilägerli, die
Wagenstraß (wo man in alter Zeit zu Wagen hinaufgefahren sein
soll), das Hälsli, die Baumgartenfluh (siehe Nr. 10), das
Wibberfeld und die Schwarzeneck bis auf das Hohlaub.
Hier tritt auf einmal die Hauptmasse des Gebirges auf; von dem schmal
und jäh ansteigenden Strebepfeiler der Lauterswengeneck getra=
gen, schwingt sie sich zu ihrem höchsten Gipfel, dem Furggengütsch
(vergl. Nr. 13 unserer Alpenansicht), empor. Die Zinne dieses Fel=
senthurms ist mit dem Teppich blumenreicher Schafweide geziert und
hat wenige Schritte im Umfang. Als zweiter Gipfelpunkt folgt die

---

*) Furgge, Furke (Gabel) ist ein Wort, das mit dem celt. Forch, dem latein.
Furka übereinstimmt. In der Gebirgssprache bedeutet es in der Regel nicht sowohl einen
zackigen Berggipfel, als vielmehr den gabelförmigen Einschnitt eines Berges,
über welchen ein Paß oder Uebergang möglich ist. Diese Bedeutung hat wohl auch ur=
sprünglich die Schangnauer=Furgge gehabt, über welche verschiedene Gebirgswege vom
einen Thal in das andere führen. Was den Namen Hohgant betrifft, so sagt man
das Hohgant. Gant oder Sand bedeutet in der Bergsprache Felsenbruch (romanisch
gandas), namentlich eine mit zerklüfteten Felsenstücken überschüttete Gegend. Hierauf be=
ziehen sich die Gebirgnamen Hohgant, Gantbosen, Gantfluh, Gantrisch,
Gandeck, u. s. w.

3

Steinige Matt, auch des Herren Matte genannt (Nr. 14), ein breiter, buckelförmiger Rücken mit sanfter Senkung gegen Westen, dessen Oberfläche sparsam mit Schafweide bekleidet ist, größtentheils aber aus kahlem ausgewaschenem und verwittertem Felsboden besteht. Zwischen dem Furggengütsch und der Steinigen Matt öffnet sich nach Südosten gegen die Alpentriften von Bösälgäu die Schlucht der Karrhohlen, deren Grund mit Steintrümmern angefüllt ist und, einem breiten, sanft ansteigenden Hohlwege ähnlich, einen, wenn auch nicht bequemen, doch gefahrlosen Zugang nach den obersten Höhen des Berges darbietet. Die Karrhohlen verdankt ihren Namen der Volkssage, daß vor alten Zeiten diese Schlucht als Straße gedient habe, wenn die Ritter von Schörtz, oder, nach einer Variation, der Teufel und sein Gefolge, mit Roß und Wagen über die Firsten des Hohgant herangefahren kamen, um die Herren von Aelgäu in ihrer wallumgürteten Stadt zu besuchen. Denn, wo jetzt die ärmlichen Alphütten von Bösälgäu auf einer Bergterrasse hart am höchsten Joche des Hohgant gelagert sind, da soll vor Zeiten eine Stadt gestanden haben, und die Hirten weisen dem Fremden kleine Erderhebungen, welche ringförmig das Alpläger umgeben und in denen er die Spuren ehemaliger Stadtwälle erkennen soll. Diese Stadt soll einst unter dem besondern Schutz und der Obhut von Bergmännchen oder Zwergen gestanden sein, welche in dem Gebirge hausten, zuweilen die Stadt besuchten, den Leuten Gutes thaten und Friede und Einigkeit unter ihnen zu befestigen trachteten. Als aber Geiz, Uebermuth, Zwietracht und Sittenlosigkeit überhand nahmen, da gaben die Bergmännchen die Warnung mit den Worten:

> D'Furggeflüh ist g'spalten,
> Schlegel und Wegge erkalten,
> wer fliehen will, der lauf!

Wer diese Warnung achtete, der rettete sich noch durch die schnelle Flucht, die übrigen Einwohner aber wurden unter den Trümmern der einstürzenden Stadt vergraben, und von jener Zeit an verschwanden die Bergmännchen *). — Das Wort Karrhohlen könnte aber auch synonym mit Felshohlen sein und ursprünglich von dem Worte Kar,

---

*) Man wird sich später, bei Nr. 49, überzeugen, wie nahe diese Volkssage mit derjenigen über die alte Stadt Noll übereinstimmt.

Karre (fahler Fels) herrühren, welches von der Wurzelſilbe ar, das nicht nur hoch, ſondern ſelbſt auch einen Fels bedeutet, entſprungen.

Als äußere, nördliche Kante des höchſten Jochs zieht ſich vom Furggengütſch ein unebener Grat neben dem Rücken der Steinigen Matt durch nach dem weſtlicher liegenden Theile des Gebirges, das ſich hier zu ſteilen, ſchmalen Firſten geſtaltet und in der ſchlank aufſtrebenden Gäbeliſtrittfluh (Nr. 15) ſeine größte Erhebung erreicht. Die einzelnen Zacken, Felſenköpfe und Gratſtellen zwiſchen dem Furggengütſch und der Gäbeliſtrittfluh tragen alle ihre beſonderen Namen. So folgen nach dem Furggengütſch die drei Gütſchli, der Wibberfeldſtand, die Kreuzfluh, die zwei Gütſchli oder Mittaggütſchli und der Gäbeliſtritt. An der Kreuzfluh bilden die Felſenriſſe, vom Bumbach und ſelbſt von den entfernteren Truber- und Langnauerbergen aus geſehen, die Geſtalt eines aufrechtſtehenden Kreuzes. Ein Entlebucher, ſagt die Volksſage, ſei einſt, als er auf dem äußerſten Rande jenes Felſens in frechem Uebermuthe der Gefahr geſpottet, von einem ſchwarzen Ziegenbocke hinaus in den entſetzlichen Abgrund geſtoßen worden. In dieſem Schreckensaugenblicke ſeien ſeinen Lippen noch die Worte „Potz Krüz!" entfahren, und zum Zeichen dieſes Ereigniſſes ſei jenes Kreuz in der Fluh entſtanden. Die zwei darüber ſichtbaren Streifen ſollen die Stelle bezeichnen, wo ſich der Unglückliche im Hinabſtürzen mit den Abſätzen der eiſenbeſchlagnen Schuhe feſtzuſtemmen verſuchte. — Der Gäbeliſtritt bezeichnet eine Lücke des Grates am Ende einer treppenartigen Felskrimme. Dieſe Krimne wählte vor Zeiten ein kühner Gemsjäger aus dem Schangnau, der unter dem Namen „Gäbi" bekannt war, um auf dem nächſten aber halsbrechenden Wege das höchſte Joch zu erreichen. Von der Gäbeliſtrittfluh neigt ſich der Gebirgskamm über das Wibberfeld, deſſen nördliche Abſtürze gegen die Wimmisalp mit dem Namen Wimmisalpfluh belegt werden; dann folgt die Gratſtelle der Wibberfeldhöhlen, und es vertieft ſich das Gebirge merkbar nach dem Rande der Krinne (ſiehe Nr. 18), einer ebenfalls an der Nordſeite ſich öffnenden ſchmalen Bergſchlucht. Endlich bildet der Grat ſeine

---

*) Kar iſt das Urwort des franzöſiſchen carreau, des celt. Car, Kar, des iſl. Carreg, des engliſ. und dän. Carr, Skar, des arab. Kar u. ſ. w. (Stalder, Idiot.)

letzte Erhebung in dem begraßten Gipfel der Breitwangfluh (Nr. 24) *), welche auch Schiltwang und auf der Habkernseite Arnifluh und Trogenhörner genannt wird, und von welcher er sich stufenweise in ziemlich gedehnter Abdachung gegen die Wasserscheide des Grünenberges senkt, der das Hohgant mit den westlicher ansteigenden Seefeldgräten verbindet.

Dem nördlichen Fuß des Hohgant entlang, von Osten nach Westen gezählt, liegen die Alpen Kemmeri, Gepslialp, Baumgarten, Bühlmannschwand, Jurteneggli, Schwarzeneck, Lauterswengen, Großensteinen, Gmeinenwengen, Windbruch, Wimmisalp, Breitwang und Hungerswang, Trüschhübel, Fall und Grünenberg. Mehrere hundert Kühe und Schafe finden da ihre Nahrung im Sommer.

Wie die Bäuchlen vor der Schratten, lagert im Nordwesten die Hohneck vor dem Hohgant und ist mit demselben durch einen Alpensattel verbunden, der als Wasserscheide zwischen den Thalgründen der Emme und Zulg von den unteren Stufen der Alp Breitwang ausgeht.

So wie das Hohgant auf seiner Nordseite felsig und schroff bis in den tiefen Kessel der Emme abgerissen ist, beginnen auf der Mittagseite nicht sehr tief unter dem höchsten Joch die Alpenterrassen des Habkernthals, ja zunächst unter der Steinigen Matt löst sich eine Verzweigung ab, die sich in dem schönen, hohen Alpenrücken der Wybeck und Bohleck (4850') **), als Wasserscheide des Traubachs auf der einen Seite, der Emme und des Lombachs auf der andern, südwärts ausdehnt und theils gegenüber dem Pfarrdorf Habkern oberhalb der Vereinigung des Traubachs und Lombachs in gleichförmig abgedachten Wiesenhängen, die mit Ahorngruppen und Tannengehölze gekrönt und mit den Wohnungen der Bohlbauert geschmückt sind, endet, theils aber einen östlichen Nebenzweig aussendet, der als tiefere Wasserscheide zwischen den Quellen der Emme und denen des Lombachs das Hohgant mit dem Brienzergrat in Verbindung setzt.

Die Alpweiden, die an der Mittagseite des Hohgant liegen, heißen Traubach und Widderfeld, Trogenmoos, Trogeli und Arni. Diese dehnen sich unterhalb der Breitwangfluh und der Krinne aus. Hinter der

---

*) Die Erklärung des Wortes Wang siehe bei Nr. 2.
**) Bohl, das altschw. Wort für Anhöhe.

Gäbeliftrittfluh befindet sich das Inner Berglr. Hagletsch liegt unter=
halb der Steinigen Matt. Dann folgen Wydeck und Bohl. Unter dem
Furggengütsch ist Bösälgäu mit dem Vorderen und Hinteren Rollen.
Unter dem Felsenband der Brändlisfluh, das sich an der Oftseite
des Furggengütsch durchzieht, befinden sich die sogenannten Aarwänd.
Endlich haben wir noch Scherpfenberg, Steinberg und Harzersboden
anzuführen.

Die Besteigung der einzelnen Gipfel des Hohgant läßt sich aus
dem Habkernthale faft durchgehends leicht und ohne Gefahr unterneh=
men. Von Unterfeen (11 Stunden von Bern) führt eine neue Fahr=
straße in 2 Stunden nach dem Pfarrdorf Habkern (3360'). Von hier
kann man in 4 Stunden die Steinige Matt oder den Furggengütsch
erreichen, sei es, daß man sich über die ganze Höhe der Bohleck nach
der Hagletschalp hinbegibt, oder daß man den Weg längs den östlichen
Abhängen der Bohleck nach der Alp Bösälgäu wählt und von da durch
die Karrhohlen emporsteigt. Die westlicheren Gipfel lassen sich am be=
ften von der Alp Traubach her besteigen. Ein gebahnter Bergpfad führt
auch von der Habkern in 6 Stunden über den Grünenberg nach Schang=
nau oder Schwarzeneck. Aus dem Schangnau, das 10 Wegstunden von
Bern entfernt ist, kann man auf verschiedenen, mehr oder minder rau=
hen und mühsamen Pfaden in 3, 4 bis 5 Stunden das höchfte Joch
erklimmen. Der bequemfte und gangbarfte ift derjenige, der sich über
das Gemmeli an der Hohneck nach der Alp Breitwang und von hier
durch die Krinne an Rasenhängen und über Felsgetrümmer auf den
Grat emporzieht, von welchem man längs der mittäglichen Seite jeden
einzelnen Gipfel besuchen kann. Nur kühneren Berggängern sind die
rauhen, steilen und pfadlosen Uebergänge bei der Widderfeldhohlen und
beim Gäbelistritt zuzumuthen. Beim Mittagsgütsch sollen vor Zeiten
die Schangnauer Jäger vermittelst einer angeftellten Leiter auf den
Grat gestiegen sein. Wer vom Schangnau auf dem geradeften
Wege den Furggengütsch erklimmen will und sich fest genug fühlt,
auf schmaler Firft längs geöffneten Abgründen hinanzuschreiten, der
wähle den Pfad über die Lauterswengeneck. Wer einen schwindelfreien
Kopf besitzt und einige Vorficht gebraucht, mag diesen Gang getroft
unternehmen; die Schäfer gebrauchen ihn nicht selten. Weniger rath=
sam ift das Hinuntersteigen an diesem Orte. Gern erinnert sich der

Verfasser seiner Reise auf das Hohgant im Jahr 1829. Ein rauhes
Nachtlager auf der Alp Großensteinen, eine entzückende Wanderung über
luftige Alpenhöhen in des Morgens Klarheit, der Anblick von 4 Gemsen,
der volle Genuß einer erhabenen Aussicht, aber auch die Schrecken eines
ihn seelenallein und schutzlos auf dem höchsten Grat überfallenden Hoch=
gewitters, das sich durch den hörbaren Donner der Gletscherlawinen an
der Jungfrau angekündiget hatte, wurden ihm damals zu Theil.

Auf dem Hohgant nahm Professor Tralles im Jahr 1788 einen
seiner Standpunkte zur Vermessung der Höhen des Berner=Oberlandes.

Die Besteigung des Hohgant lohnt sich durch den Genuß einer rei=
chen und großartigen Aussicht, die nur dadurch etwas beeinträchtiget
wird, daß bei dem großen Umfang des Berges die einzelnen Gipfel=
erhebungen einander im Wege stehen und einen durchaus freien Fern=
blick nach allen Richtungen nicht gestatten. In wenigen Zügen mag
der Hauptcharakter der Aussicht angedeutet werden. Nordwärts ist in
unermeßlicher Weite das Hügel= und Flächengebiet zwischen den Alpen
und dem Jura ausgedehnt, von dem blauen Gürtel des letztern umzo=
gen. Näher sind die zahmen Bergzüge des Emmenthals mit ihren Al=
pentriften und den schimmernden Sennhütten ausgebreitet. Kühn hebt
der Napf sein Haupt empor. Tief zu den Füßen des Schauenden lie=
gen die grünen Matten des von der Emme durchschlängelten Bumbach=
thals und das freundliche Gelände von Schangnau. Gegenüber, gleich
einer riesenhaften Sphynx, auf deren Stirn und Nacken die Geschichte
der Weltverwandlung mit räthselhafter Schrift eingegraben ist, ruht
in seiner abschreckenden Wildheit das Gebirge der Schratten, in wei=
terer Begrenzung umstellt von Pilatus, Rieseten, Feuerstein und Schaf=
matte. Gegen Osten schweift das Auge über den verzweigten Gebirgs=
stock der Entlebucher= und Unterwaldneralpen, auf den Rigi, das Stan=
zerhorn, das Buochserhorn, den Glärnisch und die Melchthaler= und
Engelbergergebirge. Südwärts hinter den Firsten des Brienzergrats
umschließt die Hochlandskette vom Titlis bis zum Montblanc in stol=
zer Gletscherpracht den Horizont. Tief am Fuße der bewaldeten Flan=
ken des lachenden Habkernthals erscheint ein Theil des Thunersees,
dessen schöne dunkelblaue Fluth den träumerisch umherschweifenden Blick
mit magischer Kraft an sich zieht. Gegen Westen endlich entwickeln
die Gebirgsreihen des Niesen und des Stockhorns ihre scharfgezeichne=

ten Profile, und das forschende Auge bringt zwischen diesen Herkules=
säulen weit hinein über die grünen Höhen des Simmenthals nach dem
gezackten Gürtel ferngelegener Bergspitzen, während im Vordergrunde
die Felsengräte des Uestethals das Bild entsetzlicher Nacktheit und Zer=
störung entfalten.

In geologischer Beziehung ist die Kette des Hohgant ähnlich
zusammengesetzt wie die nur durch die Emme davon getrennte der
Schratten (Nr. 2). Sie zeigt in ihrer Basis die nämlichen schwarzen
Kreideschiefer, die selbst die tiefern=Einsattlungen erreichen (Grünen=
berg), und den darüber liegenden grauen Rudistenkalk (beide der untern
Kreide angehörig). In ihrer ganzen Ausdehnung wird indeß diese Kette
noch von weißem Nummulitensandstein (Hohgantsandstein) bedeckt, der
demnach alle Gipfel bildet, aber an mehreren Orten (Steinige Matt)
fast gänzlich in eine mächtige Trümmermasse zerfallen ist. An der un=
tern Grenze des Nummulitensandsteins zeigen sich hin und wieder schwache
Spuren von Steinkohlenflözen.

Was die Flora dieses Gebirgsstocks anbetrifft, so theilen sich
Hohgant und Gemmenalp im Allgemeinen mit den Brienzer= und Si=
griswylergräten in die gewöhnliche Alpenflora; indessen zeichnen sie sich
durch einige seltenere Spezies aus, wodurch besonders die Flora des
Hohgant sich bereits einigermaßen der ziemlich eigenthümlichen der
Schratten nähert. Unter anderm finden sich am Fuß bis zum Gipfel
des Hohgant: Petrocallis pyrenaica Br. Thlaspi rotundifolium Br.
Cochlearia officinalis L. Silene rupestris L. S. quadridentata DC.
Primula integrifolia L. Soldanella Clusii Gaud. Pyrola uniflora L.
Azalea procumbens L. Rhododendron hirsutum L. Swertia pe-
rennis L. Corallorhiza Halleri Rich.

Nr. 14. Steinige Matt.

Eine Gipfelerhebung des Hohgant, auch des Herren Matte
geheißen; siehe Nr. 13.

Nr. 15. Gäbelistrittfluh.

Ebenfalls einer der höchsten Gipfel des Hohgant; siehe Nr. 13.

Nr. 16. Ringgis. Nr. 17. Aebersold.

Ein Bezirk auf dem höchsten Rücken des Kurzenberges; siehe dessen Beschreibung bei Nr. 12.

Nr. 18. Krinne.

Eine Niederung im Joche des Hohgantgebirges zwischen dem Widberfeld und der Breitwangfluh; siehe Nr. 13.

Nr. 19. Wildgerst.

Politische Lage. Bern. Grenze zwischen den A. Interlaken und Oberhasle.

Höhe. 8889' T. Eidg. Verm.

Gebirgsart. Dunkler, verwitternder Kalkschiefer (alp. Kreide).

Entfernung. 12 Stunden.

Der Wildgerst, auch Schwarze Berg genannt, ist in der Form einer von Osten nach Westen laufenden, an beiden Enden ziemlich gleichförmig schräg abfallenden, unebenen First als höchste Gipfelmasse auf dem vielverzweigten Gebirgstock aufgepflanzt, der sich zwischen dem Brienzersee und dem Grindelwaldthale in scharfen Gräten und seltsam geformten Felsspitzen erhebt. Die nördlichen Abfälle des Wildgerst bestehen in gäbiger Fluh und Felsrippen und mögen den Gemsen zum Aufenthalt dienen. Sie bilden tiefer einen weiten Gebirgskessel, der den Namen „das große Ochsenthal" führt und dessen Grund und Wandungen mit ausgedehnten Strecken von unvergänglichem Schnee angefüllt sind. Nördlich vom Wildgerst erhebt sich das Aralperhorn. Oftwärts läuft der scharfkantige Grat des Garzen (7270') von ihm aus. Die mittäglichen Abhänge sind weniger steil und bestehen durchweg aus einem röthlich verwitterten Felsenschutt, dem nur sparsam einige Vegetation zu entwachsen vermag. Südlich vom Wildgerst steht das Schwarzhorn, und die schmale Einsattlung zwischen diesen beiden Hochgipfeln wird von einem kleinen Gletscher, welcher Blaugletscher oder seiner schmutzigen Farbe wegen Dreckgletscherlein genannt wird, ausgefüllt. Derselbe ist neueren Daseins. Kasthofer berichtet uns, der 76jährige Georg Baumann von Grindelwald habe ausgesagt, daß ihm sein Großvater erzählt habe, der Anfang des Gletschers sei wenig Lawinenschnee gewesen, der im Sommer nicht fortgeschmolzen *). In der jüngsten Zeit haben die Gelehrten Bravais und Martins diesen Gletscher wissenschaftlich beobachtet. Er gibt dem Reichenbach und dem Gießbach ihre Hauptnahrung. Westwärts lehnt sich an den Wildgerst die kahle Spitze des Gerstenhorns, und zwischen beiden öffnet sich gegen Norden eine Schlucht, die das Kleine Ochsenthal genannt wird.

Der Wildgerst hat um sich her die Alpen Oltschern, Wandel, Breitenboden und Grindel, erstere eine Brienzeralp, diese Hasleralpen.

Dieser Berggipfel wird von Fremden selten oder nie bestiegen, obgleich er insbesondere vom blauen Gletscher her, wohin man sowohl von Grindelwald als vom Gießbach und Rosenlaue ohne große Schwierigkeit gelangen kann, leicht zugänglich ist. Die verschiedenen Stellen des Grates, vorzugsweise die beiden Eckpunkte, bieten ein großartiges Panorama dar, welches dasjenige des Faulhorns an Ausdehnung übertrifft. Vollkommener ist hier wie auf dem Schwarzhorn besonders der östliche Horizont erschlossen, welchem die Engelberger Schneegipfel, der Titlis mit dem Wendengletscher, der Döbi, der Hüfistock, der Piz Urlaun, der Piz Dumbifg, das Sustenhorn, die Thierberge, der Galenstock und das Rizlhorn entsteigen.

An Pflanzen wurden auf dem Wildgerst, der übrigens so ziemlich die nämlichen Spezies wie das Faulhorn enthält, namentlich gefunden: Ranunculus glacialis L. Draba Zahlbruckneri Host. Dr. helvetica Schl. Campanula cenisia L. Aretia helvetica L. Aretia Heeri Heg. Ar. glacialis Heg.

---

*) Bemerkungen auf einer Alpenreise. Aarau 1822.

Nr. 20. Schwarzhorn.

Politische Lage. Bern. Grenze zwischen den A. Interlaken und Oberhasle.

Höhe. 8920'. T. Frei.

Gebirgsart. Dunkler, verwitternder Kalkschiefer (alp. Kreide).

Entfernung. 12 Stunden.

In schlanker Kegelform, jedoch mit steiler abgerissener Nordseite, erhebt sich südlich vom Wildgerst (siehe Nr. 19) das Schwarzhorn. Dasselbe ragt als ein kahles verwittertes Felsgerüste über die Eisfelder des Blauen Gletschers empor, während sich von ihm in südlicher Richtung ein scharfkantiger Grat über die Spitze des Gemsberg (6720') nach dem zahmen Alpenrücken der Großen oder Hasle-Scheideck (6045') abstuft, vermittelst dessen der Gebirgsstock des Faulhorns und Wildgerst mit der großen Hochalpenkette zusammenhängt. Der Kamm des Gemsbergs begrenzt westwärts die Thalschlucht des Schwarzwaldes, ostwärts die große Alp Grindel, eine der sieben Gemeinalpen von Grindelwald. Die oberen Theile dieser Alp bilden vereinzelte Hochthäler, von denen das eine jenem Gebirgskamm entlang in nördlicher Richtung sich aufwärts zieht bis an die steile Felsenmauer, die das Schwarzhorn mit den westlicher liegenden Gruppen dieses Gebirgsstocks verbindet. Die mittäglichen Abstürze jener Felsenmauer heißen Grindelwäng *), und die höchste Kante, die sich durch eine schließschartenähnlich ausgeschnittene Lücke oder Rinne auszeichnet, das Rinnengrätli.

Vom Schwarzhorn sind folgende seltene Pflanzen bekannt: Ranunculus glacialis L. Arabis coerulea Wulf. Draba helvetica Schl. Dr. frigida Saut. Dr. tomentosa Wahl. Geum reptaus L. Sempervivum Arachnoideum L. Aretia glacialis Heg.

Die Besteigung des Schwarzhorns sollte nur im Spätsommer oder Herbst unternommen werden, weil früher der viele Schnee in den Gründen und schattigen Höhlungen die Wanderung äußerst ermüdend machen würde. Selbst im höchsten Sommer trifft man noch sogar an der mittäglichen Seite des Horns einzelne Schneelagen an, die jedoch das Vorrücken nicht hindern. Die Reise ist immer etwas beschwerlich, denn

---

*) Die Erklärung des Wortes Wang siehe bei Nr. 2.

die Abhänge des Berges sind rauh und steinig, aber in Begleit eines kundigen Führers ohne Gefahr und in Betracht der Höhe und des wilden Aussehens dieses Alpengipfels selbst bequem zu nennen. Von Grindelwald oder von Rosenlaue, ersteres 15½, letzteres 19½ Wegstunden von Bern entfernt, steigt man gemächlich aufwärts nach der Alp Grindel. Von da schreitet man auf blumenreicher Alpentrift, wo das schöne Vieh beim hellen Klang der Glocken munter graset, durch jenes Hochthal empor bis an den Fuß des Krinnengrätli, wendet sich dann östlich und klettert über Guferhalden, Schneebänder und brüchiges Gestein, das von herabrieselnden Bächlein benetzt wird, auf die Höhe des Grates, der sich gegen die äußerste Spitze schmal und zackig ausbengt. Zu dieser Wanderung bedarf es 5 Stunden. Man kann auch von Rosenlaue über die Alp Haslegrindel, vom Brienzersee über die Alp Tschingelfeld und vom Faulhorn durch das Hühnerthälchen auf den Blauen Gletscher gelangen; allein das Horn fällt auf dieser Seite so steil ab, daß die Erklimmung nur dem geübten Bergsteiger vorbehalten ist.

Die Spitze des Schwarzhorns wird nicht nach Verdienen besucht. Unter den Tausenden von Fremdlingen und Einheimischen, die in den Schooß dieser Gebirgswelt dringen, richtet wunderselten einer seine Schritte nach diesem erhabenen Alpengipfel. Wenn auch das Gelüste erwacht, von hoher Warte aus einen Blick zu thun in die großartige Gletscherwelt, die drunten im Thale sich nur verkümmert zeigt und dennoch durch ihre Majestät Sinn und Auge fesselt, so winkt dort zunächst die sanftansteigende Kuppe des weltberühmten Faulhorns, und billig folgt man diesem Winke; denn da hat hochstrebender Spekulationsgeist für comfortables Verweilen gesorgt, während der Besteiger des Schwarzhorns auf die Annehmlichkeiten schlechterdings verzichten muß, die ein wohnlicher Raum, gefüllte Keller und eine schmackhafte Tafel dem selbst noch an der Grenze des Himmels so gern den irdischen Genüssen und Bequemlichkeiten sich hingebenden Menschenkinde auf jener begünstigten Alpenspitze zu Theil werden lassen. Es ist auch nicht zu verkennen, daß der Zauber einer klaren Abend= und Morgenaussicht, oder die magischen Effekte einer heitern Mondnacht im Hochgebirge, deren Genuß seit der Erbauung einer schützenden Herberge auf dem Faulhorngipfel der Reisende dort sorglos sich hingeben kann, ihn mit Recht dahin locken, zumal solche Genüsse auf dem Schwarz=

horn, das von jeder wohnlichen Stätte mehrere Stunden entfernt liegt, nur unter vielen Schwierigkeiten erstrebt werden können. Wer aber einige Zeit in Grindelwald verweilt hat und empfänglich ist für erhabene Natureindrücke, der sollte, wenn er auch das Faulhorn besucht hat, die Besteigung des Schwarzhorns nicht unterlassen.

Der Verfasser bestieg dasselbe im Jahr 1841 und gewann die Ueberzeugung, daß die Ansicht der Hochalpen des Berner-Oberlandes von diesem Punkte viel freier, umfassender und großartiger ist, als vom Faulhorn. Dieser Vorzug ist sowohl dem erhöhteren Standpunkte, als der gegen das Hochgebirge günstiger gestellten Lage des Schwarzhorns zuzuschreiben. Ja, würde nordwärts die Ansicht des Thalbodens und des Brienzersees nicht durch den hohen Wildgerst verdeckt, die Aussicht vom Schwarzhorn dürfte nahezu als die schönste und erhabenste im ganzen Alpengebirge bezeichnet werden. Was auf dem Faulhorn gegen Osten die nahen Massen des Wildgerst und des Schwarzhorns verbergen, die Ansicht des Titlis, des Susten und der weiteren Gebirgsreihen, die das Gadmenthal und das Thal von Guttannen einfassen, das Alles ist hier dem Auge vollständig erschlossen. Nicht nur vermag dort hinter den Grimselfirsten das Schneehaupt des Galenstocks hervorzuragen, es erscheinen selbst noch der ferne Döbi und der gezackte Piz Dumbisg oberhalb Brigels im Bündnerlande, während auch gegen Westen das Zackenmeer naher und ferner Gebirgsketten reicher entwickelt ist, als vom Faulhorn. (Den Montblanc konnte der Verfasser nicht entdecken.) Den nämlichen Vorzug genießt der nördliche Horizont, mit Ausschluß des nächsten Vordergrundes. Als eine Spiegelreihe, in den Schooß der Urkantone hingelegt, schimmern die Seen von Lungern, Sarnen, Alpnach, Luzern und Zug dem trunkenen Auge entgegen. — Wahrlich, der Anblick eines so reichen Naturgemäldes wiegt manche Lebensplage auf!

Nr. 21. Gerstenhorn.

Politische Lage. Bern. A. Interlaken.
Höhe. Circa 8200' (?)
Gebirgsart. Dunkler, verwitternder Kalkschiefer (alp. Kreide).
Entfernung. 11¼ Stunden.

Ostwärts an den Wildgerst gelehnt, erscheint die steile Kegelgestalt des Gerstenhorns. Es erhebt sich in schroffen Halden aus der Alp Tschingelfeld (5040') mit 240 Kuhrechten und der Aralp (7050'). Seine abgestufte First heißt der Stecken; nordwärts wird es von der Ebenfluh umgürtet. Da dieses Horn vom Wildgerst und Schwarzhorn an Höhe übertroffen wird, so kann die Aussicht von demselben, besonders gegen die Hochgebirge, nicht so lohnend sein wie auf jenen.

Nr. 22. Wellhorn.

Politische Lage. Bern. A. Interlaken.
Höhe. 9839' T. Eidg. Verm.
Gebirgsart. Dunkler, harter, alpinischer Jurakalk (Hochgebirgskalk.)
Entfernung. 13¼ Stunden.

In der vierten Reihe der sichtbaren Alpenketten, zum Theil hinter dem Schwarzhorn versteckt, tritt ein abgestumpfter Gipfel auf, der in gezäcktem Felskamme nach dem Wetterhorn sich hinneigt, und durch diese eigenthümliche Profilform kenntlich wird. Dieser Gipfel gehört dem Wellhorn an, das wohl auch Blum- oder Schönenbühlhorn genannt wird. Das Wellhorn erhebt sich an der Nordostseite des Wetterhorns, diesem zur mächtigen Stütze dienend und mit ihm gleichsam zu einem gigantischen Baue verwachsen. In kahlen, zerklüfteten Felsenwänden thürmt es sich beinahe lothrecht aus dem Thal von Rosenlaue zu einem eisgekrönten Felsgipfel empor und gestaltet sich von dieser Seite gesehen mit der schlankaufgerichteten Firnpyramide des Wetterhorns zu einem Gemälde, dessen herrliche Formen und kühne Gruppirung schon mancher Künstler nachzuahmen versucht hat. Wir erinnern hier an die bekannten schönen Compositionen von R. Volmar.

Da, wo sich das Wellhorn an das Wetterhorn anschließt, belastet der gebrochene Firn das höchste Joch, hängt sogar nordwärts über dasselbe herunter und bekleidet die oberste Stufe der felsigen Bergwand mit den silberweißen Zackenreihen des Schwarzwaldgletschers. Auf einer tiefer gelegenen Felsenterrasse ruht der Alpbigelngletscher, der durch herabstürzende Eismassen fortwährend von jenem genährt wird. Das Wasser, das diesen Gletschern entquillt, fällt über hohe Felssätze herab in den Thalgrund. Wenn aber an schönen Sommertagen der Donner der Lawinen durch die Umgegend dröhnt, und die zermalmte Masse, statt jener Sturzbäche, als ein Strom von Silberstaub sich langsam und dumpfkrasselnd über die Felsen herunterwälzt, alsdann hemmt der Wanderer auf der Scheideck seine Schritte und staunt dieses Schauspiel mit Entzücken und Bewunderung an. — Mittagwärts und ostwärts ist das Wellhorn von der kahlen Felsenkette der Engelhörner durch eine Kluft getrennt, deren Becken mit den ausgespitzten Eisthürmen des Rosenlauegletschers angefüllt ist. Derselbe drängt sich von den Hochfirnen des Wetterhorns in der Fülle seiner Pracht stufenweise und vielfach geborsten herab bis nach den zahmen Alpweiden und schattigen Gehölzen. Und da, wo seine vordersten Bollwerke gleich einer Mauerkrone von hellem Silber in einer Höhe von 40 bis 60 Fuß den Rand einer Felsenstufe zieren, entfließt seinen Eingeweiden der Weißbach in enger, tiefer Felsenspalte, um sich nach kurzem Laufe mit dem Reichenbach zu vereinigen, nachdem er vorher noch vergeblich versucht hat, in mächtigem Sprung dieser Todesumarmung zu entgehn. Dem nördlichen Fuße des Wellhorns entlang führt der Weg von Rosenlaue nach der Scheideck, und es liegen die Alpen Schwarzwald (5450') und Alpbigeln im Thalgrunde ausgebreitet.

Von einer Besteigung des Wellhorns hat man keine Kunde. Immerhin scheint eine solche äußerst schwierig zu sein und dürfte nicht hinreichenden Lohn für die damit verbundenen Mühen und Gefahren gewähren.

Nr. 23. Hangendgletscherhorn.

Politische Lage. Bern. A. Oberhasle.
Höhe. 10,140' T. Eidg. Verm.
Gebirgsart. Heller, feldspatreicher Gneis.
Entfernung. 14 Stunden.

Wer den freundlichen Thalboden von Hasli im Grund durchwandert, den überrascht, wenn er mittagwärts zwischen dem fluhumgürteten Alpengipfel des Laubstocks und den kahlen Gebilden der Burg- und Engelhörner durch die enge Oeffnung des Urbachthals hineinschaut, die Ansicht eines zur kühnen Spitze aufgefirsteten Felsenhorns, das im Hintergrunde jenes Thals seine stolze Pracht entfaltet. Auf seinem langgedehnten, ostwärts sich neigenden Höhengrat ruht die bläuliche Eisdecke eines Gletschers, der an der Nordseite zungenförmig noch weit an der steilen Felswand herunterhängt und sie mit seinem Schmelzwasser beleckt. Jähe Firnhalden, an denen die Spuren der Lawinenzüge sichtbar sind, und lothrechte Felsabstürze mit vorragenden Klippen und Horngestalten bilden die nördliche Bergwand, und der herrliche Aspekt ist besonders fesselnd, wenn die Frühstrahlen der Sonne jene Felsen und Firnwände vergolden, während das tief im Schooße riesenhafter Gebirgsgestalten liegende Thal noch durch diese beschattet wird. Unten an jener Bergwand lagert sich wiederum ein Gletscher, der sein blankes Panzerhemd hinter den Waldsäumen hervorschimmern läßt. Dieser Gletscher heißt der Renfengletscher, jener aber, der das Horn bekrönt, der Hangendgletscher, und das Horn selbst Hangendgletscherhorn.

Nach sorgfältiger Ermittlung ist es die höchste Spitze dieses Horns, welche auf unserer Alpenansicht zwischen dem Wellhorn und Wetterhorn am fernen Horizonte zum Vorschein kommt. Es steht im hintern Theile des Urbachthals aufgerichtet, und seine ostwärts vorspringende Felsenstufe des Telligrats zwingt das Thal zu einer bogenförmigen Ausbeugung; ja der Thalgrund wird hier so nahe zusammengedrängt, daß die beidseitigen Thalwände sich beinahe berühren und kaum für die in tiefer Kluft daherrauschende Urbachaar Raum übrig bleibt. Am nördlichen Abhang des Telligrats befinden sich einige ausgebeutete Krystallhöhlen; auf dem äußersten östlichen Vorsprung liegt die Alp

Hohwang. Der schöne Renfengletscher reicht nicht bis in den Thalgrund herab, sondern flacht sich auf erhöhter Bergterrasse aus. Ihm entfließt der Dobigerbach. Westwärts schließt sich das Hangendgletscherhorn an den strahlesäumten Felskamm des Renfenhorns an, der sich theils unter das große Firnplateau, dem die Wetterhörner entsteigen, verliert, theils den Culminationspunkt der mächtigen Gebirgskette bildet, die sich über das Doßen= und Gstellihorn auf die Engel= und Burghörner erstreckt und das Urbachthal von dem Rosenlauegletscher und dem Thal des Reichenbachs scheidet. Wie der Rosenlauegletscher von jenen Hochfirnen sich in nördlicher Richtung herunterzieht, so steigt auf der Südseite der Gauligletscher, seiner Grundlinie nach etwa 2 Stunden lang und eine halbe Stunde breit, von ihnen herab und umgürtet den südlichen Fuß des Hangendgletscherhorns, indem er mit seiner gewaltigen Eismasse den hintersten Grund des Urbachthals in seiner ganzen Breite ausfüllt. Dieser Gletscher zeichnet sich durch seine Größe und Schönheit aus. Er soll stets im Vorrücken begriffen sein, so daß die Hirten von Matten genöthiget sein dürften, ihre Sommerwohnstätten in Kurzem zu verlassen und sich weiter auswärts anzusiedeln. Weniger steil als gegen Norden sind die mittäglichen Abstürze des Hangendgletscherhorns. Zwischen mächtigen Firnhängen senkt sich die Felsenrippe des Kammligrätli von ihm herab und begrenzt den Rand des Gauligletschers in steilen Felswänden; ja sie scheint sogar unter dem Gletscher verborgen sich fortzusetzen und eine Thalstufe zu bilden, denn von hier an wird die Abdachung des Gletschers gegen seine Mündung zu stärker, und der Gletscher selbst so zerklüftet, daß er unzugänglich wird, während der obere Theil, der den Namen Kammligletscher trägt, eine leicht zu überschreitende Fläche darbietet. An den mittäglichen Hängen des Telligrats liegt die Alp Urnen, und hart an der Mündung des Gletschers Mätten oder schlechtweg Gauli. Weit hinten am Hangendgletscherhorn, in den Regionen des ewigen Firns, sind im hohen Sommer noch Schaftriften, die unter dem Namen Jaggelisbergli bekannt sind.

Sowohl der Renfen= als der Gauligletscher sollen mit ihrem Eispanzer einstmalige Alpen bedecken. Auf dem Grunde des Renfengletschers war vor mehr als 200 Jahren eine zu 40 Kühen geselte Alpweide. Der Rest der Alpweide, den der Gletscher übrig ließ, wurde im Jahr 1569 der Gemeinde Grund verkauft und war damals nur noch zu 8 Kühen gefeiet. Vor etwa 40 Jahren, fagt Kasthofer *), hat der Renfengletfcher ein Stück von einem Fichtenstamm ins Thal gefchoben, auf dem eingehauene Buchstaben fichtbar waren. Ebenfo ist es Thatfache, daß vor Jahren die Urbachaar, die dem Gauligletfcher entftrömt, Holzwerk von einer Sennhütte aus dem Innern des Gletfchers hervorgefpühlt hat. Bekannt ist die Sage vom Gauliweibchen, der reichen Sennerin auf der verfluchten Blümlisalp, die jetzt vom Gauligletfcher bedeckt fein foll **).

Das Hangendgletfcherhorn ist von der Mittagfeite her ohne Gefahr und ohne fonderliche Befchwerlichkeiten erfteigbar und feine Spitze wird von den Aelplern der Umgegend zuweilen befucht. Von der Urnenalp bedarf es höchftens 4 Stunden, und von Hasle im Grund bis dahin rechnet man ebenfalls 4 Stunden Wegs. Letzteres ist 19½ Wegftunden von Bern entfernt.

Die Aussicht von diefem Gipfel muß wahrhaft impofant, der Blick in die geöffneten Abgründe fchauerlich fein. Dennoch fcheint die Lage diefer Bergfpitze keinen fehr umfaffenden Geflchtskreis zu geftatten, und wer kein befonderes Intereffe hat, fich zunächft von erhöhtem Standpunkte aus mit der Struktur und den Formen des wenig gekannten und äußerft wilden Gebirgsknotens zu befreunden, welcher das Urbachthal mit den angrenzenden Thälern verknüpft und welcher hier vorzugsweife, ja ausfchließlich in feiner Gefammtmaffe erfchaut werden kann, der mag leicht bei der Befteigung eines andern, weniger hohen Alpengipfels reicheren Genuß finden.

Nr. 24. Breitwangflnh.

Ein der Gebirgsmaffe des Hohgant angehörender Gipfel, f. Nr. 13.

Nr. 25. Höhhübeli.

Ein Gipfel des Kurzenberges, fiehe Nr. 12.

---

*) Bemerkungen auf einer Alpenreife. Aarau 1822.
**) Vergl. des Verfaffers Topographifche Mittheilungen.

Nr. 26. Ballenbühl.

Politische Lage. Bern, A. Konolfingen.

Höhe. 2570' (?).

Gebirgsart. Nagelfluh und Sandstein mit zahlreichen fossilen
Pflanzen und Thierüberresten.

Entfernung. 2¾ Stunden.

Der südliche, waldfreie, mit Wiesen und Bäumen und schönen
Bauernhöfen gezierte Höhentheil jenes Hügelzuges, dessen nördliche
Abdachung mit dem Hürnbergwalde bekleidet ist (vergl. Nr. 11), wird
der Ballenbühl*) genannt. Auf der Westseite breitet sich unter
dem ersten steilen Gehänge eine schmale Terrasse aus, auf welcher
mitten zwischen reichen Matten und dichten Baumgehägen die Ortschaft Gysenstein gruppirt ist. Auf der gegen das Thal von Hursellen vorspringenden Kante hingegen, wo eine weithin sichtbare Linde
ihren Schatten wirft, ist der günstigste Standpunkt zum Genuß einer
Aussicht, welche die Besteigung des Ballenbühls lohnenswerth macht.
Da tauchen ostwärts aus der Ferne noch die Bäuchlen und Schratten
über den nahebegränzten Horizont auf. Südwärts hat man dicht zu
seinen Füßen das malerische Dorf Hursellen und das freundliche Thälchen, das sich von Münsingen nach Hünigen erstreckt, dominirt von dem
waldigen Kulme des Lochenberges. Der lange Bergzug des Dopp-
walds ist wie ein dunkles Band aufgerollt. An seinem Fuß und auf
seinen untern, begrasten Terrassen liegen die Häuser von Schwändlen,
Stollen und Freimettigen. Etwas entfernter treten Aeschlenalp und
Falkenfluh hervor. Hinter der scharfgezeichneten Grenze dieser Wald-
gebirge stellt sich der Sigriswylgrat auf und die Gipfel von Hohgant,
Wetterhorn, Schreckhorn, Finsteraarhorn, Eiger, Mönch und Jungfrau.
Offener schon sind die Kienthalgebirge, die Riesenkette bis zur Männ-
lisfluh und die beeisten Kämme von der Jungfrau bis zum Doldenhorn entfaltet. In ihrem ganzen Stolze, frei vom Haupt bis zum
Fuß, zeigt sich die Stockhornkette bis zu der Spitze des Ochsen. Grö-
neck, Pfeife, Berra, Guggershorn sind erkennbar. Am Fuße des

---

*) Bühl, Büel bedeutet in der Bergsprache einen runden Hügel. Es kommt vom
alten Bol, Bohl, Boll, bauchige Runde, Anhöhe, womit das celtische bola (Kugel)
übereinstimmt.

Gurnigels schimmern die Badgebäude. Dort blinkt die Kirche von Amsoldingen aus dem schönen Gelände am Fuße des Stockhorns. Blumenstein, der Streifen des Fallbachs, das ländliche Thierachern, Burgistein, Kirchdorf, Gerzensee mit seinem schimmernden Seebecken sind sichtbar. Näher am Berge erkennt man das stattliche Münsingen. Gegen Westen ist der schöne Belpberg mit seinem waldreichen Gehänge hingestreckt. Seinem Fuße entlang krümmt sich das Silberband der Aare. Diesseits derselben gewahrt man die Ortschaften Rubigen und Allmendingen, jenseits das weitläufige Kirchdorf Belp. Darüber hin begrenzen die zahmen Höhen des Längenbergs und der rundliche Gurten den Horizont. Zimmerwald winkt von freundlicher Bergeshöhe hernieder. Nordwärts endlich umspannt der Jura von dem Mont de Provence bis zur Hasenmatt die hügelige Landschaft, auf deren Plateau man die Kirchen von Frauenkappelen und Meikirch begrüßt und aus deren Schooß die Stadt Bern ihre massiven Thürme emporstreckt, während näher die Ortschaften Gümmligen und Worb herüberblinken.

Der Ballenbühl ist von allen Seiten leicht zugänglich und eignet sich als genußreiches Ziel einer Exkursion in jene Gegend. Oben trifft man eine Wirthschaft an. Von Bern bis dahin sind drei gute Stunden zu rechnen, sei es, daß man den Weg über Muri, Allmendingen, Bettewyl, Eichi und Ghysenstein, oder denjenigen über Gümmligen, Worb, Schloßwyl und Hürnberg wählt.

Am westlichen Abhange des Berges in dem alten Steinbruch an der Weinhalde (2059') und im Hohlweg beim Tennli (2071') zwischen Hurfeilen und Münsingen kommen Petrefakten von Austern und andern Conchylien zu Tage.

Nr. 27. Hünli.

Politische Lage. Bern, A. Bern.
Höhe. 2000' (?).
Gebirgsart. Nagelfluh und Sandstein.
Entfernung. 1¼ Stunden.

Zwischen den Ortschaften Gümmligen und Allmendingen dehnt sich die Waldung des Hünli aus, die sich zu einem Hügel erhebt, der durch feine gleichförmig zugespitzte Form leicht kennbar ist. Die Spitze bildet einen ringförmigen Platz von wenigen Schritten im Durchmesser. Die den Hügel umgebende dichte Waldung gestattet durchaus keine Fernsicht.

Wyß *) berichtet uns, die Spitze des Hünli sei mit Anzeigen von uraltem Menschenwerk bedeckt. Der erhöhte Umkreis, der unter vermodertem Laub und Erdreich nicht mehr entscheiden lasse, ob es Gemäuer oder bloß Erdwall gewesen, und sichtbare Spuren von alten Gräbern, sogar in der Tiefe südlich noch ein Graben, der gleich einem Stollen sich in den Hügel verliere, — das Alles seien Reste von einer Zeit, die fern über Menschengedenken auch in unseren Chroniken und Volkssagen erloschen sei. — Ein gelehrter und einsichtsvoller Geschichtsforscher, Professor Walther **) in Bern, hielt das Hünli für einen geweihten Hain, und den darin stehenden Hügel für einen Platz, auf welchem an den Landtagen der ältesten Helvetier die Druiden und übrigen Vorsteher des gesammten Gaues sich versammelten und die furchtbaren Menschenopfer schlachteten. Er leitet den heutigen Namen Allmendingen, zusammengesetzt aus allmeen und Ding (d. i. allgemein, und Gericht oder Gerichtsort), von jenem Umstande her. In dem Namen Hünli liegt offenbar das Wort Hün, was an und für sich schon auf heidnisches Alterthum hinzudeuten scheint. Nach Grimm (deutsche Mytholog.) bezeichnet hun, althochd.; hune, hieume, mitteld.; Hüne, Heune, hochd.; hüne, niederd. ein den Deutschen feindliches, als Riesen gedachtes Volk (Hünengräber).

Nr. 28. Dopp= oder Hochwald.

Die große Staatswaldung, die den nördlichen Abhang jener Gebirgsstrecke bekleidet, welche sich zwischen dem Thal der Riesen und dem Dießbach erhebt, siehe Nr. 12.

*) Reise in's Berner=Oberland.
**) Celtische Alterthümer. Bern, 1783. S. 3.

Nr. 29. Augstmatthorn.

Politische Lage. Bern, A. Interlaken.
Höhe. 6501'. B. W. Studer.
Gebirgsart. Nummulitenkalk, mantelförmig die dunkeln Kalkschiefer der Kreideformation bedeckend.
Entfernung. 8¼ Stunden.

So wie die Kette des Brienzergrats bei Unterseen in dem felsigen Harder ansteigt und über den Rücken der Horetalpen in nordöstlicher Richtung eine Strecke lang gleichförmig fortläuft, strebt sie in jähem Anlaufe plötzlich zu einer ihrer höheren Zinnen, dem Augstmatthorn empor. Dieses Horn stellt sich, von Norden und Nordwesten gesehen, in dem Profil eines langgedehnten Hausdaches dar, mit einer an beiden Enden etwas erhöhten und dann schroff abfallenden First. Diese selbst ist nur wenige Fuß breit und mit Räsen bedeckt. Der westliche Eckpunkt charakterisirt sich durch einen thurmförmigen Höcker, und wird deßhalb auch der Suggithurm geheißen. Der östliche um etliche Fuß niedrigere Eckpunkt trägt den Namen Schaffallen oder auch Wynberghorn. Die gegen den Brienzersee gesenkten Abstürze sind entsetzlich schroff und felsig. Zwischen den Felsen sammelt der Wildheuer sein Futter. Der untere steile Absturz ist mit Buch- und Tannwaldung bekleidet, und dem ungewohnten Auge schaudert, in diese schwindlichte Tiefe hinunter zu schauen. Am Ufer des Sees liegt die Ortschaft Niederried. Die Abdachung gegen das Habkernthal ist etwas weniger steil und mit Guferhalden und Schafweide bedeckt. Nicht sehr tief unter dem höchsten Joche löst sich von den nördlichen Abstürzen der Schaffallen der schmale Bergrücken der Bodmick ab, auf dessen unteren Terrassen die Triften der schönen Bodmialp sich ausbreiten. Durch eine vertiefte Wasserscheide hängt die Kette des Brienzergrats mit dem Hohgant zusammen.

Die Aussicht von dem das ganze Becken des Brienzersees, das Gelände von Unterseen, einen Theil des Thunersees und das Thal und die Alpen von Habkern beherrschenden Gipfel des Augstmatthorns erreicht zwar an Ausdehnung des Gesichtskreises diejenige des Brienzer-Rothhorns nicht, bietet aber in engerer Begrenzung ein ähnliches, in seiner Art immerhin prachtvolles Rundgemälde dar, welches um so eher aufgesucht zu werden verdient, als die Besteigung dieses Horns keine sehr großen Anstrengungen und für schwindelfreie Personen durchaus keine Gefahr mit sich bringt.

Der bequemste Weg führt über Habkern, 2 Stunden von Unterseen, und dieses 1½ Wegstunden von Bern entfernt, hinauf. Von hier erreicht man in 2 Stunden die Bodmialp, wo die gastlichen Sennen den Wanderer bereitwillig mit Alpenkost erquicken und wo er selbst ein ordentliches Nachtlager finden kann. In weiteren anderthalb Stunden wird der Gipfel erstiegen, sei es daß man den Grat der Bodmieck verfolgt, oder auf dem sogenannten Jägerweg nach dem Oberhoretgrat hinansteigt und von da noch die steile schmale First des Suggithurms erklimmt. Mühsamer ist der Weg, der von Ringgenberg oder Niederried in 3—4 Stunden hinauf führt.

Von der Südwestseite gesehen, wo die Augstmatt dem Beobachter ihr schmales Profil zukehrt, erscheint dieselbe in so veränderter Gestalt, daß sie kaum mehr kenntlich ist. Es verschwindet nämlich jene lange First, der Suggithurm stellt sich als Hauptgebilde dar und zeichnet sich als ein scharf zugespitztes isolirtes Horn aus, das als solches dem Brienzergrate entsteigt.

Der Flora der Brienzergräte haben wir bei Nr. 1 gedacht.

Nr. 30. Hinterbirg *).

Politische Lage. Bern, A. Interlaken.
Höhe. 8000′ (?).
Gebirgsart. Schwarzer Kalkschiefer (alp. Kreide).
Entfernung. 11¾ Stunden.

Der hohe Gebirgswall, der sich in westlicher Richtung vom Schwarzhorn gegen das Faulhorn hinzieht und die Wasserscheide zwischen dem Brienzersee und dem Grindelwaldthale bildet, trägt die allgemeine Benennung Hinterbirg. Die einzelnen Theile dieses Grates tragen auf der Grindelwaldseite die Namen Krinnengrätli

---

*) Birg, Gebirg ist das goth. Bairg, das fries. Birgh, das angels. beorg, byrg, im runischen biarga, dän. bierg, im niederf. berch, im altdeutsch. berg.

(zunächst am **Schwarzhorn**), **Gansenfluh**, **Widderfeldgrätli**
und **Ritzligrätli**. Mittagwärts ist dieser Grat stellenweise bis
auf das höchste Joch mit Rasen bewachsen. Tiefer liegen die ausge=
breiteten Alpentriften von **Grindel** und **Widderfeld**; daher denn auch
die dieser Seite zugekehrten Hänge des **Krimmengrätli's** den Namen
Grindelwäng tragen. Die nördlichen Abstürze des Widderfeldgrats
und der Gansenfluh stehen als eine fast senkrechte Schieferwand von
vielleicht 1000 Fuß Höhe aufgerichtet. Ihrem Fuß entlang zieht sich
ein ödes, schmales Hochthal, durch ein an die Gansenfluh gelehntes
Querjoch in zwei Becken getrennt. Das westlicher gelegene heißt das
Hühnerthälchen, welchen Namen ihm die Stein= oder Schnee=
hühner gegeben haben, die sich in Menge hier aufhalten. Es beher=
bergt in seinem Schooße den kleinen Hagelsee (6780'). Das west=
lichere Thalbecken dehnt sich aufwärts bis an den Blauengletscher und
bleibt, wie jenes, die größte Zeit des Jahres mit Schnee angefüllt.
Es enthält ebenfalls einen kleinen Wassersammler, Hinterbirg=
oder Herensee genannt (7287'). In die Untiefen dieser Seelein
verlegt die Sage bösartige Geister, die zuweilen aus ihren Be=
hältern entschlüpfen und dann grause Ungewitter herbeitreiben. Die
nördliche Einfassung jener Thalbecken ragt wenig über deren Grund=
fläche hervor, ist aber in ansehnlicher Tiefe gegen die Alp Tschingel=
feld abgerissen. Von der Bachalp am Faulhorn läßt es sich bequem
in das Hühnerthälchen übersteigen, und von da kann man entweder
die Gipfel des Schwarzhorns oder Wildgerst's besuchen oder über Tschin=
gelfeld nach dem Brienzersee hinunter gehen. Schwieriger ist hinge=
gen der Uebergang über das Krimmengrätli nach der Alp Grindel. Der
Alpweg, der von den Höhen der Bachalp nach dem Widderfeld und
über die Grindelalp nach der Haslescheideck führt, wird von den Faul=
hornbesteigern häufig gewählt, weil er beinahe ununterbrochen zur An=
schauung der begletscherten Hochalpen herrliche Standpunkte gewährt,
die demjenigen auf der Wengernalp wenig nachstehen.

Nr. 81. Gaffenhorn.

Politische Lage. Bern, A. Interlaken.
Höhe. 8000' (?).
Gebirgsart. Schwarzer Kalkschiefer (alpinische Kreide).
Entfernung. 11¼ Stunden.

Das Gaffenhorn, welches auch Mittaghorn genannt wird, erhebt sich als östliches Nachbargebilde des Faulhorns, und sein höchstes Joch bildet einen schmalen, ziemlich eben fortlaufenden Grat, der sich durch einen spaltförmigen Einschnitt auszeichnet, welcher die Mittagkrinne heißt und vermuthlich Gemsjägern zum Durchpasse dient. Die Nordseite des Horns ist in steilen Schieferwänden gegen die Bätenalp abgerissen. Die südliche Abdachung ist weniger steil und großentheils mit Rasen bekleidet oder mit Gufer bedeckt. An sie lehnt sich das begraste Joch, welches das Hühnerthälchen von der Bachalp scheidet und sich südwärts an das Ritzlgrätli anschließt. Von den Grindelwaldern werden die mittäglichen Abstürze des Gaffenhorns Simelwäng und der westliche Theil Thierwang genannt. Der Name Simelwäng bedeutet nichts anderes als abgerundete Grashalde, von Simel, rund, und Wang, Halde.

Nr. 82. Faulhorn.

Politische Lage. Bern, A. Interlaken.
Höhe. 8261'. T. eidg. Verm.
Gebirgsart. Schwarzer Kalkschiefer (alpinische Kreide).
Entfernung. 11 Stunden.

Fast in der Mitte des vielgegliederten Gebirgstockes, der den Raum zwischen dem Grindelwaldthal und dem Brienzersee ausfüllt, erhebt sich ein unscheinbarer Felsengipfel, der die Form eines von Süden gegen Norden ziemlich sanft ansteigenden, nordwärts aber bis an seine Basis steil abgerissenen Kegels hat. Diese steile Wand ist aus kahlem Felsen erbaut, während die mittägliche Abdachung des Gipfels in den Sommermonaten theils mit Graswuchs und schöner Alpenflora, theils mit Trümmerhalden und tiefer mit Schneeanhäufungen bedeckt ist, welche in den schattigen Vertiefungen der Macht des Sonnenstrahls widerstehn. Dieser Gipfel ist das Faulhorn, das sich eines europäischen Rufes erfreut. Des Namens Bedeutung liegt in der Gebirgsart, die aus einem mürben, schieferartigen Gestein besteht, welches mit faul bezeichnet wird und auch anderwärts ähnlichen Bergbenennungen zum Grunde liegt. Wir erinnern an den Faulenberg oder die Faulefluh an der Hochstollenkette, den Faulen im Schächenthal, den Faulen im Kanton Glarus u. a. m. Der Gebirgsstock des Faulhorns hat übrigens Charakter und Steinart mit den Ketten des Schilthorns und der Schwalmeren gemein*).

Schwarzer und grauer Kalk und Kalkschiefer bilden die ganze Basis der Faulhornkette und versetzen dieselbe in die Epoche der Juraformation. In großer Mächtigkeit ruhen auf ihr schwarze Kalkschiefer, Quarzsandsteine und Thonschiefer, Quarzit, durch Thonschiefer schwarz gefärbt (sog. Eisenstein), welche der Kreideepoche beizuzählen sind. Diese Gesteine bilden wohl die sämmtlichen Gräte und Gipfel der Kette und bedecken dieselben, da wo sie durch Entblößung von Vegetation der Verwitterung ausgesetzt sind, mit einer oft starken Decke von grauem oder röthlichem Sand von Schiefer- und Sandsteintrümmern (Nr. 19. 20. 21. 30. 31. 32. 33).

Das Grindelwalderfaulhorn ist nebst dem angrenzenden Gassenhorn (Nr. 31) der Knoten, von welchem vermittelst vertiefter Einsattlungen vier Gebirgszweige ausgehen. So erstreckt sich nordwärts der Grat des Schwabhorns (7130') auf die Hohe Burg, wo der steile Abfall nach dem Brienzersee beginnt. Westwärts dehnt sich der Bußalpgrat über die hohe Zinne der Wintereck aus. Mittagwärts schwingt sich der Berggzug, bevor er gegen das Grindelwaldthal abfällt, in den kühnen Gestalten des Simeli- und Röthihorns auf. Oftwärts endlich zieht sich der Gebirgskamm über den Widderfeldgrat nach den höheren Gebilden des Schwarzhorns und Wildgerst's. Zwischen der Wintereck und dem Ast des Röthihorns sind die weiten Triften der Bußalp mit 430 Kuhrechten ausgebreitet (der Staffel liegt 6305' hoch). Zwischen dem Röthihorn und dem Widderfeld liegt das Thal der Bachalp (6151'), welches 281 Kuhrechte hält, mit dem malerischen Bachalpsee

---

*) Studer, Geologie der westl. Schweizeralpen.

(7006'). Ihm entfließt der Mühlebach, der an der Mündung dieses Hochthales einen ansehnlichen Fall bildet, gleichsam als wenn es eines Entschlusses der Verzweiflung bedürfte, um die schöne Heimath im stillen Hochgebirge zu verlaffen. Am nördlichen Fuß des Faulhorns liegt die weitschichtige Bättenalp; nordwestlich, von ihr durch den Kamm des Schwabhorns getrennt, die einsame, nach Iselten gehörende Alp Gägistahl*) mit dem kleinen See gleichen Namens (5870'). Der breite, mit unvergänglichen Schneefeldern belastete Sattel zwischen dem Faulhorn und Simelihorn, wo die Weiden der Bachalp und Bußalp an einander gränzen, wird noch jetzt die Gasse genannt, und die Sage erzählt, daß ehemals an diesem Ort ein artiges Dörfchen „An der Gasse" gestanden habe, welches seit Auffindung des ersten Eiszapfens beim Brunnen entvölkert, sowie die Gegend nach und nach verwildert worden sei. Es stimmt diese Sage auf eine auffallende Weise mit derjenigen über den Ferpèclegletscher im Eringerthale überein.

In der Höhe über dem Bachalpsee finden sich in den reineren Lagern von Kalk eine große Menge von Petrefakten vor.

Wenn man sich fragt, was dem Faulhorn seine Berühmtheit verschafft hat, so ist es weder seine Höhe und hervorstehende Gestalt, denn in beiden wird es durch seine Nachbargebilde, den Wildgerst und das Schwarzhorn, übertroffen, noch der Vorzug einer allen Wünschen entsprechenden Aussicht, zumal die dem Hochgebirge näher gerückten Nachbargipfel des Röthihorns und Schwarzhorns und selbst die Wintereck eine ungleich schönere Ansicht deffelben gewähren, wohl aber zunächst seine leichte und gefahrlose Besteigung. Und wirklich die verhältnißmäßig geringe Mühe, deren es bedarf, um einen der höheren, bereits der Schneegrenze entragenden Alpengipfel zu besteigen, hat schon seit Langem her dem Faulhorn den Besuch manches rüstigen Naturfreundes verschafft. Selbst in der strengen Winterszeit wagte sich der unerschrockene Hugi dahin und bestieg zum Zweck meteorologischer Beobachtungen am 23. Jenner 1832 in Begleit des Pfarrherrn Müller von Grindelwald den Gipfel. Seitdem aber der Spekulationsgeist den Damen und Gentlemans einen bis auf die Spitze

---

*) Stahl, von Stalden, Anhöhe.

führenden Reitweg gebahnt hat, und besonders seitdem kaum 60 Schritte unter dem Gipfel ein wohnliches Gebäude den Wanderer aufnimmt, ist das Faulhorn der Zielpunkt der Touristen und der Sommeraufenthaltsort schweizerischer und fremder Gelehrter geworden. Im Jahr 1832 war es, als durch die Bemühungen des **Samuel Blatter**, des damaligen Wirths zum schwarzen Adler in Grindelwald, die Errichtung eines geräumigen Gasthauses zunächst unter dem Faulhorngipfel zu Stande kam. Die Hauptfenster sehen alle gegen das Hochgebirge hin, so daß selbst aus den Zimmern weg eine imposante Fernsicht sich offenbart. Pfarrer **Schweizer** gefällt sich in seiner Topographie des Faulhorns, das Gasthaus einerseits als ein **Sommerhaus an der Schwelle der Winterwelt** und anderseits als den **höchsten bewohnten Punkt Europa's** zu bezeichnen. Das Gebäude auf dem Faulhorn ist allerdings die höchste Wohnung der **Schweiz** und nach dem Wirthshaus auf dem Stilsferjoche die erhabenste in **Europa**.

Wenn nun auch die Höhe, die leichte Besteigung und die erhabene Aussicht dem Faulhorn seine Berühmtheit verschafft haben, so hat nicht weniger dessen reiche und seltene Flora dazu beigetragen. Die Faulhornkette überhaupt ist in unseren Berneralpen wohl die **reichste an seltenen Pflanzen**. Am Faulhorn besonders (Fuß bis Gipfel) finden sich außer den gewöhnlichen bei Nr. 49 aufgezählten Alpenpflanzen: Anemone sulphurea L. Ranunculus glacialis L. Aquilegia alpina L. Aconitum rostratum Bernh. Delphinium elatum L. Draba Johannis Host. Dr. helvetica Sohl. Dr. tomentosa Wahl. Dr. stellata Jacq. Dr. frigida Saut. Dr. Zahlbrackneri Host. Cardamine resedifolia L. C. alpina Willd. Thlaspi rotundifolium. Br. Arabis pumila Wulf. Ar. bellidifolia Jacq. Ar. cærulea Wulf. Spergula saginoides L. Geranium phaeum L. Phaca frigida L. Ph. australis L. Potentilla grandiflora L. P. frigida Vill. Sibaldia procumbens L. Geum reptans L. Alchemilla fissa Schum. Alch. pentaphylla L. Sedum saxatile W. S. repens Schl. Sempervivum tectorum L. S. arachnoideum L. Saxifraga planifolia Lap. S. androsacea L. S. seguierü Spr. S. bryoides L. S. aspera L. S. oppositifolia L. Imperatoria Ostruthium L. Chærophyllum Villarsii K. Laserpitium Halleri All. Galium helveticum Weig. Asperula taurina L. Gnapha-

ljum alp. L. Senecio aurantiacus DC. Saussurea alp. DC. Hypochæris
helvetica L. Apargia Taraxaci W. Crepis grandiflora Froel.
Hieracium aurantiacum L. H. alpinum L. H. glanduliferum Hopp.
H. Schraderi Schl. H. Halleri Vill. H. flexuosum W. K. Eri-
geron Villarsii Bell. Er. uniflorus L. Mulgedium alpinum Less.
Petasites niveus Baumg. Crepis hyoseridifolia Tausch. Carduus
Personata Jacq. Phyteuma hemisphæricum L. Ph. betonicæfolium
L. Gentiana glacialis Vill. G. nivalis L. G. brachypbylla Vill.
G. alpina Vill. Pedicularis tuberosa L. Echinospermum deflexum
Wahl. Primula integrifolia L. Androsace alpina L. Andr. pennina
Gaud. Aretia helvetica L. A. imbricata Heg. Soldanella Clusii
Schm. Rumex arifolius All. R. nivalis Heg. Oxyria digyna
Camp. Empetrum nigrum L. Salix grandifolia L. S. herbacea
L. Malaxis monophyllos Sw. Spiranthes æstivalis Rich. Orchis
suaveolens Vill. Chamorchis alpina Rich. Corallorrhiza Halleri
Rich. Anthericum Liliago L. A. Liliastrum L. Gagea Liottardi
Schult. Tofieldia glacialis Gaud. Juncus triglumis L. J. filiformis L.
J. trifidus L. J. Jacquini L. Luzula spadicea DC. L. lutea DC.
L. spicata DC. Eriophorum Scheuchzeri Hoppe. Carex ustulata
Wahl. C. approximata Hoppe. C. vaginata Tausch. C. firma
Host. C. curvula All. C. rupestris All. C. nigra All. C. fri-
gida All. C. foetida All. C. leporina L. Elyna spicata Schr.
Kobresia caricina Willd. Avena distychophylla Vill. A. versi-
color Vill. A. suspicata Clairv. Festuca alpina Sut. F. Scheuch-
zeri Gaud. F. Halleri All. F. nigrescens Lam. Calamagrostis
sylvatica DC.

Die günstige Jahreszeit zum Besuche des Faulhorns ist der Hoch-
sommer und Frühherbst. Der beste und kürzeste Weg dahin, der oft
und viel zu Pferde gemacht wird, ist derjenige, welcher von Grindelwald in 4½ bis 5 Stunden auf den Gipfel führt. Wer die Abend-
und Morgenaussicht genießen will, die in der Regel am reinsten sich
darstellen, der reiset um Mittag von Grindelwald ab und bleibt auf
dem Faulhorn über Nacht (Grindelwald liegt 15½ Wegstunden von
Bern). Man steigt vom Dorfe weg sogleich mitten durch schöne Matten bergan. Dann geht es abwechselnd durch Waldung und über Vor-
saßweiden empor. Aus der höheren Waldung heraustretend, erreicht

man die Mündung des Bachalpthales, wo man sich eines herrlichen Rückblickes auf die Grindelwaldgletscher und die sie umthronenden Eispaläste des Hochgebirges erfreut. Bis hieher rechnet man 2 Stunden. Ueber die verschiedenen Terrassen des baumlosen Hochthales der Bachalp sanfter emporsteigend, gelangt man nach anderthalb weiteren Stunden zu dem stillen Gewässer des Bachalpsee's, das die blumigen Ufer tränkt und in dem die glotzende Heerde ihr kühlendes Bad nimmt. Der dunkle Spiegel läßt die gegenüber blinkenden Schneehäupter malerisch wiederstrahlen. Der Bachalpsee liegt unmittelbar am Fuße des Faulhorngipfels 7006' ü. M.. Abschüssige Schneefelder und rauhe Steinhalden beginnen. Der Weg wird mühsamer und steiler; jedoch vom Kulme winkt das Gasthaus, wie die sichere Thürmerwohnung im schauerlich öden Klippenchaos; man gewahrt die Gäste auf weichem Rasen gelagert gleich den Glücklichen in Elysiums Hainen, die den Schreckensgang durch den Tartarus überstanden, und munter wird die letzte Stunde zurückgelegt. — Von Zweilütschinen (13 Stunden von Bern) kann man auch bei der Ortschaft Schwändi nach den Triften der Bußalp emporsteigen und in ungefähr gleicher Zeit den Gipfel erreichen. Wer von Meiringen aus das Faulhorn besuchen will, der verfolgt den Weg über Rosenlaue nach der großen Scheideck, von hier wendet man sich, ohne nach Grindelwald niederzusteigen, längs dem Scheideckgrate nach der Alp Grindel, schreitet sodann, den Kranz der prachtvollen Hochgebirge im Süden stets vor Augen habend, allmälig über Alpentriften empor nach dem Widderfeld, von wo eine mäßige Senkung an das Ufer des Bachalpsee's führt. Von Rosenlaue nach dem Faulhorngipfel bedarf es ungefähr 6 Stunden und von Meiringen nach Rosenlaue 2. Meiringen ist 18 Wegstunden von Bern entfernt. Es ist diese Wanderung unstreitig eine der genußreichsten und so ganz gefahrlos, daß selbst reisegewohnte Damen sie unbedenklich unternehmen dürfen. Ein tüchtiger Bergsteiger kann auch von Rosenlaue nach dem Blauengletscher und von da durch das Hühnerthal nach dem Faulhorn gelangen. Wer das Faulhorn von der Nordseite erklimmen will, dem stehen wiederum verschiedene Wege offen. Benutzt er von Brienz oder Interlaken, ersteres 15, letzteres 11¼ Wegstunden von Bern entfernt, das Dampfschiff, so steigt er beim Gießbach aus und verfolgt den Weg, der durch die Kluft des Gießbachs hinauf führt. Schon in ansehnlicher Höhe tritt man bei den Obmann-schwendightern in ein Wäldchen, wo (nach Schweizer) im Mittelalter der Todtenacker der Brienzerberggemeinde gewesen sein soll. Weiter aufwärts gehend kommt man in das schöne, vom Gießbach sanft durch-flossene, Wiesenthal der „Gießbäche." Am obern Ende dieses Thals tritt der Bach aus einer Felsschlucht (die Bottenklemme), wo er bei einer halben Stunde lang zwischen mehrere hundert Fuß hohen Fel-sen sich durcharbeitet und in welcher Kluft er sich im Jahr 1824 ver-lieren wollte. Man kann nun mehr westwärts auf steilem aber kür-zeren Wege nach dem weitschichtigen Hochplateau der Bättenalp em-porsteigen, oder in das einsame, vom Gießbach durchflossene Thal der Bottenalp gelangen, wo der Bach einen beiläufig 80 Fuß hohen Fall bildet. Weiter geht es von da zur Aergelen, wo der Hilfenenbrunnen an einem senkrechten Felsen einige 100 Fuß hoch aus einem Loch her-vorströmt und in den Gießbach fließt. Dann kommt man auf die Alp Tschingelfeld und die Bättenalp, von wo man längs dem Boxeren-grätli, höher Gerstigrat und Uebstich genannt, den Gipfel erreicht. Der Pfad über das Gerstlgrätli hinauf ist schmal, rauh und steil, je-doch bei einiger Vorsicht ungefährlich und interessant durch die mit jedem Schritte sich freier entwickelnde Aussicht. Vom Seeufer hin-weg können 6 Stunden Wegs gerechnet werden, und die Reise ist lang und beschwerlich. Wer von Meiringen herkömmt und nicht über Rosenlaue das Faulhorn besteigen will, der nehme seinen Weg bei der Winkelmaadsbrücke in der Nähe von Kienholz gegen die Häuser der Enge und über den Hippoben hinauf nach der Aralp. Gönnt es ihm die Zeit, so mache er den kleinen Abstecher nach dem romantischen Hinterburgsee. Er steigt dann über die Aralpen empor und wendet sich westlich etwas abwärts nach dem untersten Läger von Tschingel-feld, wo er in den letztbeschriebenen Weg einlenkt. Auch vom Gieß-bach kann der Wanderer den Weg über die Aralpen wählen. Von Meiringen auf den Faulhorngipfel erfordert es wohl eine Tagreise.

Da uns die letztangedeuteten Wege an den Gießbach geführt ha-ben, so sei uns hier eine kurze Einschaltung erlaubt, die wir zum Theil dem „Topographie- und Panoramagemälde vom Faul-horn" von Pfarrer Schweizer entnehmen. Der Gießbach ent-springt am Blauengletscher und aus den Seen am Fuße des Hinterbirg. Lange war dieser seiner schönen Fälle wegen so viel bewunderte Bergstrom unbekannt geblieben, bis zu Ende des vorigen Jahrhunderts der Schiffmann Fischer die Herren Amtschreiber Stuber von Langnau und Maler Zehender einlud, ihn dahin zu begleiten. Diese beiden Alpenfreunde erstaunten über die so nahe liegende und doch bisher unentdeckte Naturscene, und Zehender entwarf davon die erste Zeichnung. Damals mußte man noch entweder den zwar romantischen aber auch weiten Umweg von Bottenbalm weg zu dem Bache machen, oder vom Seeufer den gähen, felsigen Rain mühsam hinanklimmen. Erst im Jahr 1818 legte der nächste Landbesitzer, Schulmeister Kehrli, mit obrigkeitlicher Unterstützung einen gangbaren Fußsteig bis auf die Höhe von circa 400 Schuh an. Auf den Antrieb und nach dem Plan des Pfarrers von Brienz ließ die Regierung im Jahr 1822 einen ganz neuen Pfad zur gefahrlosen Besichtigung der 14 verschiedenen Fälle ausführen, so daß man von da an gemächlich vom Seeufer bis zu einer Höhe von 1060 Fuß den Fällen nach bis zum obersten Sturze hinansteigen konnte. Am Platz der vormaligen bescheidenen Wohnung des Schulmeisters Kehrli auf der untersten Terrasse des Abhangs steht nun auch um etwas erhöhter, auf einem von Bäumen beschatteten Wiesenplateau, ein neues Gasthaus, wo man Angesichts eines der schönsten Fälle, den ästhetischen Genuß mit leiblicher Sättigung vereinigen und Kraft schöpfen kann, um unter dem Donnergetose des gewaltigen Stromes, oft von dessen weitwallendem Staube benetzt, den Wasserfällen nach emporzusteigen und dieses imposante, in stetem Zauber wechselnde Naturspiel in seiner ganzen Fülle und Pracht zu genießen. Der kleinste dieser unmittelbar auf einander folgenden Fälle ist 30, der größte 180 Fuß hoch. Es vereinigt sich dabei Alles zu einem herrlichen Gemälde, die Stärke und Schönheit des Stromes, die Mächtigkeit der einzelnen Fälle und ihre mannigfaltigen Gestaltungen, der Wechsel der romantischen Umgebungen, hier tobende Wuth und Lebensdrang inmitten einer ernsten bis zur Wildheit sich steigernden Natur, dort unten im blauen See Ruhe, Frieden und Anmuth. — Während unser gefeierte J. R. Wyß den Gießbach mit einer Ode von Klopstock vergleicht, fiel es der begeisterten Laune des Pfarrherrn von Brienz ein, hier den Großthaten von Berns vorzüglichsten Helden ein Denkmal zu stiften,

und ihre berühmten Namen den einzelnen Fällen jenes thaten=
reichen Stromes beizulegen.

Auch von Iseltwald führt ein Weg in 5 Stunden auf das Faul=
horn. Es ist derselbe · einer der intereffanteren. Man steigt durch
baumreiche Wiesen empor nach der Alpenterraffe von Uezisboden; dem
unterften Läger der Bättenalp, übersteigt von hier den Sattel zwischen der
Litschigenburg (von Litsch — locker), an welcher sich das Zwerggen=
loch befindet, und den Gelecken. Liebliche Blicke auf den See ver=
kürzen den Weg. Bis auf jenen Sattel sind 2 Stunden. Längs dem
östlichen Fuß der Hohenburg, der Schonegg und des Schwabhorns
erreicht man in einer Stunde die oberften Triften der Bättenalp und
bedarf noch zweier Stunden zu Erklimmung des Gipfels. Ein kür=
zerer, aber schwierigerer, Pfad führt von Iseltwald über das Ochsen=
bergli nach dem Sägiftahl und von hier nach dem Faulhorngipfel.
Endlich kann man noch zu Besteigung des Faulhorns die weiteren und
zum Theil unwegsamen Uebergänge von Bönigen über die Alp Künz=
len (5960'), oder von Gfteig oder Zwellütschinen über die Alp Isel=
ten nach dem Sägiftahl einschlagen. Niemand aber, der nicht des
Gebirges wohl kundig ist, sollte sich ohne sicheren Führer auf den
Weg nach dem Faulhorn begeben.

Die Faulhornausficht besitzt weder den malerischen und
freundlichen Charakter, noch den weiten Gesichtskreis der Aus=
ficht eines Rigi, Pilatus, Brienzer=Rothhorns, Niesen u. a. in gün=
ftigerer Lage zwischen die Hochalpen und die Schweizerebene geftellten
Gebirgskuppen; aber eben so wenig herrscht in ihrem Wesen der wilde
fterile Charakter der inneren Hochalpenreviere vor, wie z. B. die Aus=
ficht vom Sidelhorn denselben faft ausschließlich zur Schau trägt.
Sie vereinigt vielmehr die beidfeitigen Vorzüge in eigenthümlichen
Kontraften in sich. Auf keinem so leicht zugänglichen Gipfel
der Mittelalpen genießt man vielleicht ein Gebirgspanorama von fol=
cher Großartigkeit. Man fteht da den höchften Gebilden des Berner=
Oberlandes gerade gegenüber und zwar in solcher Nähe, daß sich ihre
Formen in ihrer ganzen gigantischen Größe, aber auch in ihren rich=
tigen Verhältniffen entwickeln. Der erhabene Standpunkt, ftatt der
imposanten Erscheinung dieser Altväter des Hochlandes Eintrag zu
thun, läßt sie nur noch koloffaler auftreten. Der gefeffelte Blick ver=

mag sich kaum abzuwenden von diesem Kranz majestätischer Bergge=
stalten, die aus Eis und Felsen aufgebaut, den südlichen Horizont in
himmelhohen Pyramiden umziehen. Das Auge versucht es, die Höhe
der Felsenpostamente zu erfassen, denen die weißen Firnspitzen entra=
gen, allein es findet keinen Maßstab dazu. Es dringt verwundert in das In=
nere der Gletscherwelt, die, im Schooß dieser mächtigen Riesengestalten
verborgen, sich ihm hier in ihrer leuchtenden Schönheit offenbart, indem
sie die krystallne Decke der Hochthäler bildet, welche mit eisigen
Banden die starren Gefilde eines immerwährenden Winters an den
Frühling des Landes gefesselt hält. — Die herrliche Pyramide des
Wetterhorns, des Schreckhorns steilgethürmte Zinne, des Finsteraar=
horns Obeliskengestalt, die gezackte Silberwand der Viescherhörner,
das Massiv des Eigers, der Mönch und die Jungfrau in ihrem rei=
nen Firnkleide, diese stolzen Gebilde sind es, welche mit ihren we=
niger ansehnlichen Flügelmännern, die sich östlich bis zum Susten=
horn, westlich bis zur Frau und dem Doldenhorn, ja in verein=
zelten Gipfeln bis zum Wildhorn und den Diablerets ausdehnen,
jenem Kranze entsteigen. Zwar nicht ohne malerischen Effekt, aber
mißgünstig stellt sich die Gruppe des Simellhorns und Röthi=
horns mitten vor jene Hochgebilde hin, und entzieht dem Auge
die Ansicht der grünen Matten des Grindelwaldthales und der beiden
Gletscherausläufe. Ostwärts wird der Horizont durch die nahe Gruppe
des Wildgersts und Schwarzhorns begrenzt. Gegen Westen schweift
der Blick von Bergreihe über Bergreihe bis nach den fernen Gipfeln
der Freiburgeralpen, über die hügelreiche Weite des Aar= und Saane=
thals nach den Seen von Neuenburg, Biel, Murten, und auf den
blauen Gürtel des Jura. Aus dem dunkeln Schooß näherer Gebirgs=
gruppen schimmert der Spiegel des Thunersees. Nordwärts umschließt
der langgestreckte Bergzug des Brienzergrats das jenseitige Ufer des
Brienzersees. Darüber hin sind die Massen der Emmenthaler= und
Entlebucherberge gelagert und in unbegrenzter Ferne verliert sich der
Blick in den neblichten Umrissen der Vogesen und des Schwarzwalds.
Zwischen Pilatus und Rigi schimmern Zuger= und Vierwaldstättersee.
Nach Nordwesten hin begrenzt endlich das Zackenmeer der Melchtha=
ler= und Stanzergebirge den Horizont. So umfassend indessen der
nördliche Gesichtskreis der Faulhornaussicht ist, so befindet man sich

5

zu hoch und zu entfernt über der Ebene, als daß die bunten Gefilde der angebauten Landesgegenden ihr den gewünschten Reiz zu geben vermöchten. Selbst die freundlichen Ufer des Brienzersees verlieren das Ansprechende, weil er zu tief liegt und die vorspringenden Kuppen und Terrassen des Gebirges die Gesammtansicht des Wasserbeckens verhindern. Auch die breite Zone der in dieser Richtung sichtbaren Bergketten zeichnet sich weder durch auffallende Formen noch durch malerische Kontraste aus, so daß sich der Blick stets unwillkürlich wieder dem Kranz der Hochalpen zuwendet.

Der Genuß der Faulhornaussicht bleibt unvergeßlich, wenn man das Glück hat, die Pracht eines Sonnenaufganges ungetrübt zu schauen. In steigender Bewunderung sieht man, wie zuerst die Riesengestalten der Alpenwelt heller auftauchen aus dem nächtlichen Chaos der Tiefe; wie nach und nach ihre charakteristischen Züge, ihre zerklüfteten Felsenschuppen, ihre Lawinenstriche, ihre grauen Schutthänge und Erdschlipfe, ihre ausgewaschenen Bachrinsen, ihre Alpenhöhen mit den Sennenhäuschen, und die schwarzen Gehölze sich unterscheiden lassen; wie dann das Dunkel der neblichten Dämmerung auf den Flächengefilden und im Schooß der Abgründe sich zu lichten beginnt, und die Wohnsitze der Sterblichen, blinkende Thürme und Schloßgebäude, die silbergrauen Ströme und die Spiegelflächen der Seen sichtbar werden; wie heller und heller im leuchtenden Osten das Licht des Tages seine Ankunft verkündet; wie endlich die mit Eisdiademen gekrönten Stirnen der Gebirgshäupter im Abglanz einer höhern Majestät erröthen, und endlich die goldstrahlende Sonnenscheibe selbst hinter scharfbegränzten fernen Bergen feierlich hervortritt und das weite, schöne Rund mit ihrem Glanze verklärt! Ein solches Schauspiel lehrt die Größe Gottes anbeten, dessen Odem seine schönen Schöpfungswerke fort und fort mit neuem Wesen und neuer Kraft durchdringt. —

Noch zu Anfang dieses Jahrhunderts blieb das Faulhorn von der Mehrzahl der Reisenden unbeachtet, obwohl schon der alte Rebmann *) bei seiner Beschreibung der Grindelwaldberge dasselbe mit den Worten besingt:

„Der Berg Fulehorn so hoch auffg'richt
Das Sibensee man darauff sicht."

_____

*) Rebmanns Gespräch zwischen Niesen und Stockhorn. Bern, 1606.

Einer der Ersten, der diesem Berge zu seiner nachmaligen Berühmtheit verhalf, war Oberst Weiß aus Straßburg, Ingenieur und Geograph unter Napoleon. Er bestieg zur Vornahme trigonometrischer Vermessungen im Sommer 1811 das Faulhorn, und bald nachher gab er die „vue des montagnes les plus élevées de la Suisse, dessinée sur le Faulhorn dans le Grindelwald" im Kupferstich heraus. Dieses Blatt umfaßt den südlichen Theil des Panorama's vom Wildgerst bis zum Doldenhorn, und ist sowohl hinsichtlich der Treue der Darstellung als der Nomenklatur mangelhaft. Kunstmaler Stähli verfertigte im Jahr 1814 vom nämlichen Standpunkte eine Zeichnung, die beim Wildgerst beginnt und sich etwas weiter gegen Westen bis zur Suleck ausdehnt, aber auch noch verschiedene Irrthümer enthält. Sie wurde i. J. 1816 dem Wyßischen Handatlas für Reisende ins Berner-Oberland beigegeben. Später kam ein von Kunstmaler Weibel in Bern gezeichnetes Panorama vom Faulhorn heraus, welches die erste Rundaussicht darstellt, jedoch ohne genauere Kenntniß der Gebirge und ohne Talent für Panoramazeichnung verfertigt ist. Im Jahr 1831 nahm Franz Schmid von Schwyz ein vollständiges Panorama vom Faulhorn auf, welches von ihm selbst auf Stein radirt wurde, und sowohl durch Treue der Auffassung als durch eine reichhaltige Nomenklatur sich vor den andern auszeichnet. Dieses Panorama wurde nachher in Zürich in verkleinertem Maßstabe auf Kupfer geätzt und liefert, kolorirt, ein recht niedliches Bild der Faulhornaussicht. Später zeichnete Schmid den südlichen Theil des Panorama's vom Wildgerst bis zur Männlifluh nach einem größeren Maßstabe und radirte das Blatt auf Stein. Diese Arbeit kann als eine der fleißigeren und naturgetreuesten Panoramenarbeiten dieses Künstlers betrachtet werden. Endlich wurde in den 40er Jahren das Panorama vom Faulhorn, so weit es die Aussicht der Hochalpenkette umfaßt, durch Franziska Mölliker daguerreotypirt und nach diesem Bilde eine lithographirte Ansicht von Wagner in Bern herausgegeben.

Nr. 33. Röthihorn und Simelihorn.

Politische Lage. Bern. A. Interlaken.

Höhe. { Simelihorn 7760'. T. Frei.
{ Röthihorn 7200'.

Gebirgsart. Schwarzer Kalkschiefer (alp. Kreide).

Entfernung. 11½ Stunden.

Zu einer Masse verwachsen erscheinen hier die Gipfel des Si-
melihorns und Röthihorns, die sich südlich vom Faulhorn zwischen der Bachalp und Bußalp aufschwingen (siehe die Schilderung des
Faulhorns bei Nr. 32). Dem Simelihorn hat offenbar die Kegelform
seines Gipfels den Namen gegeben, denn das Wort simel, simbel, bedeutet länglich rund, walzenförmig. Es ist das alte sinvel, angels.
sinewalt, goth. sihwalf, schweb. sinwelf (Stalber, Idiot.). — Das
Röthihorn bietet wegen seiner freien Lage gegenüber den Grindelwalder-
Hochgebirgen eine ungleich schönere Ansicht derselben dar, als das Faulhorn, ist aber schwieriger zu besteigen und so ziemlich in Vergessenheit
gerathen, seitdem das wirthliche Kulmhaus den Fremden auf die Spitze
des Faulhorns lockt.

Die Flora findet sich beim Faulhorn Nr. 32 verzeichnet.

Nr. 34. Sohlfluh.

Politische Lage. Bern, A. Interlaken.

Höhe. 5850' (?). Scheibe 6240' (?).

Gebirgsart. Grauer Nußißtenkalk. Zu der Tiefe grauer bis
schwarzer Schiefer. (Beides alp. Kreide.)

Entfernung. 7½ Stunden.

Da wo das Hohgantgebirge in der Einsattlung des Grünenberges
ausläuft, beginnt westlich von diesem eine neue Gebirgsreihe von eigenthümlicher Gestaltung. In südwestlicher Richtung hebt sich der Gebirgsrücken allgemach über das Grätli aufwärts bis zu einer Reihenfolge gleichförmiger, nur durch schmale kehlenartige Einschnitte des
Grats von einander abgesonderter Gipfel, deren Westseite in lothrech-
ter Felswand abgeschnitten ist. Diese Felsenköpfe heißen die Sohlfluh oder auch die sieben Hengste, weil ihre Zahl 7 ist; nur der

äußerste südliche wird noch besonders mit dem Namen Scheibe belegt. Diese bildet zugleich den Kulminationspunkt. Von ihr stuft sich
der Höhengrat über die Rasenhänge der Scheibenalp und das
Chumli rasch nach dem Justisthal ab. Unterhalb der Felsenköpfe
der Sohlfluh, welche in horizontaler Linie abgeschnitten sind, bilden
steile Rasenhalden mit hervorspringenden Kanten zwischen felsigen Tobeln und Wasserrunsen den Absturz. Tiefer folgt eine gleichförmigere
Abdachung, mit lichtem Walde bekleidet. Am Fuße liegt das verborgene Bergthal der Sohlalpen, welche zusammen 93 Kuhrechte halten. Die Hauptquelle der Zulg durchfließt dasselbe. Am westlichen
Abhang der Scheibe verbindet ein schmaler, sichelförmig eingebogener
Sattel die Sohlfluh mit dem nördlichen Ende des Sigriswylgrats.
Dieser Sattel heißt Sichel oder Sulzistaub *). Seine südliche
Abdachung gegen das Justisthal ist sehr steil und zeigt sich als einen
durchfurchten Erdwall von äußerst harter Masse. Ein kaum sichtbarer,
nur gewohnten Berggängern anzurathender Fußpfad führt darüber.
Man kann auf diesem Wege von Merligen in 6—7 Stunden nach der
Schwarzeneck oder nach dem Schangnau gelangen.

Ganz anders beschaffen als auf der Westseite ist die östliche, sanf-
tere Abdachung der Sohlfluhgruppe. Das höchste Joch, hier See-
felbgrat genannt, ist mit Rasen bewachsen, und viele Schafe finden
da ihre Weide. Die übrige weite Strecke trägt das Gepräge der Karrenbildung und stellt eine entsetzliche Wüste von kahlen, zerklüfteten
Felsenlagen dar, zwischen denen Gestrüpp und verkrüppelte Tannen her-
vorsprossen und vereinzelte Grasplätze die ebeneren Stellen bekleiden.
Tiefer ist die steinige Seefelbalp (4600') und das einsame Hochthal des Wagenmoses, durch welches man auf rauhen Pfaden aus
dem Justisthal die Alpen Fall und Trübschhübel und von da Schangnau erreichen kann.

Auf Seefeld sollen die Gespenster ihr Wesen treiben. Wyß **)
erzählt uns: nach einer Sage unter dem Landvolk hänge die Stärke
des Beatenbachs, der aus der Höhle am Ufer des Thunersees strömt,

---

*) Sulzlätinen von Salz, sal, altdeutsch sul, sind solche felsige Stellen, welche die
Gemsen ihres salzigen Gehalts wegen zu belecken pflegen.

**) Reise ins Berner-Oberland.

mit einem seltsamen donnernden Getöse zusammen, das von den hintersten Theilen des Beatenbergs auf der Alp Seefeld vernommen werde. Dieses Donnern heiße in der Gegend die Musterung auf Seefeld und werde ein paar Stunden weit gehört. Gleich dem Rottenfeuer einiger Kriegshaufen mit eingemischtem Kanonenknall in sehr regelmäßigen Absätzen soll es tönen und ein vermehrter Wasserstrom des Beatenbachs jedesmal darauf folgen.

Die Scheibe wurde im Jahr 1836 von dem Verfasser besucht. Sie ist aus den hintersten Alpen des Justisthals leicht in anderthalb Stunden zu besteigen und gewährt, wenn auch nicht eine sehr ausgedehnte, doch eine eigenthümliche, schöne Aussicht auf das umliegende Alpengelände, die Hügel und Flächen bis an den Jura und auf das Hochgebirge. Eine steile Felsenrinne, welche einen kürzern, aber gefährlichen Zugang nach der Scheibe bietet, heißt der Kellerthal. In einer der Felsenwände der Sohlfluh befindet sich eine Höhle, welche Martin Maurers Loch genannt wird. Ein Mann dieses Namens soll einst dieselbe zu seiner Wohnung auserkoren haben, um nach dem Beispiel des h. Beatus oder des h. Justus daselbst in stiller Einsamkeit ein gottseliges Eremitenleben zu führen. Durch das Zerbröckeln der Fluh sei aber der Zugang zu dieser Höhle nach und nach so schwierig geworden, daß der gute Mann nur zu gewissen Zeiten, wenn die Felsen eine eigenthümliche Klebrigkeit besaßen, es wagen durfte, in das bewohnte Thal niederzuklettern, um sich die nothwendigsten Lebensbedürfnisse zu verschaffen. In dieser Höhle habe er dann auch sein Leben geendet. — Der Felsen, in dem sie sich befindet, wird noch zur Stunde Marti Maurers Gütsch genannt.

Die Kette der Sohlflühe ist in geologischer Beziehung durchaus so zusammengesetzt wie diejenige des Hohgant (Nr. 13), dessen unmittelbare Fortsetzung sie bildet. Indessen bleibt die dünne Decke von Nummulitensandstein an den meisten Stellen dieser Kette ganz zurück und läßt den hier sehr mächtigen und petrefaktenreichen Rudistenkalk an den Tag treten, der sich wie an der Schratten durch ausgedehnte Karrenfelder (Seefeld) von Weitem kundgibt.

Ueber die Flora vergleiche man die Schilderung der Sigriswylgräte bei Nr. 49.

Nr. 35. Glasholzfluh.

Eine Sandfluh oberhalb des Dorfes Dießbach; siehe Nr. 12.

Nr. 36. Lochenberg.

Politische Lage. Bern, A. Konolfingen.

Höhe. (Haube) 2080'.

Gebirgsart. Nagelfluh und Sandstein, mit einem wohl den ganzen Berg durchziehenden Lager von zahllosen, großen, fossilen Austern.

Entfernung. 3¼ Stunden.

In dem Hügelgebiet des rechten Aarufers erhebt sich aus dem baumreichen Wiesengelände, umgeben von den Ortschaften Münsingen (1750'), Tägertschi, Hünigen, Dießbach (1750'), Kiesen und Wichtrach (1704') mit ähnlichem Charakter wie die Gruppe des Ballenbühl, eine andere Hügelgruppe, von jener durch die kleine Thalebene von Hurselen getrennt. Bei der Ortschaft Tägertschi steigt dieselbe in dem Lochenberg zu einer waldigen Kuppe an, während der südliche Gipfelpunkt sich in dem waldumkränzten Rücken der Haube erhebt. Zwischen diesen beiden Höhenpunkten bildet der Bergrücken eine schwache Niederung, in welcher die Ortschaft Heutligen, aus 24 Häusern mit einer Schule bestehend, gebettet ist (Nr. 37).

In den Formen dieser Hügelgruppe herrscht das Wellenförmige, Sanftgezeichnete vor. Die Abdachung, besonders des westlichen Abhanges, ist stufenweise durch Terrassen unterbrochen. Wiesen und Getreidefelder, Kartoffelpflanzungen und Baumgärten wechseln mit lieblichen Gehölzen ab. Stattliche Bauernhöfe schmücken das Gelände. Etwas steiler ist die östliche Abdachung gegen das Kiesenthal und der Abfall der Haube gegen Dießbach. Am letztern liegt der Weiler von Wichtrachwyl, eingetheilt in Oberwyl und Niederwyl (Nr. 39).

Die freie, gegen das breite Aarthal offene Lage dieser schönen Hügelgruppe, und der freundliche, reichhaltige und umfassende Ueberblick, den ihre Höhen gewähren, machen ihren Besuch angenehm. Für Mineralogen wird er dadurch interessant, daß dieser Hügelzug, gleichwie der Ballenbühl, reich an Petrefakten ist. In mehreren Nagelfluhlagern bei Heutligen und in einem Mergellager bei der Wolfsmatt an der Oftseite des Lochenberges findet sich meist in Bruchstücken, weniger ganz, die große Auster *).

Nr. 37. Heutligen.

Dorf im Tägertschiviertel in der Kirchgem. Münfingen; f. Nr. 36.

Nr. 38. Muri.

Ein Pfarrdorf im Amtsbezirk Bern, 45 Minuten von der Hauptstabt. Es liegt in anmuthiger, fruchtbarer Gegend zwischen Obstgärten, Wiesen und kleinen Gehölzen an der Poststraße von Bern nach Thun. Stattliche Häuser, hübsche Villen und ein herrschaftliches Schloß zieren diesen Ort. Das Schloß bewohnte im Anfang der Neunzigerjahre einige Monate lang Ludwig XVIII., damaliger Graf von Provence.

Muri ist wahrscheinlich von sehr altem Ursprung; sein ehemaliger Name war ad muros; — es erhielt denselben von Ueberbleibseln alter römischer Mauern, die da gestanden hatten, wo jetzt das neue Schloß hingebaut ist. Noch im Jahr 1660 fand man im Hof dieses Schlosses, als man die Fundamente zu einer Art von Sommerlaube legte, die kleine bronzene Bildsäule einer Faunin, die jetzt in der öffentlichen Bibliothek zu Bern aufbewahrt wird. — Anno 1832 wurden auf dem Pfarrgut fein ausgearbeitete bronzene, 1 Fuß hohe Bilder des olympischen Jupiter, der Vesta und der Minerva, zwei Opferschalen, mehrere Arabesken, ein massiver Bär, verschiedene Zierrathen, zwei kleine Fußgestelle, im Ganzen 24 Stücke hervorgegraben. Bei dem nahegelegenen schönen Landgut M e t t l e n entdeckte man im Anfang dieses Jahrhunderts unter dem Boden mehrere alte Gräber, in denen Todtengerippe und bei jedem ein paar Schwerter und römische Münzen lagen.

Zunächst unterhalb Muri ist die Stelle, die zu einem der schön-

---

*) Stuber, Monographie der Molaffe.

ften Blätter von Aberli den Standpunkt gab. Muri liegt 1730' über dem Meere.

Nr. 39. Wichtrachwyl.

Weiler am Fuß der Haube, 3 Stunden 20 Minuten von Bern entfernt; siehe Nr. 36.

Nr. 40. Aeschlenalp.

Politische Lage. Bern, A. Konolfingen.
Höhe. (Schafeck) 3743' B. B. Studer.
Gebirgsart. Nagelfluh und Sandstein.
Entfernung. 4½ Stunden.

Eine weitschichtige Alpweide am nördlichen Abhang des Höhenzugs, dessen mittägliche Abdachung mit dem Namen Buchholterberg belegt wird. Sie breitet sich oberhalb der Berggüter von Aeschlen bis auf den Höhenrand des schmalen Bergrückens aus und hält 40 Kuhrechte. Ihre offene Lage gegen Norden bietet nach dieser Richtung hin eine freundliche Aussicht auf die reichbebauten Flächen und Hügelketten des Aarthals bis nach dem Jura dar.

Nr. 41. Blumhorn.

Ein Felsgipfel am nördlichen Auslauf des Sigriswylgrats; siehe die Schilderung desselben bei Nr. 49.

Nr. 42. Schörizfluh.

Der äußerste nördliche Theil des Sigriswylgrats; siehe Nr. 49.

Nr. 43. Klein-Schreckhorn.

Eine Felsenspitze, welche dem Kamme der Schreckhörner entsteigt; siehe die Schilderung bei Nr. 122.

Nr. 44. Strahleck.

Politische Lage. Bern, Grenze zwischen den A. Interlaken und
Oberhasle.
Höhe. 10,379′ B. Agassiz.
Gebirgsart. Glimmerschiefer.
Entfernung. 14 Stunden.

Zwischen den Himmelspfeilern des Schreckhorns und Finsteraar=
horns ist der gezackte Eisrücken der Strahleck ausgespannt, von un=
serem Standpunkte hinweg kaum in seiner höchsten Kante hinter der
dunkeln Wand des Sigriswylgrates sichtbar. Die Strahleck lehnt sich
einerseits an die südlichen Abfälle des Schreckhornkammes, anderseits
biegt sie sich zunächst an dem Finsteraarhorn nach Südosten um und
fällt nach kurzem Laufe steil und felsig in das Thal des Finsteraar=
gletschers ab. An das Finsteraarhorn selbst aber schmiegt sich ein Glet=
scherjoch, von dem sich ein wildgebrochener Firn nach jenem Thalbecken
herunterzieht, während an der westlichen Abdachung die obersten oder
hintersten Theile des Grindelwaldgletschers sich bilden.

Unter Strahleck verstanden eigentlich die Grindelwalder drei Felsen=
rippen, welche, unter einander parallel, von dem genannten Eisrücken
sich gegen die Grindelwalderseite niederziehen. Der hohe Eisrücken
selbst hieß früher Mittelgrat. Die neuere Zeit hat diesen Namen
verdrängt und dafür die Benennung Strahleck festgestellt, welche von
den beidseitigen Anwohnern, den Grindelwaldern und den Oberhaslern,
gebraucht wird. Unter dem Wort Strahl verstehn die Bergbewohner
Bergkrystalle, daher auch die Namen Strahlhorn, Strahlberg u. s. w.

Die Gehänge der Strahleck bilden sich im Sommer, wenn der
Schmelzprozeß des Schnees in den Hochregionen in kräftiger Wirkung
ist, zu festem glänzendem Eise. Unter der höchsten Eiszone beginnen
die von Querschründen durchzogenen Firnhalden, die auf der Ostseite
in jäherem Absturz auf die Ebene eines kleinen, schmalen Firnthals
niederfallen, welches in das Becken des Finsteraargletschers ausmün=
det, auf der Westseite aber allmählig in die zerklüftete Eismasse des
Grindelwaldgletschers übergehn, der sich stufenförmig durch das Ge=
birgsthal hinauswälzt.

Die Herren Meier berichten in ihrer Reiseerzählung *), es gehe eine Sage unter den Hirten, daß ungefähr vor hundert Jahren ein gewisser Doktor Klauß über den Gletscher von Grindelwald bis nach der Grimsel vorgedrungen sei. Offenkundig ist Herr Rudolf Meier von Aarau der erste Reisende, der die Strahleck überstiegen hat. Am 4. Sept. 1812, am nämlichen Tage, wo sein Bruder Gottlieb die Jungfrau erkletterte, verreiste er des Morgens früh vom Grimselhospiz und erreichte um 8 Uhr Abends Grindelwald. Am folgenden Tage drangen die Herren Thilo und Hieronymus Meier von der kalten Herberge am Lauteraargletscher, die Spuren ihrer Vorgänger verfolgend, bis zur Höhe des Grindelwaldgletschers vor; aufsteigende Nebel zwangen sie aber zur Heimkehr nach der Grimsel. Hierauf blieb die Strahleck verlassen, bis im Jahr 1826 Hr. Wagner von Hessen-Kassel, in Begleit der Gletscherhirten Baumann und Wittwer, dieselbe bestieg. Die Wanderer hielten sich zu weit südlich und kamen auf das Gletscherjoch zwischen der Strahleck und dem Finsteraarhorn, und es gelang ihnen nur nach unsäglichen Mühen und Gefahren, sich durch die übereinander geschlungenen Firnmassen hindurchzuwinden und das ebene Thal des Finsteraargletschers zu erreichen. Erst Morgens 2 Uhr langten sie auf der Grimsel an **). Im Jahr 1828 unternahm es der Naturforscher Hugi, von Grindelwald her über das Eismeer vorzubringen; auf dem Kamm angelangt, sah er sich jedoch genöthigt, wegen der entsetzlichen Steilheit und Härte des jenseitigen Firns auf dem nämlichen Wege nach Grindelwald zurückzukehren. Im Jahr 1839 bestieg der Verfasser in Begleit von zwei Freunden und drei Führern den Kamm der Strahleck; als man aber jenseits gegen Grindelwald hinunterzuklimmen versuchte, umzogen Schneesturm und Nebel die zerklüftete Eiswüste mit dichter Finsterniß, und die Gesellschaft mußte den langen Rückweg nach der Grimsel antreten. Unter günstigeren Umständen wurde die Strahleck im Jahr 1840 von Professor Agassiz und seinen Gefährten Desor, Coulon und Pourtales überstiegen. Seitdem man den richtigsten Weg ausfindig gemacht, ist die Strahleck der Zielpunkt manches rüstigen Touristen geworden. Hat doch sogar

---

*) Reise auf die Eisgebirge des Cantons Bern 2c. Aarau 1813.
**) Itinéraire de la Suisse par A. Joanne. Paris 1841. pag. 330.

eine fremde Dame der Luft nicht widerstehen können, ihren Lebensmuth auf den Gletschern der Strahleck zu kühlen. Es war eine Schottländerin, Mad. Cowan von Edinburg, welche im Jahr 1841 mit ihrem Gatten und neun Führern den Grat überstieg. In der Hütte der Zäsenberghirten hatte man die Nacht zugebracht und erreichte am folgenden Abend gegen 9 Uhr die Grimsel. Bei dem Anblick dieser seltenen Erscheinung erwachte die Eifersucht der Hasler, und der Gemsjäger auf dem Grimselhospiz meinte: „Bah! Nächstes Jahr nehme ich sechs Mann vom Spital und dann tragen wir ihnen eine Kuh herüber."

Immerhin gehört der Gang über die Strahleck zu den beschwerlichen Gletscherwanderungen, und es erfordert dazu Muth, Kraft und kundige Führer. Die mit dieser Reise in geringerem oder höherem Grad verbundene Gefahr hängt hauptsächlich von der Beschaffenheit der Firnschründe ab und der Härte des Firns. Ist der Stand des Firns günstig, d. h. ist derselbe hoch, so daß die Schründe wenigstens stellenweise noch mit Schneebrücken überwölbt und die oberen Firnwände noch nicht zu festem Eise umgeschmolzen sind, so ist auch die Gefahr unbedeutend und die Reise läßt sich unter Anwendung der nöthigen Vorsichtsmaßregeln mit Leichtigkeit vollbringen. In dieser Hinsicht dürfte die erste Hälfte des Juli der geeignete Zeitpunkt sein, wo der Winterschnee noch in zusammenhängenden Massen das höhere Gebirge mit seinen Klüften und Abstürzen bedeckt.

Es bedarf 14 bis 16 Zeitstunden, um die Reise vom Grimselhospiz über die Strahleck nach Grindelwald oder umgekehrt zurückzulegen. Nahe an 10 Stunden geht es ununterbrochen über Eis und Schnee. Der Thalweg erfordert 14 Stunden. Von der Grimsel (von Bern 23½ Wegstunden entfernt) bis zum Abschwung, wo der Aargletscher sich theilt, rechnet man 4 Stunden. Von da über den Finsteraargletscher und über die Ebene jenes schmalen Firnthals bis an den Fuß der Strahleck 2 Stunden. Zur Erklimmung der Strahleckhöhe bedarf es 1½ Stunden. Sie bildet ein kleines Schneeplateau. Von da nach Grindelwald mögen 6 Stunden gerechnet werden, wenn keine besonderen Hindernisse den Marsch aufhalten. Von Grindelwald nach Bern sind 15½ Wegstunden.

Wer sollte sich aber nicht hingelockt fühlen, wenn er die Schilderung der großartigen Scenen vernimmt, welche den kühnen Besteiger der Strahl-

eck überraschen. Schon Meier gedachte mit begeisterten Worten des An=
blicks, den er daselbst genoß. Desor *) bezeichnet, wohl etwas zu
befangen, die Strahleck als einen der schönsten Aussichtspunkte in den
Berneralpen. Zu einem großen Ganzen vereinigen sich riesenhafte Gi=
pfel, tiefe Thäler, lothrechte Bergwände, zerklüftete Gletscher und blen=
dende Firnfelder. Der Eiger besonders ist von einem magischen Ef=
fekte. Weniger günstig ist der Blick in die Ferne. Die Ebenen wer=
den undeutlich, die Umrisse verschwinden und die inneren Thäler schei=
nen von Dunst umhüllt.

Hugi schätzt die Höhe der Strahleck, offenbar irrthümlich, nur auf
8821'. Durch Meier wird sie richtiger auf 9100' angeschlagen. Agassiz
fand die Höhe des Grimselhospizes 5790', das Hôtel des Neuchâtelois
2477 Mètres oder 7625', den Fuß der Strahleck am Finsteraarfirn
2718 M. 4. oder 8368', die Strahleckhöhe 3371 M. 7. oder 10,379',
den Zäsenberg 2565 M. 5. oder 7898', und die Mündung des untern
Grindelwaldgletschers 993 M. oder 3057'.

Nr. 45. Studerhorn.

Politische Lage. Bern, A. Oberhasle. Grenze gegen Wallis.
Höhe. 11,000' (?).
Gebirgsart. Granitartiger Gneis.
Entfernung. 15 Stunden.

Wenn man von der Grimsel aus auf dem Aargletscher bis gegen
den Abschwung vordringt, so öffnet sich allmälig das Becken des Fin=
steraargletschers, und in dessen Hintergrunde thront das Finsteraarhorn,
gleich dem Gebieter eines erstarrten Titanengeschlechts, in der Mitte
seiner Vasallen, die im Schmuck funkelnder Eistalare ihre bleichen
Häupter vor ihm neigen. Gleichsam als Erstberechtigter unter ihnen
lehnt sich an seine rechte (östliche) Seite ein schönes Gletscherhorn, das
sich sowohl durch seine zierliche Form als durch die Reinheit seines
faltenreichen Firngewandes auszeichnet.

---

*) Excursions et séjour dans les glaciers etc., par E. Desor. 1844.

Als der Verfaſſer auf ſeiner Strahleckreiſe im Jahr 1839 bei dem zuverläßigen J. Leuthold ſich vergebens nach dem Namen dieſes bisher unbenannten Horns erkundigte, ſtelen ſeine Freunde auf den ſcherzhaften Einfall, dasſelbe nach ſeinem Namen zu taufen, und es wurde dieſe Benennung von A g a ſ ſ i z zu Ehren unſeres bekannten Geologen B. St. adoptirt *).

Es iſt dieſes Horn oſtwärts vermittelſt eines Felskammes, der den Namen Altmann erhalten hat, mit dem Oberaarhorn verbunden. Von der Südſeite her, wo ſich ein Firnthal des Bleſchergletſchers an deſſen höhere Theile anſchmiegt, dürfte die Erſteigung ſeines Gipfels kühnen Männern leicht gelingen, jedoch, ſeiner umſtellten Lage wegen, den Lohn einer freien Fernſicht nicht gewähren, den die Mühe des Unternehmens verdient.

In g e o l o g i ſ c h e r Beziehung ſteht dieſes Horn wohl gleich auf der Grenze der großen Gneisformation, welche, faſt alle höhern Gipfel des Hochgebirgs bildend, wallartig den aus Granit beſtehenden Kern desſelben umgibt.

Nr. 46. Gemmenalphorn.

P o l i t i ſ c h e L a g e. Bern. Grenze zwiſchen den A. Interlaken und Thun.

H ö h e. 6800' (?).

G e b i r g s a r t. Nummulitenſandſtein mit zahlreichen Petrefakten.

E n t f e r n u n g. 7¾ Stunden.

Wem iſt nicht die N a ſ e am Thunerſee bekannt, jenes felſige Vorgebirge, das ſich oberhalb der Bucht von Merligen weit in das große Waſſerbecken hinaus erſtreckt, und in deſſen Höhlungen und Wänden das Echo der ſchmetternden Trompeten wiederhallt, die das vorbeiſchnaubende Dampfſchiff dem Geiſt des heiligen Beatus zu Ehren hier erdröhnen läßt? — Dieſes Vorgebirge bildet den niedrigſten Fuß eines Gebirgsrückens, der ſich in nordöſtlicher Richtung emporzieht und deſſen weſtlicher Abſturz in den lothrechten Felſen der W a n d f l ü h e das

---

*) Excursions et séjour dans les glaciers etc., par E. Desor. 1844. Pag. 161.

Juftisthal einfaßt, während das öftliche Gehänge sich über Alpweiden und Walbung nach den tieferen Terraffen abdacht, auf denen die Berg= dörfer Habfern (3360') und St. Beatenberg (3530') zwischen Ahorn= gruppen und Wiesen gelagert sind. Jener Gebirgsrücken ist stellen= weise nur wenige Fuß breit. Die einzelnen Stufen oder Gipfel des= felben heißen Niederhorn (4880') (auch Vorberflöschhorn *), Oberhorn (oder Hinterflöschhorn), beim hohen Seil, Burgfelbftand, und als hinterfte und höchfte Gipfelerhebung folgt das Gemmenalphorn, von den Bewohnern der Habfern Güggis= grat genannt. Nordwärts verliert sich dieser Gebirgstamm in dem Hochplateau der Seefelbalpen.

Von diesem gefammten Gebirgsstock ist es nun allein die steile Kuppe des Gemmenalphorns, welche auf unferer Alpenansicht hinter dem Sigriswhlgrat sichtbar auftritt. Am öftlichen Fuß dieses Horns ist die Gemmenalp (4380') ausgebreitet. Sie besitzt 125½ Kuhrechte und wird abgetheilt in die Läger von Alpbigeln, Kühmatte, Oberberg, Bernel und Gftapf.

Die Höhen des Gemmenalpgrates, die der Oeffnung des Lütfchinen= thals und deffen prächtigen Eisgebirgen gegenüber ftehen, gewähren wunder= fchöne Anfichten nach diefer Seite hin. Schon auf der leicht zugäng= lichen Spitze des Niederhorns hat man eines der herrlichsten Panora= men vor Augen. Auf jeder höhern Stufe erweitert sich der Gesichts= kreis; dagegen entfernt man sich von den lieblichen Bildern des Vor= bergrundes. Am allerumfaffendsten wird die Ansicht auf dem Gipfel des Gemmenalphorns. König hat uns in feiner „Reife in die Alpen (Bern 1814)" nicht nur die intereffante Schilderung einer von Unter= feen aus unternommenen Wanderung auf die Gemmenalp hinterlaffen, fondern er hat dafelbft auch eine hübfche Panoramazeichnung aufge= nommen, die freilich nur einen Theil des Gesichtskreifes umfaßt. Eine Contourzeichnung feines Gemäldes ift jenem Werke beigelegt.

Nur mit einigen Worten mögen die hervorragenden Bilder der Gemmenalpausficht hier angedeutet werden. Da find nach Norden hin die zum Theil feltfam geformten Gebirgszüge des Emmenthals und Entlebuchs aufgeftellt. Auch der Rigi verlangt einen flüchtigen Gruß.

---

*) Flesch, Flöfch bedeutet eine Grube, wo sich das Regenwaffer fammelt.

Dort winkt der ferne Sentis. Des Titlis Silberdom glänzt am östlichen Horizonte. In prachtvollem Gletscherkranze zeigen sich die kühn
gebauten Pyramiden des Berner Hochlandes, und wie eine weißschim-
mernde Erzader in tiefer Felsenspalte schlängelt sich die Lütschine aus
dem dunkeln Schooß des Gebirges hervor. Das Frutigland und Simmenthal weisen ihren Reichthum an Alpen und besirnten Felsgerüsten.
Der Montblanc und die große Joraffe leuchten aus dem Savoyerlande
herüber. In schwindlichter Tiefe ruht der blaue Spiegel des Thunersees. Gegen Westen fällt der Blick senkrecht hinunter in die Tiefe
des Justisthals, dessen grüner Teppich, von einem Bergwasser durchzogen und mit schimmernden Sennhütten besät, den Fuß der riesigen
Felsenmauern bekleidet. Jenseits thronen die Firsten und kahlen Wände
des Sigriswylgrats. Darüber hinaus blühen, bunt wie ein Blumen-
garten, des Landes Weiten bis zum fernen Grenzgürtel des Jurassus.

Von allen umliegenden Ortschaften läßt sich die Besteigung des
Gemmenalphorns leicht unternehmen. Von Unterseen (11 Wegstunden
von Bern) ist wohl der kürzeste und angenehmste Weg derjenige, der
nach der Waldeck (3740′), einer Bäuert der Gemeinde St. Beatenberg, dann einem zahmen Bergrücken entlang nach dem Oberberg und
von hier auf den Gipfel führt. Zu dieser Reise bedarf es etwa 5
Stunden. Man kann auch von Unterseen den Weg nach dem 2 Stunden entfernten Dorfe Habkern einschlagen, und von dort entweder über
die Bränbliseck und das Güggehürli, oder längs dem Bühlbach über
Bernei oder Kühmatten in 4 Stunden das Horn erreichen. Wer von
Merligen aus das Gemmenalphorn besteigen will, der verfolgt den
steilen Dorfweg bis zu den Häusern der äußern Bäuert der Beaten-
berggemeinde, steigt von hier längs dem Schlittwege, der zum Trans-
port der Steinkohlen dient, welche in der Wandfluh ausgebeutet werden, in gerader Richtung aufwärts nach dem Gipfel des Niederhorns,
wozu er beinahe 3 Stunden gebraucht. Fernerer anderthalb Stunden
bedarf es dann noch, um den Rücken des Gebirges in seiner ganzen
Länge bis auf das Gemmenalphorn zu überschreiten. Von der Kirche
St. Beatenberg rechnet man 4 Stunden dahin. Man bringt durch das
enge Bergthal hinein, aus welchem der Große Graben ausmündet,
und in dessen hinterstem Grunde ersteigt man die Triften der Gemmenalp. — Selbst aus dem Justisthale, obgleich dasselbe durch eine

unersteigliche Felsenwand von dem Gemmenalpgrate abgegrenzt zu sein scheint, vermag ein unerschrockener Berggänger besonders an zwei Stellen die Grathöhe zu erklettern. Die eine ist der sogenannte Bärenpfad, eine begraste Einfurchung oder Rinne, die sich bei dem „Vorderen Berg" im Justisthal nach dem hohen Seil emporzieht, und wo selbst Schafe hinaufgetrieben werden. Die andere Stelle heißt die Schweife. Es ist dieß ein steiler Grasabsturz, über den man aus dem hintersten Berg im Justisthal, die unersteiglichen Fluhwände umgehend, auf das steinige Joch an der Südseite des Gemmenalphorns und dann auf dieses selbst gelangen kann. Auf diesen Pfaden kann man von Merligen oder Sigriswyl hinweg in der Zeit von 4½ bis 5 Stunden den Gipfel erreichen. Sigriswyl liegt 7½ Stunden von Bern entfernt. Ebenso Merligen.

Die gegen das Justisthal gekehrte felsige Wand des Gemmenalpgrats ist während des Sommers der sichere Aufenthaltsort der Gemsen, welche dann im Spätherbst, wenn die Schafheerden und Kühe weggezogen sind, nach den zahmern und sonnigeren Höhen des Sigriswylgrats sich begeben.

Die Gemmenalp theilt im Allgemeinen die gewöhnliche Alpenflora mit den Brienzer und Sigriswylgräten (s. Nr. 49), zeichnet sich aber dennoch durch einige seltene Spezies aus, indem diese Gebirgskette mit durchaus alpiner Flora an ihrem in den Thunersee fallenden mittäglichen Fuß eine ziemliche Anzahl von Pflanzen nährt, die sonst nur an den heißen Flanken des Jura gefunden werden. So enthalten G e m = m e n a l p und B e a t e n b e r g: Arabis pumila Wulf. Thlaspi rotundifolium Br. Draba tomentosa Wahl. Trifolium rubens L. Helianthemum Fumana Mill. Saxifraga oppositifolia L. S. caesia L. Peucedanum Cervaria Lap. Gnaphalium Leontopodium Scop. Buphthalmum salicifolium L. Gentiana nivalis L. Primula villosa Jacq. Cyclamen europaeum L. Salix grandifolia L. Cephalanthera ensifolia Rich. C. rubra Rich. Goodiera repens Br. Spiranthes aestivalis Rich. Schoenus albus L. Carex humilis Leyss. Stipa Calamagrostis Wahl.

Die geologischen Verhältnisse des Gemmenalpgrats finden sich bei Nr. 49 erläutert. Zu bemerken ist, daß man in der Gegend der Schweife, wo man aus dem Justisthal nach der Seefeldalp ansteigt,

6

in großer Menge folgende Petrefakten findet: 1) Hippurites Blumenbachi. 2) Tornatella gigantea. 3) Diceras arietina. Auch an den Halden am Niederhorn findet man eine Menge Trümmer von Petrefakten, von denen mehrere Arten mit denen auf den Ralligstöcken übereinstimmen *).

Nr. 47. Mittellegi.

So heißt der nordöstlich abfallende Grat des Eigers. Siehe die Schilderung bei Nr. 119.

Nr. 48. Zättenalp.

Eine in die Gemeinde Schwarzeneck gehörende, zum Theil mit reichem Tannwald gezierte Alp am nordwestlichen Fuß des Sigriswylgrates; siehe Nr. 49. (Gebirgsart: Nagelfluh.)

Nr. 49. Rothhorn. (Sigriswylgrat.)

Politische Lage. Bern. A. Thun.

Höhe. { Rothhorn 6500' (?)
         Ralligstöcke 4600' T. eidg. Verm.

Gebirgsart. Basis: Schwarzer Kalk und Schiefer. Darüber grauer Rudistenkalk (unt. Kreide), bedeckt von Nummulitenkalk und -Sandstein.

Entfernung. 7¼ Stunden.

Das Rothhorn ist die höchste Gipfelerhebung einer wilden Gebirgskette, welche sich von dem Gestade des Thunersees in nordöstlicher Richtung, ihrer Grundlinie nach über 2 Stunden lang, bis an die Quellen der Zulg ausdehnt. Von steiler Waldung umgürtet, erhebt sich der Gebirgskamm oberhalb der Ortschaft Merligen vorerst in dem scharfen Felsenzahn der Spitzen Fluh, welche trotzig das Seebecken beherrscht. Diese Fluh hat unserm Volksdichter Kuhn **) den Stoff zu seinem

---

*) Studer, Geologie der westl. Schweizeralpen.
**) Alpenrosen von A. 1812.

Liebe über die Entstehung der Alpenrose gegeben. Ein kühner Jüngling, der seiner Geliebten Flühblumen holen will, gleitet an der
glatten Felswand aus, und wird zerschmettert in seinem Blute lie-
gend von ihr gefunden, so daß auch sie in jähem Schreck ihr Leben
aushaucht. Seinem Blut entsprießt sobann die Alpenrose. Die
Abstürze der Spitzenfluh gegen Ralligen zeigen deutlich die Spuren
eines einstigen Bergfalles. Wyß*) sagt darüber folgendes: Da wo
jetzt das ausgedehnte Rebgut Ralligen sich befindet, das einst dem
angesehenen, jetzt erloschenen, Geschlechte der Freiburger zu Berx
gehörte, lag zufolge einer alten Ueberlieferung in der Vorzeit eine
Stadt, mit Namen Roll. Vor einigen Jahren noch sind unter einem großen Felsenstücke eiserne Werkzeuge gefunden worden. Mit der
Zerstörung dieser Stadt bringt die Volkssage Bergmännlein von Gno-
menart und wiederum den h. Beatus in Zusammenhang. Entweder
er, der Apostel des Geländes, oder ein Männchen aus jenem Gno-
menvolk, war abgewiesen worden in jener Stadt von den unbußferti-
gen oder ungastfreundlichen Bewohnern. Da hub sich ein Zwerglein
auf ein Felsenstück und rief warnend in den vier Kassandrischen Un-
glücksversen:

"Stadt Roll, zieh' us mit bynem Dolch!
Die spitzi Fluh ist g'spalte,
Schlegel und Wegge sy g'halte,
Zieh' us, dem Stampach zu!" —

Umsonst war die Warnung! Die Felsen brachen los, und ein
einziges Haus blieb unzertrümmert, wo der Zwerg eine freundliche
Herberge gefunden. Hinter dem Oertchen am Berg heißt die Gegend
noch jetzt die Einöde.

Von der Spitzenfluh erstreckt sich der Gebirgsgrat über den flachen
Rücken der Vorderberglialp. 13—15 Kühe gehen hier zur Weide.
Ein kleiner Teich, oder vielmehr eine Pfütze, liegt unterhalb des
einsamen Staffels. In seiner westlichen Kante wird das Vorderbergli
durch das Felsenbord der kahlen Ralligstöcke (siehe Nr. 59) besäumt. Immer etwas ansteigend zieht sich der schmale Kamm weiter

---

*) Reise in's Berner-Oberland.

über die Gelbe Fluh und die Alpbigelnflühe hinauf nach dem schwer zugänglichen, zur wirklichen Schneide aufgekeilten Gipfel der Mähre (Nr. 50), und strebt von da scharf ausgeprägt nach dem Kulminationspunkte des Grates empor. So wie die Ralligstöcke die äußere, westliche Kante der Vorderberglialp bilden, so lehnt sich auch an den Grat der Mähre eine Terrasse, auf welcher die Alp Hinterbergli mit 8—10 Kuhrechten liegt. Neben wenigen begrasten Stellen zeigt aber dieser Bezirk das Bild einer abschreckenden Wildniß. Der Fuß verirrt sich in dem zerklüfteten Gestein. Auf einer Strecke von ein Paar hundert Schritten im Quadrat ist der Boden mit einem Karrenfelslager von weißem, glattausgewaschenem Kalkstein bedeckt, das in seiner von vertikalen Spalten regelmäßig durchbrochenen Fläche genau der Würfelformation mancher Hochfirne entspricht und einem versteinerten Gletscher ähnlich sieht. Es ist überhaupt der gesammte Gebirgsstock voller Löcher und Spalten, und gerade hier ist es, wie wenn das höchste Joch selbst seiner Länge nach durch eine furchtbare Katastrophe entzwei gerissen worden wäre; denn von der Alp Hinterbergli stuft sich ein östlicher Seitenzweig empor, der sich jedoch alsobald zu einem nackten, steilen Felsenhorne aufschwingt, welches mit jenem Kulminationspunkt verbunden ist, und als die höchste Erhebung des ganzen Gebirgsstockes auftritt. Dieses Horn ist das Sigriswyler-Rothhorn (Nr. 49). Die Strecke zwischen den beiden Gipfelerhebungen beträgt wenige Minuten und ihre gegenseitige Lage ist so, daß sie, von Osten und Westen gesehen, als eine einzige Gipfelmasse erscheinen. Diese beiden Gipfel werden auch die Ofengütschen genannt.

Von dem westlichen Gipfel der Ofengütschen setzt sich der Gebirgskamm in seiner Normalrichtung unter der Benennung Sigriswylgrat, als eine schmale, theilweise bis zur Schneide geschärfte, First fort. Sie charakterisirt sich durch drei gleichförmige, theils felsige, theils mit Rasen bekleidete Erhebungen, die wir auf unserer Alpenansicht zwischen Nr. 46 und 49 deutlich gewahren. An diese First schließt sich, als weitere Fortsetzung des Gebirgsjoches, das kahle Felsenband, das den Namen „bei schönen Schöpfen" trägt. Dem westlichen Fuß dieser Bergwand entlang dehnt sich, bevor der Hauptabfall des Gebirgskammes beginnt, eine sanftgeneigte Hochfläche aus, deren begraste Weide hunderten von Schafen zur Sommerstätte dient, und die unter dem Namen S i g r i s w y l s ch a f l ä g e r bekannt ist. Im Frühjahr bleiben auf dieser schattigen Terrasse lange noch beträchtliche Schneeschichten haften, wenn an den schroffen Abstürzen der Schnee bereits verschwunden ist. Endlich erscheint die Spitze des B u r s t s als äußerste nördliche Gipfelerhebung. Dieser Name bezieht sich wahrscheinlich auf die Grasart, mit welcher der Gipfel bewachsen ist (Nardus stricta). Das Burst ist vermittelst eines kurzen Sattels mit dem kegelförmigen Felsgipfel des B l u m h o r n s (Nr. 41) verbunden, welcher als ein gegen den westlichen Abfall des Gebirges vorstehender Wachtthurm neben ihr aufgepflanzt ist. Von der Spitze des Bursts läuft das Joch des Sigriswylgrates als eine schmalkantige Rasenfirst nach seinem äußersten nördlichen Endpunkte aus, wo das Gebirge plötzlich sehr steil und zum Theil felsig gegen die Schörizalpen abgebrochen ist. Jene Rasenfirst heißt auf'm S ä b e l und die felsigen Abstürze, denen sie entragt, S ch ö r i z f l u h (Nr. 42).

Der äußere Charakter des hier geschilderten Gebirgsstockes, der auf unserer Alpenansicht fast in seiner ganzen Ausdehnung sichtbar ist und einen beträchtlichen Höhen = und Längenraum einnimmt, ist abschreckend wild. Das kahle Felsenband der höchsten First wird nur stellenweise von dem grünen Teppich der Schafweide unterbrochen. Von den obersten gähsten Wänden senkt sich das Gehänge zu beiden Seiten immer noch äußerst schroff, theils in rauhen Steinhängen und stotziger Fluh, theils in begrasten oder mit Hochwald bewachsenen Halden, von felsigen Tobeln und Wasserrunsen durchzogen, hinab, nach den zahmern Alpentriften, welche etwa 1000' unter der Grathöhe ausgebreitet sind. Diese gestalten sich längs dem w e s t l i ch e n Fuß des Gebirgsstockes zu einzelnen, von tief eingewühlten Gräben durchschnittenen, Höhengruppen. So löst sich von der Schörizfluh der Alpenrücken der S ch ö r i z e ck ab, der sich zu der Erhebung des S t a u f f e n k n u b e l s aufschwingt. An den Fuß des Blumhorns lehnt sich der Bergzug der H ö r n l i = und H o r n e g g a l p e n. Etwas nördlich unterhalb des Rothhorngipfels löst sich die Z ä t t e n a l p ab (Nr. 48), die sich in dem Walle des Z ä t t e n a l p h u b e l s, des M ä s ch e r h u b e l s und der M ä s ch e r e ck aufwirft, und von welcher in getrennten Höhenzügen die R o ß a l p, die S a u s e n e ck (3890'), der R e u s t und die Alp H o r-

renbach niedersteigen. Diese gesammte Höhengruppe verläuft sich
gegen das tiefe Bett der Zulg. Zunächst bei der Zättenalp ist der
Sigriswylgrat durch einen Sattel mit dem Höhensystem der Blume
(siehe Nr. 58) verbunden. Gegen das Becken des Thunersee's gekehrt, liegt hart am Fuße der Alpbigelnfluh die Alp Alpbigeln, mit
18 Kuhrechten. An sie grenzt die weitschichtige Sigriswylallment mit 400 Kuhrechten, welche sich mit sanfter Abdachung gegen
die weitklaffende Erdspalte des Gontengrabens neigt, und auf deren
äußerster, steil über dem See hinziehender Bergterrasse, im Schatten
herrlicher Nußbäume das Kirchdorf Sigriswyl (2481') und die
Weiler Emdorf (2670') und Oberhausen gelagert sind,

Da wo sich die Sigriswylallment von der Alpbigelnalp ablöst
und mehrere furchenartige Einsenkungen des Bodens sich plötzlich zu
einem tiefen Schlammgraben gestalten, entspringt der Stampbach,
der sich in der Nähe von Ralligen beim Stampbachgute in den See
ergießt.

Dem östlichen Fuße des Sigriswylgrates entlang dehnt sich
das alpenreiche Justisthal (3760') aus. Wenn man von Merligen
zur Seite des Grünbachs zwischen den Abstürzen des Vorderberglis
und der Wandfluh auf rauhem Alpenpfade bergan steigt, so öffnet
sich nach anderthalb Stunden Wegs, im Schooße senkrechter Bergwände versteckt, ein schönes ebenes Hochthal, von jenem Bache sanft
durchflossen und mit schimmernden Sennhütten geziert. Die Thalebene
hat eine Breite von einer halben Viertelstunde, ihre Richtung ist durch
die sie einfassenden Parallelketten des Sigriswylgrates und des Gemmenalpgrates bedingt, sie nimmt den Längenraum einer Stunde ein
und hinten, wo sie durch das seltsam geformte Gebilde der Scheibe
abgegränzt wird, verliert sie sich als enge Bergkluft gegen den Sattel des Sulzistandes, der zwischen der Scheibe und dem Burst ausgespannt ist. Auf der Thalebene und auf den untersten, mit lichtem
Walde besäumten Rasenhängen der beidseitigen Thalwände weiden im
Sommer zahlreiche Heerden, und der Klang ihrer Glocken, das Johlen
der Hirtenknaben, das Brummen des Stiers, der Schrei eines Vogels
sind die einzigen Laute, welche die Ruhe des Geländes stören und
an den hohen Felsenmauern wiederhallen, wenn nicht der Donner eines Hochgewitters mit brüllendem Echo in den Bergen erdröhnt. Die-

ſes einſame Alpengelände iſt das Juſtisthal, ein Name, der vom
h. Juſtus herrühren ſoll, welcher mit dem St. Beatus zuerſt in dieſen Gegenden die Lehre des Gekreuzigten predigte. Man ſchreibt zwar
auch Jüſchts- und Wüſtethal, und die Aelpler geben dieſer, ihrer
Sommerheimath, den Namen Ueſteſtahl (Stahl, von Stalden, ſteiler Abhang, vergl. Gägiſtahl, Gmächliſtahl, Wergiſtahl u. ſ. w.).
Sie theilen das Thal in drei Alpbezirke, den vorderen, den mittleren und den hinteren Ueſteſtahl. Nicht weniger als 258 Kühe
finden in dieſem kleinen Hochthale ihre Nahrung, und die Käſe, die
hier bereitet werden, ſind ihrer Schmackhaftigkeit wegen berühmt.
Ein angenehmer, freilich etwas rauher Weg führt von Sigriswyl um
die Ralligſtöcke herum in dieſes Thal. Von hier aus kann man auf
etwas beſchwerlichen Gebirgspfaden in 4—5 Stunden über den Sul-
ziſtand oder über Seefeld nach der Schwarzeneck und dem Schangnau,
ſowie auch aus dem hinterſten Berg durch das Thurnli in 3 Stunden
nach der Habkern gelangen. Beim Bärenpfad und bei der Schweifa
iſt die Möglichkeit gegeben, aus dieſem Thal in 2 bis 3 Stunden den
Gemmenalpgrat zu erklimmen, und ebenſo ſchlängeln ſich ſchlechte
Schafwege nach den Höhen des Sigriswylgrates empor.

An dem untern Rande der dem Juſtisthal zugekehrten Felſen-
wand des Rothhorns befindet ſich das Schafloch. Von dem vorderen
Ueſteſtahl bedarf es nahezu anderthalb Stunden ſtrenger Steigung
um daſſelbe zu erreichen. Längs der Felswand trifft man die Spuren
eines ſchlechten Schafwegs, der zu der Höhle führt. Der Eingang
der Höhle hat eine Weite von etwa 40' und eine Höhe von 10—14'.
Die Oeffnung dringt in ſchiefer Richtung in den Felſen hinein und
nimmt alſobald an Höhe zu, ſo daß ſie bei 30' meſſen mag. Der
Eintritt in das Schafloch iſt unangenehm und erfordert Vorſicht, wenn
man nicht Gefahr laufen will, ſich an den ſcharfen Steinen zu ver-
letzen. Der unebene Boden iſt in ſeiner ganzen Breite mit Steintrümmern bedeckt. Seltſam geformte Felsmaſſen, die wie Couliſſen
an den beidſeitigen Wänden vorſtehen, werfen ſo ſtarke Schatten in
das Innere, daß jede Fußbreite die man vorwärts thut, ſorgfältig beleuchtet werden muß. Kaum hat man ſich etwa 40 Schritte weit hin-
eingearbeitet, ſo trifft man auf gefrornen Boden und befindet ſich bald
in einer weiten Eishalle, die auch im höchſten Sommer ihren Win-

terschmuck nicht verliert. Geht man weiter, so verengen aufgethürmte Eismassen den Raum und bedingen die Absönderung der Höhle in zwei Arme, die sich aber bald wieder vereinigen. Nach hinten zu vertieft sich der Boden, und es bedarf zum Weiterschreiten aller möglichen Vorsicht, um auf der glatten abschüssigen Bahn nicht auszugleiten und vielleicht in eines der tiefen Löcher zu stürzen, die neben an, gleich versteckten Raubthieren, auf ihre Beute lauern, und die man nicht bemerkt, bis man an ihrem Rande steht. Vom hintersten Grund der Höhle aus bemerkt man zwar noch die Helle des Tageslichts, das durch die Oeffnung dringt, aber neben diesem Schimmer herrscht in der nächsten Umgebung nur desto schwärzere Nacht. Der Boden bietet wieder eine kleine Eisfläche dar. Merkwürdig geformte Eisgestalten, die hier an einen Sarkophag, dort an einen Hochaltar mit reichgefalteten Draperien erinnern, reichen vom Boden bis an die Felsendecke und zieren den hintersten Raum der Höhle. Im Schein der Fackel gewähren diese Eistrophäen einen eigenthümlichen magischen Effekt, und die herrschende Grabesstille ist höchst feierlich. Die ganze Länge der Höhle mißt über 300 Fuß. Ohne kundigen Führer und Feuermaterial sollte sich niemand hineinwagen. Durch die Unterlassung dieser Vorsichtsmaßregeln hätte im Jahr 1844 ein junger Fremder den Besuch dieser Höhle beinahe mit eseinem Leben gebüßt. Wahrscheinlich von einem Fall betäubt, blieb er zwei Tage und zwei Nächte hülflos im Innern derselben liegen. Mit der Kraft der Verzweiflung konnte er sich dann nach den nächsten Alphütten hinunter schleppen, und ein schmerzhaftes Krankenlager war die Folge seines Leichtsinnes. — Die Benennung Schafloch, welche diese Höhle in der Umgegend trägt, rührt davon her, daß bei schlimmer Witterung die in großer Anzahl auf dem Sigriswylgrat weidenden Schafe in dieselbe getrieben werden, wo sie sich des schützenden Raumes erfreuen können. Einer alten Sage zufolge soll diese merkwürdige Höhle einst die Wohnung des h. Justus gewesen sein.

In Bezug auf die geologischen Verhältnisse des Sigriswylgrats ruhen die beiden Parallelketten der Gemmenalp (Nr. 46) und der Schörizfluh, Sigriswylgräte und Ralligstöcke, wie die Sohlfluh und der Hohgant, auf einer mächtigen Grundlage von dunkelm Kalkschiefer, der an vielen Stellen beinahe die niederen Kämme erreicht

(Ralligſtöcke). Grauer Rubiſtenkalk bedeckt mit ſehr ungleicher Mächtig=
keit, ja an mehreren Stellen ſich vollſtändig auskeilend (Ralligſtöcke), den
ſchwarzen Schiefer. Die Nummulitenformation bildet endlich eine zuſam=
menhängende Decke über die genannten tiefern, der Kreide angehörigen Ge=
ſteine. Sämmtliche Gipfel und Kämme beſtehen demnach aus Nummu=
litengeſteinen. Es ſind graue, dichte Kalke, die z. B. über Ralligen
als ſehr brauchbarer Marmor ausgebeutet werden, blaue Mergelſchie=
fer mit zahlreichen Petrefakten und gelbliche bis glänzend weiße Sand=
ſteine (Hohgantſandſteine), an mehreren Stellen ebenfalls petrefakten=
reich (Gemmenalpgrat). An der unteren Grenze der Nummulitenfor=
mation läßt ſich in den genannten Ketten ein beinahe ununterbroche=
nes, meiſt jedoch ſehr ſchwaches, Lager von Steinkohlen verfolgen,
das am Niederhorn (Gemmenalpkette) in mehreren Gruben abgebaut
wird und das Material zur Gasbeleuchtung Berns liefert. In der
Rothhornkette finden ſich einzig an den Ralligſtöcken erhebliche Spu=
ren dieſes Kohlenlagers (Nr. 49. 50. 59. 46. 41. 42).

Ueber die Vegetationsverhältniſſe und die Fauna ſagt uns Kuhn *)
folgendes: An Holz findet man noch auf den Höhen des Sigriswyl=
grates die Fohre, den Vogelbeerbaum und den Wachholder. Im Win=
ter bewohnen die Gemſen dieſen Berg. Der weiße Haſe findet ſich
hier ebenfalls, doch ſeltener, und ſelbſt der Maulwurf. Der Auer=
hahn, der Birkhahn und das Schneehuhn, ſelbſt das Haſelhuhn hau=
ſen beſonders im Frühjahr und Herbſte hier oben. In dichten Schaa=
ren ſchwärmt die Alpdohle (Dävi) auf den Weiden herum und belebt
die todte Stille durch ihr Pfeifen. An einſamen Felſen ſingt die
Frühlerche, und ſelbſt von dem ſeltenen dreizehigen Specht iſt ein Neſt
in einer hohlen Tanne gefunden worden.

Was die Flora betrifft, ſo beherbergen die Brienzer= und Si=
griswylgräte mehr oder weniger die Flora, die ſich in allen Alpen
in einer Höhe von 4000 — 7000‘ wiederfindet und von welcher wir
hier eine gedrängte Aufzählung folgen laſſen: Anemone vernalis L.

----

*) Eine Wanderung auf die Höhen am Thunerſee. Alpenroſen v. 1815. Vergl.
auch deſſen Verſuch einer ökon. top. Beſchreibung der Gemeinde Sigriswyl. Alpina B.
III., p. 16. Winterthur 1808.

A. alpina L. A. narcissiflora L. Ranunculus alpestris L. R.
montanus Willd. Aconitum Napellus L. A. Lycoctonum L.
Arabis alpina L. Ar. hirsuta Scop. Draba aizoides L. Biscu-
tella laevigata L. Lepidium alpinum L. Kernera saxatilis Rb.
Helianthemum oelandicum Wahl. H. grandiflorum DC. Viola
biflora L. V. calcarata L. Polygala chamaebuxus L. Gypso-
phyla repens L. Dianthus sylvestris Wulf. D. superbus L.
Silene acaulis L. S. rupestris L. Arenaria ciliata L. Stellaria
cerastioides L. Cerastium alp. L. C. strictum L. Cherleria sedoides
L. Moehringia polygonoides M. K. Rhamnus pumilus L. Trifolium alpinum L. Tr. caespitosum Reyn. Tr. badium Schr.
Phaca astragalina DC. Ph. australis L. Oxytropis campestris DC.
Ox. montana DC. Hedysarum obscurum L. Dryas octopetala L.
Geum montanum L. Rubus saxatilis L. Potentilla aurea L. Rosa
alpina L. Alchemilla alpina L. Cotoneaster vulgaris Lindl. Cot.
tomentosa Lindl. Amelanchier vulgaris Mönch. Epilobium alpinum
L. Sedum atratum L. S. dasyphyllum L. Sempervivum montanum L. Ribes alp. L. Saxifraga Aizoon L. S. stellaris L. S. mus-
coides Wulf. S. androsacea L. S. caesia L. S. aizoides L. Astrantia
major L. Ast. minor L. Bupleurum ranunculoides L. Athamanta
cretensis L. Meum mutellina Gaertn. Gaya simplex Gaud. Laserpitium latifolium L. Lonizera alpigena L. Valeriana tripteris L.
Scabiosa lucida Vill. Cacalia alpina L. C. albifrons L. Tussi-
lago alpina L. T. alba Hoppe. Aster alpinus L. Erigeron
alpinus L. Gnaphalium carpathicum Wahl. Achillea atrata L.
Chrysanthemum alpinum L. Chr. Halleri Sut. Arnica montana
L. Arn. scorpioides L. Senecio cordatus K. S. Doronicum L.
Cirsium spinosissimum Scop. Lapsana foetida Willd. Crepis aurea
Taasch. Cr. blattarioides Froel. Hieracium angustifolium Hoppe.
H. alpinum L. H. humile Host. H. prenanthoides L. H. statici-
folium Vill. Campanula barbata L. C. linifolia Heg. C. thyr-
soidea L. C. rhomboidalis L. Erica carnea L. Azalea pro-
cumbens K. Rhododendron ferrugineum L. Rh. hirsutum L.
Gentiana lutea L. G. purpurea L. G. campestris L. G. acaulis
L. G. bavarica L. Myosotis alpestris Schm. Linaria alpina Mill.
Erinus alpinus L. Veronica alpina L. V. saxatilis Jacq. V.

fruticulosa L. V. aphylla L. V. bellidioides L. Tozzia alpina L.
Pedicularis flammea Wulf. P. foliosa L. P. verticillata L. Bartsia
alpina L. Euphrasia minima Schl. Calamintha alpina Lam. Sta-
chys alpina L. Pinguicula alpina L. Androsacc lactea L. A. Chamæ-
jasme Host. A. obtusifolia All. A. helvetica Gaud. Primula auricula
L. Pr. villosa Jacq. Soldanella alpina L. Globularia nudicaulis L.
Gl. cordifolia L. Plantago alpina L. Rumex alpinus L. R. scu-
tatus L. R. arifolius All. Polygonum viviparum L. Thesium
alpinum L. Salix retusa L. S. serpyllifolia Scop. S. hastata L.
S. reticulata L. Alnus viridis DC. Pinus Pumilio Hänke. Orchis
pallens L. Orch. globosa L. Orch. pyramidalis L. Orch. nigra
Scop. Gymnadenia albida Rich. Habenaria viridis R. Br. Her-
minium Monorchis Br. Crocus vernus All. Convallaria verticillata
L. Lloydia serotina Salisb. Allium Schœnoprasum L. Veratrum
album L. Juncus triglumis L. Luzula spadicea DC. Eriophorum
alpinum L. E. Scheuchzeri Hoppe. Carex atrata L. C. sem-
pervirens Vill. C. ferruginea Scop. C. capillaris L. Phleum
alpinum L. Agrostis rupestris All. A. alpina Scop. Sesleria
cœrulea Ard. Avena versicolor Vill. Poa laxa Hänke. P. alpina
L. P. aspera Gaud. Festuca violacea Gaud. F. nigrescens Gaud.
F. pumila. Vill. F. curvula Gaud. Nardus stricta L. —

Außer diesen, allen Alpen eigenthümlichen Pflanzen, finden sich
auf den Sigriswylgräten noch folgende, ihnen besonders ange=
hörige, Spezies: Delphinium elatum L. Arabis bellidifolia Jacq.
Cochlearia officinalis L. (diese 3 im Justisthal). Potentilla minima Hall. (Rothhorn). Coronilla vaginalis Lam. (Ralligstock). Rosa
tomentosa Ser. Sedum villosum L. Laserpitium Siler L. (alle 3
am Fuße der Ralligstöcke). Lonizera cœrulea L. Myosotis suaveolens Kit. (Zättenalp). Thesium intermedium Schrad. Anthericum Liliago L. A. Liliastrum L. (beide im Justisthal). Lilium
martagon L. (Ralligstock). Lactuca perennis L. (Ralligstock).

Unter den verschiedenen Gipfelpunkten des Sigriswylgrates ge=
währt das Rothhorn die ausgedehnteste Fernsicht. Um dasselbe zu
besteigen bedarf es von Sigriswyl aus drei guter Stunden. Sigris=
wyl liegt 7½ Wegstunden von Bern. Man überschreitet von da die
zahmen Wiesenhöhen der Sigriswylallment. Von Alpbigeln führt

ein Alpweg steil empor und windet sich um die gelbe Fluh herum nach der Alp Vorderbergli. Von hier geht es großentheils pfablos über die steinige Höhe des Gebirgsrückens nach der Alp Hinterbergli, von wo man entweder auf dem nächsten schwindlichten Wege die Felsenzinne erstürmt, oder die Richtung nach dem Sattel zwischen den beiden Ofengutschen einschlägt und das Horn auf der Westseite erklettert. Wer Muskelkraft in den Schenkeln besitzt, der kann sich den Umweg über das Vorderbergli dadurch ersparen, daß er von Alpbigeln an der steilen begrasten Bergwand gerade emporklettert und so die Grathöhe zwischen der Mähre und den Alpbigelnflühen erreicht. Hier, wenn plötzlich die Gipfel der Eisgebirge hinter den Felsenmauern des Gemmenalpgrates hehr und groß auftauchen und die Pracht des sich enthüllenden Gemäldes ahnen lassen, ist der Eindruck stets ergreifend. Es ist aber das Ersteigen von dieser Seite kein leichtes Stück Arbeit und der Gewinn an Zeit kaum eine halbe Stunde. — Aus dem Justisthal läßt sich der Gipfel des Rothhorns auf jähen Schäferpfaden in anderthalb bis zwei Stunden erklimmen. Kühne Gänger wählen zuweilen den sogenannten Rothhornzug, ein schmales, begrastes Band, das sich zwischen den glatten Felswänden des Gipfels emporwindet.

Die Aussicht vom Rothhorn erinnert an diejenige, die man auf dem Gemmenalpgrat genießt. Im östlichen Halbkreis erheben sich hinter der Gruppe des Hohgants und den schroffen Wänden des Brienzergrats Haglern, Enzemattberg, Stanzerhorn und Brisen. Von den Wallenstöcken, dem Schloßberg und Titlis an prangt die Kette der Bernerhochgebirge, bis wo jenseits der blauen Fluth des Thunersee's die Reihen der Niesen- und Stockhornkette die Schlußornamente des vielgezackten Diadems bilden. Der westliche Gesichtskreis erstreckt sich über das Gewirre der zahmeren Hügelketten und die unabsehbaren Landesweiten. Indem aber von den Höhen der Gemmenalp die Hochlandskette bis an ihren Fuß abgedeckt erscheint und so die ganze Fülle ihrer Pracht entfaltet, stellt sich hier die Riesenwand des Gemmenalpgrates als eine gewaltige Vormauer dazwischen und schmälert den freien Anblick derselben. Der Aussicht auf dem Rothhorn ganz ähnlich ist diejenige auf der Mähre. Dieser Gipfel ist von der Seite des Hinterberglis zwar ersteigbar, allein der Absturz ist schroff

und glatt und die Spitze so schmal, daß, als einst der Verfasser die=
selbe in Gesellschaft von drei Freunden bestieg, sie sich gleich den
Haimonskindern auf das edle Roß Bayart, alle vier rittlings auf
die höchste First setzen konnten.

Unter den nördlichen Gipfeln des Sigriswylgrates ist das Burst
der besuchenswertheste. Am bequemsten läßt sich wohl von Schwar=
zeneck (7 Stunden von Bern) dahin gelangen. In 3 Stunden erreicht
man die hinterste Hörnlialp. Von hier steigt man auf gebahntem
Schäferpfade über das Sureswängli in einer Stunde nach dem Schaf=
läger empor, erklettert, den Felsgipfel des Blumhorns nördlich zur
Seite lassend, das begraste Gebirgsjoch und kommt, diesem entlang
ansteigend, in einer weiteren halben Stunde auf die schöne, blumen=
bekränzte Spitze. Die Besteigung ist leicht, die Aussicht fast so
schön wie diejenige auf dem Rothhorn, ja gegen Osten noch freier und
schöner. Die Hochgebirgskette stellt sich eben so prachtvoll dar. Der
Montblanc ist sichtbar. Vom Thunersee hingegen erblickt man nur
zwei kleine Strecken. — Vom Burst hinüber auf das Blumhorn
sind etwa 20 Minuten. Die Erklimmung desselben ist aber wegen sei=
nes felsigen Aussehens weniger angenehm und die Fernsicht beschränk=
ter. — Dieser Theil des Sigriswylgrats ist überhaupt wenig gekannt
und wenig besucht, obwohl eine Wanderung dahin dem Botaniker
manche willkommene Beute und dem Naturfreunde durch die Entdeckung
neuer Aussichtspunkte reichen Genuß bietet.

Die topographische Lage des Sigriswylgrates, der als äußerste
Felsenkette gegen das offene Land in hoher schroffer Wand abgeschnit=
ten ist, verbunden mit seiner Richtung von SW. gegen NO., begün=
stigt die Erscheinung eines Phänomens, welches hie und da auf den
Bergen, hier aber häufig wahrgenommen wird. Der Kamm des Si=
griswylgrates bildet nämlich nicht selten die Scheidewand zwischen dem
Nebeldickicht, unter welchem das weite Gebiet des niederen Landes
zuweilen begraben liegt, und der Alpenwelt, die dann in schönster son=
niger Klarheit strahlt. Wenn nun bei einem solchen meteorologischen
Zustande die Morgensonne etwas hoch am Himmel steht, und der
Wanderer längs der Kante des Joches hinschreitet, so wird er bei je=
der Stelle, wo an dem schroffen Absturz irgend eine Furche oder Was=
serrinne einen einspringenden Winkel erzeugt hat, tief unten im

Nr. 50. Mähre.

Ein Gipfel des Sigriswylgrates, siehe Nr. 49.

Nr. 51. Falkenfluh.

Politische Lage. Bern, A. Konolfingen.
Höhe. 3270'. T. eibg. Berm.
Gebirgsart. Nagelfluh.
Entfernung. 4¼ Stunden.

Gleich einem riesenhaften Gewölbe über die festgeschlossene Wald-
pforte des Berges hingemauert, thront die Falkenfluh über dem
gartenähnlichen Thalboden von Dießbach und Oppligen. Sie bildet
das südwestliche Ende des Bergrückens, der sich von ihr stufenförmig
bis auf die Schafeck, dem Kulminationspunkte der Aeschlenalp
(3743') erhebt, und von da in verschiedenen Ausläufern gegen das
Thal des Röthenbachs sich verläuft. Die südliche Abdachung dieser
Gebirgsstrecke umfaßt den Gemeindsbezirk Buchholterberg, und
auf einer freundlichen, aussichtreichen Hochebene blinkt die Kirche von
Heimenschwand. Gegen Norden wird sie durch den Dießbach,
südwärts durch die Rothachen begrenzt.

Die Falkenfluh kann von Dießbach (4½ Wegstunden von Bern)
in einer guten Stunde bestiegen werden. Auf der freien begrasten
Anhöhe, die sich vom Rande der Fluh gegen den Waldsaum des Gebirgsrückens hinanzieht, erfreut man sich einer reizenden Aussicht
nach dem Gelände von Thun, den Hochalpen, der Niesen- und Stockhornkette, dem Hügelland und Aarthal bis an den Jura, der vom
Chasseral bis zur Clus den Horizont umgürtet.

Auerhähnen, Falken und Eulen behagt es in dieser Wildniß.
Nach Wyß *) sind bei Mannsgedenken Jäger fern aus Deutschland

---

*) Reise in's Berner-Oberland.

hergekommen, um hier eine treffliche Falkenart zur Falkenbeize ab-
zuholen.

Auf einem Gipfel am Hange dieser Höhen lag das alte Schloß
Dießenberg. Im Jahr 1331 ward dasselbe, ein Besitzthum der
Edeln Bockhaß, von den Bernern eingenommen und zerstört.

Nr. 52. Hoheweiden.

Politische Lage. Bern, A. Thun.
Höhe. 4000' (?).
Gebirgsart. Nagelfluh und Molasse.
Entfernung. 6 Stunden.

Ein mit Tannwald bekränzter, zahmer Alpenrücken, der sich an
der nördlichen Abdachung der Blume (siehe Nr. 58) zwischen dem
Teufithal und dem Plateau des Hombergs (Nr. 56) gegen die niedere Bergstufe senkt, von welcher das äußerste Gehänge dieses Gebirgsstockes steil nach dem Bett der Zulg abfällt. Die Aussicht von
dieser leicht zugänglichen Höhe ist freundlich, jedoch nicht von solcher
Bedeutung, daß sie die besondere Aufmerksamkeit des Naturfreundes
verdiente. Das Wort Weide kommt von weiden und dieses vom alt-
deutschen witam (videre, observare).

Nr. 53. Fahrniallment.

Politische Lage. Bern, A. Thun.
Höhe. 2800' (?).
Gebirgsart. Nagelfluh und Molasse.
Entfernung. 4¾ Stunden.

Aus dem kleinen, schmalen Thälchen, in dessen Wiesengrunde
das Schnittweiherbad mit seiner alaunhaltigen Mineralquelle sich befindet, entsteigt eine Anhöhe, die sich als ein schöner, flacher, theils ange-
bauter, theils zur Allmentweide benutzter, niederer Gebirgsrücken, zwischen der Rothachen und der Zulg nach dem breiten Hochplateau der
Schwarzeneckgemeinde hinzieht. Die vorderste, westliche Erhebung dieses

Bergrückens heißt Lueghubel, und zwar nicht ohne Grund, denn
es ergiebt sich von da eine der anmuthigsten Aussichten nach dem reichen Gelände von Thun, umgürtet von den kühngeformten Gipfeln
des Stockhorngebirges und der Niesenkette, so wie nach den in der
Fülle der Fruchtbarkeit prangenden Gefilden des Aarthals und dem
freundlichen Hügelkranze, der dasselbe einschließt. Dicht zu den Füßen
des Schauenden ist das stattliche Pfarrdorf Steffisburg auf dunkelm
Wiesenteppich in einem Walde von Obstbäumen gruppirt. Auf dem
Hügel selbst thront das Dörfchen Lueg und dominirt über die paradiesische Landschaft. — Die in östlicher Richtung fortlaufende Höhe
dieses Hügelzuges heißt die Fahrniallment. Ein bequemer Weg
geht darüber hinweg und ladet den Wanderer zum genußreichen Spaziergange ein.

Nr. 54. Niederenhubel.

Politische Lage. Bern, A. Thun.
Höhe. 2540'.
Gebirgsart. Nagelfluh und Molasse.
Entfernung. 4½ Stunden.

Von dem Lueghubel (siehe Nr. 53) durch das Thälchen des Schnitt-
weiherbades getrennt, liegt westlich von jenem eine zum waldbekränzten, schmalen Grat sich gestaltende Anhöhe, welche in senkrechter Felswand gegen das Aarthal abgerissen ist. Diese Anhöhe heißt Niede-
renhubel. Die offene südliche Abdachung trägt auf ihrem breiten
Rücken schöne Güter. Jene Felsenwand heißt die Niederen- oder
Heimbergfluh. Ihrem westlichen Fuß entlang streift die von
Bern nach Thun führende Poststraße durch die Ortschaften Dornhal-
den und Heimberg (1710'), letztere bekannt, ja berühmt durch den
Betriebszweig der Töpferei, der fast in jedem Hause dieser ausgedehnten Ortschaft einheimisch ist.

Nr. 55. Wichtrach.

Politische Lage. Bern, A. Konolfingen.
Höhe. 1704'. B. Lüth.
Entfernung. 3¼ Stunden.

Der Kirchthurm, den wir unter Nr. 55 auf unserer Alpenansicht erblicken, gehört dem Pfarrdorf Oberwichtrach an. Dieses Dorf liegt in fruchtbarer Thalebene auf dem rechten Ufer der Aare an der Straße zwischen Bern und Thun. Die Gegend von Wichtrach oder Wichdorf ist besonders wasserreich. Dieses möchte daher auch in der Endsilbe ach liegen, welche wie Aa ein fließendes Wasser bezeichnet. Aa ist nach Stalder ein altgermanisches Stammwort, dem das gothische ahwa, angels. Eaa, lat. aqua, span. agua, franz. eau, sowie das celt. ey, ihr Sein verdanken. Andererseits wird der Name Wichtrach, als römischen Ursprungs, vom Worte vicus trajecti, Ort des Uebergangs, hergeleitet, und damit bringt man in Verbindung, daß zur Zeit der römischen Niederlassung hier eine Fähre über die Aare bestanden habe. Man will in Wichtrach auch wirklich römische Ueberbleibsel gefunden haben, und von einem Hause, das die „Leuern" heißt, vermuthet man, es bezeichne die Stelle, wo die Wanderer geruht haben, um den Fährmann zu erwarten.

Herrliche, mannigfach zur Wässerung eingerichtete Matten, gut bearbeitete Aecker voll Weizen und Dinkel in starkem Boden, Roggen und Mischelkorn in leichterem Erdreich, schöne Pflanzungen von Hanf, große Strecken von Kartoffeln, zahlreiche Baumgärten, reiche Tannwälder, zerstreute hochstämmige Eichen, zuweilen heiteres Buchenlaub zwischen dunkelm Tannengrün, beleben das Gelände aufs Lieblichste.

Die Gemeinde Oberwichtrach bildet mit den drei übrigen Einwohnergemeinden Niederwichtrach, Kiesen und Oppligen eine Kirchgemeinde von 2050 Seelen.

Auf dem Kirchhof liegt der General von Erlach begraben, der auf jener verworrenen Flucht von dem Schlachtfelde des Grauholzes am 5. März 1798 in Niederwichtrach von betrunkenen Landstürmern ermordet ward. Vergebens sieht man sich jedoch nach einem Denkstein um, welcher die Stelle bezeichnete, wo die Gebeine dieses edeln Mannes ruhen.

7

Nr. 56. Homberg.

Politische Lage. Bern. A. Thun.
Höhe. 2434' T. Eidg. Verm.
Gebirgsart. Größtentheils Nagelfluh.
Entfernung. 5½ Stunden.

Die Bergstrecke des Hombergs begreift in einer Längenausdehnung von ungefähr einer Stunde die nördliche Abdachung jenes Ge-
birgszweiges in sich, der sich von der Blume bis nach dem Grüßberg
oberhalb Thun ausdehnt. Sie breitet sich zwischen dem höchsten steilen
Rücken und dem schroffen Abfall nach dem tiefen Bette der Zulg als
eine weite, mitunter durch Unebenheiten des Bodens unterbrochene Hochebene aus, welche von Fahrwegen durchzogen, mit Wiesen und Baum-
wuchs bekleidet und mit Gruppen von Wohnhäusern und einzelnen stattlichen Bauernhöfen geziert ist. Sie hält die Zone inne zwischen den
Bergweiden und dem Waldgürtel, der ihren Fuß umzieht. Freundliche
Aussichten über das weite Land belohnen die Mühe ihrer Bewanderung,
und hat man auf steilen Zugängen, sei es von Thun oder Steffisburg
her, die Hochfläche selbst erreicht, so wird der Gang zum Spazierwege.

In seiner politischen Bedeutung bildet der Homberg eine der fünf
Burger- und Einwohnergemeinden von Steffisburg.

Nr. 57. Winterberg.

Politische Lage. Bern. A. Thun.
Höhe. 3800' (?).
Gebirgsart. Größtentheils Nagelfluh.
Entfernung. 6 Stunden.

Der Winterberg ist eine der höheren Gipfelerhebungen des
Gebirgsstocks der Blume (siehe Nr. 58). Sein schmaler, mit lichtem
Tannwalde bekleideter Rücken erhebt sich zu einer gleichförmigen, oben
abgestumpften Spitze, welche von dem Hauptzuge etwas südlich absteht
und mit ihren stufenförmig nach dem Thunersee sich senkenden Abfällen
die Gemeindsbezirke Goldiwyl und Heiligenschwändi (Weiler 2630')
von einander scheidet. Die Aussicht vom Winterberg, einerseits nach
dem fernen Aarthal, andererseits auf die Spiegelfläche des Thunersees

und nach den ihn umschließenden schönen Gebirgen, ist, wenn auch nicht ausgedehnt, doch lohnend.

Nr. 58. Blume.

Politische Lage. Bern, A. Thun.
Höhe. 4850'.
Gebirgsart. Größtentheils Nagelfluh.
Entfernung. 6½ Stunden.

Auf der Grundfläche eines Dreiecks, das bei 7 Stunden umfaßt, und dessen Basis den westlichen Fuß des Sigriswylgrats begrenzt, dessen Spitze mit der Stelle, wo die Zulg in die Aare mündet, zusammentrifft, erhebt sich eine Gebirgsgruppe, die in ihrem höchsten Punkte kaum der Waldregion entragt und daher den zahmen Charakter der Hügelformation trägt. Es ist diese Hügelgruppe zwischen dem Thunersee und der Zulg eingeklemmt. Das Joch, das die Wasserscheide bildet, lehnt sich vermittelst einer Einsattlung an den vorstehenden Fuß des Sigriswyler-Rothhorns und steigt zunächst an jener Einsattlung sogleich in der Blume zu seinem Culminationspunkte empor. Von den Anwohnern wird dieser Gipfel „der Blumen“ genannt. Von ihm dehnt sich die Wasserscheide als ein unebener, oft durch Einschnitte unterbrochener, bewaldeter Grat in ihrer Normalrichtung gegen Nordwesten bis auf den Grüßisberg aus, der in steilen Felsterrassen abfällt, und an dessen Fuß die Stadt Thun (wahrsch. vom celt. dunum == Hügel) reizend auf den beidseitigen Ufern der dem See entströmenden Aare gelagert ist (Aarbrücke 1730', Schloßterrasse 1800'). Waldung, Bergweide, schöne Wiesen, Baumgehäge bekleiden die Höhen dieser Gebirgsgruppe. Verheerende Bergwasser entspringen ihren Schluchten und strömen in tief eingefressenen Betten theils in den See, theils in die Zulg. Zwischen diesen Gräben und den durch sie geformten Thalbecken dacht sich das Gebirge entweder in steilen, schmalen Rücken oder in breiteren Hochplateaus ab. Die vorspringenden Höhen und Thalbuchten sind reich mit Ortschaften und zerstreuten Wohnhäusern geziert, die Halden längs dem See mit Reben bekleidet.

Der Gipfel der Blume entsteigt den Thalgründen von Meiersmaad, Teufithal, Schwanden und Heiligenschwändi als

Knoten der zwischen ihnen befindlichen Gratstrecken. Er erhebt sich in schöner, begraster First, deren nördliche und westliche Abdachung bis zunächst an den Gipfelrand mit einem weiten, finstern Tannenmantel umzogen ist. Mittagwärts läuft der Rücken der Blume gegen eine sanftgerundete Wiesenkuppe aus, welche das Becken des Thunersees frei beherrscht und den Namen M a r g e l oder V o r b e r e B l u m e (3590') trägt. Auf ihren tieferen Gehängen liegen die Ortschaften Aeschlen und Tschingel, und hart unter dem Blumengipfel selbst das Dorf Schwanden.

Die Blume gewährt eine, wenn auch an Großartigkeit und Ausdehnung den Alpenpanoramen nachstehende, doch immerhin reichhaltige und malerische Aussicht nach dem herrlichen Gelände von Thun, auf den Seespiegel, das schöne Amphitheater der Hochgebirge, die dunkle, schroffe Riesenwand des Sigriswylgrats, die Höhen und Hügelzüge des Emmen= und Aarthals.

Der Gipfel der Blume kann von Thun (5½ Stunden von Bern) über Oberhofen und Schwändi in 3, über Goldiwyl in 3½—4, von Sigriswyl in 2, von der Schwarzeneck entweder durch das Teufethal oder über Meiersmaad in 3 Stunden bequem erstiegen werden. Freilich, wer die Reise von der 7 Wegstunden von Bern entfernten Schwarzeneck aus unternimmt, ist genöthiget, vorerst in das tiefe Bett der Zulg hinunterzusteigen und jenseits wieder die steile Anhöhe zu gewinnen. Allein der Weg wird anziehend durch den romantischen Uebergang auf dem sogenannten E s e l s s t e g. Auf einigen schmalen, mit einem leichten Geländer versehenen Brettern, welche auf natürlichen Pfeilern von Nagelfluh ruhen, wird nämlich hier die Zulg überschritten, und eigenthümlich ist in dieser einsamen Schlucht die Ansicht der finsteren Waldgründe, die sich von allen Seiten nach dem engen Bette des Flusses niederziehn. Hat man das steile Bord wieder erklettert, so betritt man ein freundliches, abgelegenes Bergthal, von waldigen Anhöhen eingedämmt, dessen Wiesengrund von einem klaren Bache durchflossen und von vielen Wohnhäusern belebt ist. Dieser Bezirk umfaßt die Gemeinde Teufethal, die nach Hilterfingen kirchgenössig ist, wohin in anderthalb Stunden ein schmaler Fahrweg über den Berg führt. Es soll vor Zeiten ein Rittersitz dagestanden haben, dessen Trümmer verwittert sind. Das östlich liegende Thal von Meiersmaad ist ein schmales Thal mit wenigen vereinzelten Wohnungen. Kleine Wiesenbuchten ziehen sich in seinem hintersten Theil gegen ben Höhenstock der waldigen Blume hinein, und ein Reitweg führt durch dasselbe nach Schwanden und Sigriswyl.

Nr. 59. Ralligstöcke.

Eine bogenförmig aufstrebende Reihe kahler Felsen oberhalb Ralligen am Thunersee (siehe Nr. 49).

Nr. 60. Bellenhöchst.

Politische Lage. Bern. A. Interlaken.

Höhe. 5760'. T. Frei.

Gebirgsart. Basis: Jurassischer Hochgebirgskalk. Darüber schwarzer Kalk und Schiefer (alp. Kreide).

Entfernung. 10 Stunden.

Zwischen den Mündungen des Saretenbachs und des Sausbachs in die Lütschine fallen die schroffen, theils bewaldeten, theils felsigen Hänge eines hohen Gebirges in das Thal. Enge Schluchten zertheilen jedoch den breiten Bergfuß in verschiedene Gruppen. Die nördlichste dieser Gruppen ist von steilen Felsenwänden gekrönt, deren seltsam gewundene Schichten von ferne in das Auge fallen. Es umgürten diese Felsen eine Alpenterrasse, auf welcher der grüne Rasenteppich der Alp Bellen, die 63 Kuhrechte hält, ausgebreitet ist. Diese Terrasse ist gegen das Saretenthal steil abgeschnitten. Hart am Rande derselben ist das Läger von Bellenfilchen (5522'), wo die Alphütten sich befinden; ein gegen ben Abgrund herausstehender, steilrecht abgerissener Felsvorsprung wird die Kanzel genannt. Man genießt hier einer hübschen Aussicht auf das Saretenthal, die jenseitige Kette des Morgen- und Abendberges und das liebliche Bödeli von Unterseen. Jene Terrasse steigt gegen eine schmale Rasenfirst hinan, welche den Namen Bellenhöchst trägt und sich durch eine kleine spitze Erhebung auszeichnet. Der südliche Absturz dieses schmalkantigen Grats bildet die mit Rasenbändern durchzogene Wand der Höchstfluh, welche dem

Grund eines wilden einsamen Tobels entsteigt, der die Syleren genannt wird.

Der Bellenhöchstgrat ist von Wildersmyl (12 Wegstunden von Bern)
über Sareten in etwa 3 Stunden ohne Schwierigkeit zu besteigen und
die Aussicht nach dem Lauterbrunnenthal und seinen Gebirgen, so wie
auf das Gelände von Interlaken und die Seen von Brienz und Thun
muß herrlich sein, obwohl nicht zu übersehen ist, daß höhere Nachbar-
gebirge den Gesichtskreis bedeutend beschränken. Ist doch der Grat von
Bellenhöchst nur die Stufe, über welche man nach der westlich sich an-
lehnenden, beträchtlich höheren Suleck hinansteigt. Auch gewahren wir
von unserem Standpunkte hinweg nur den obersten Saum dieser
Berghöhe.

Nr. 61. Suleck.

Politische Lage. Bern, A. Interlaken.

Höhe. 7422' T. Trechsel.

Gebirgsart. Basis: Jurassischer Hochgebirgskalk. Darüber
schwarzer Kalk und Schiefer (alp. Kreide).

Entfernung. 10¼ Stunden.

Als eine von Nordost gegen Südwest fast eine halbe Stunde lang
gerade fortlaufende First mit östlich steil abfallendem Profil zeigt sich
der Höhengrat der Suleck. Von unserm Standpunkte aus gesehen,
bildet sie in ihrer hohen, breiten, dachförmig aufgebauten Gestalt eine
schöne, in dunkles Alpengrün gekleidete Riesenstufe, die nach dem hochgethürmten Eispallast der Jungfrau hinanzuführen scheint; — denn der
ansehnliche Zwischenraum, der sich erst offenbart, wenn man in das Innere des Gebirges bringt, ist hier für das Auge verloren.

Der östliche Abfall der Suleck wird durch die spitz zulaufende,
felsige Wand der Tschingelfluh *) gebildet, deren Fuß sich in das
enge, wilde Thal der Syleren verliert. Als Einfassung dieses Thals
lehnt sich an die nördliche Kante, welche die Tschingelfluh begrenzt,
der vertiefte Grat von Bellenhöchst, an die südliche die First der
Kühmatte. Zwischen diesen Anlehnungspunkten bietet ein schmaler

---

*) Siehe die Bedeutung Tschingel beim Art. Tschingelhorn, Nr. 110.

Vorsprung der Tschingelfluh gerade Raum zu einem mit Vieh befah=
renen Wege, auf welchem man Angesichts des offenen Abgrundes von
der Alp Bellen hinüber nach Suls gelangen kann. Eine Stelle dieses
Pfades heißt Güntschistutz. Ein Mann, Namens Güntschi, soll
einst hier verunglückt sein, indem sein Pferd scheu geworden und mit
dem Reiter in die Tiefe gestürzt sei. Die Spitze oberhalb der Tschin=
gelstuh ist zugleich der höchste Punkt der Suleck; von ihr weg zeigt
der Grat eine geringe Senkung, bis da, wo er sich am Westende an
die höheren Lobhörner anschließt. Zwei gleichförmige Anschwellungen
des Grats, zunächst am Fuß dieser letztern, wo sich das Joch gegen
diese wieder aufwärts zieht, werden die Schnäbel genannt und die=
nen den Jägern zum günstigen Stand, um die auf die Morgenweide
ausgehenden Gemsen zu belauschen.

Die nördliche Abdachung des Suleckgrates senkt sich als eine gleich=
förmige schiefe Fläche beinahe ohne Unterbrechung in das Saretenthal;
nur die Terrasse der Bellenalp, die sich längs der Suleck erkennen
läßt, bewirkt eine kleine Abstufung des Gefälles. In seinem ganzen
oberen Theile ist das nördliche Gehänge mit Schafweide und lockerem
Felsenschutt bedeckt. Größere Felsmassen kommen nicht zu Tage. Zahl=
reiche Rinnen oder Einfurchungen, die zur Zeit der Schneeschmelze deut=
lich wahrgenommen werden, weil in ihnen der Schnee länger haftet,
durchziehen, unter sich parallel, von oben nach unten jene Schutthänge.
Tiefer wird die Grasdecke vorherrschend, und der Fuß des Berges ist
theilweise mit Waldung umgürtet.

Bis zu oberst mit Weide bewachsen, neigt sich auch der südliche
Abhang der Suleck in gleichartigem Gefälle zum Theil gegen das
Becken eines kleinen Hochthals, welches am Fuße der Lobhörner be=
ginnt und in seinem Schooße einen unansehnlichen See birgt, dessen
unsichtbarer Abfluß, nach der Meinung der Gebirgsbewohner, im
Hintergrunde des Saretenthals, somit auf der entgegengesetzten
Seite des Berges, als Weißbach zu Tage kommen soll. Je=
nes Thälchen umfaßt unter dem Namen Fürthal das obere Lä=
ger der Sulsalp. Es ist ein rauhes, wildes Alpengelände, wo
das Vieh nur während der kurzen Zeit des höchsten Sommers hinge=
trieben wird. Die Sage berichtet, daß hier vor alter Zeit nur Heu=
güter gewesen seien, und noch in unsern Tagen soll man Baumstämme

als Zeugen einer fruchtbarern Vegetation daselbst gefunden haben. Auf
einer tiefern Bergstufe, am südwestlichen Fuße der Suleck, mittagwärts
von dem Rücken des Sulsars umschlossen, liegt die Alp Suls, deren
weitverbreitete Triften ebenfalls einen Alpensee in ihrem Schooße ber=
gen. Das dunkle Grün des Wassers kontrastirt angenehm mit dem
Rasenteppich und den weißen Felsklippen seines Gestades. Diesem See
entströmt der schäumende Sulsbach, der in steinigem Bette munter spru=
delnd herunterhüpft und sich tiefer mit dem Sausbache vereinigt. Eine
einzige Alphütte liegt unterhalb des Sees auf einer kleinen Fläche am
Ufer des Sulsbaches. Die Alp Suls, die der Suleck den Namen ver=
leiht, ist die höchste der Umgegend. Wenige Milchkühe, aber bei 1500
Schafen und 300 Stück Pferde und Rinder werden hier gesömmert.

Ein altes Lied enthält eine Charakteristik der nächstliegenden
Alpen in folgenden Zeilen:

> Suls, die höchst',
> Saus, die größt',
> Bellen, die wildst',
> Neßleren, die wärmst',
> Inder (inner) Berg, die kältst',
> Auser Berg, die ungefällst'.

Die Volkssage erzählt von einem Hirten der Sulsalp, welcher
einst einen kunstreich geformten Schlüssel fand, der ihm die Thüre zu
einer früher nie gesehenen Höhle des Berges öffnete. Im Innern habe
ihn der Glanz der kostbaren Steine geblendet, und eine Jungfrau, die
seit mehr als hundert Jahren hier ihrer Erlösung geharrt, habe ihm
drei Gaben zur Auswahl anerboten: einen Hafen voll Geld, eine gül=
dene Kuhschelle oder sich selbst nebst allem Uebrigen. Da sei ihm sein
Bethli in den Sinn gekommen, und er habe die zweite Gabe erwählt.
Ergrimmt hierüber habe ihm die Jungfrau Fluch und Schande ange=
kündigt. Unter dem Krachen der Gewölbe sei er von unsichtbarer Macht
hinausgeworfen worden, und draußen auf dem Rasen sei die güldene
Schelle neben ihm gelegen. Er aber sei ruhelos in die weite Welt
gewandert. Einst sei er zu einer einsamen Hütte gekommen, vor wel=
cher ein kleines altes Männchen Holz gespalten. Als ihm von dessen
Vater die Nachtherberge gewährt worden, sei er in die Hütte getreten,
und habe darin ein steinaltes gekrümmtes Männchen hinter dem Tische
sitzend angetroffen. Diesem habe er seine Schicksale erzählen müssen,

und als er geendet, habe sich der Alte erhoben und zu ihm gesagt: „Gastfreundschaft halte ich heilig, das ist dein Glück! Ich beherberge dich diese Nacht, aber morgen in aller Frühe packe dich wieder fort. Dir ward Gelegenheit vergönnt, der Retter meiner Tochter zu werden, und du hast sie, vielleicht auf ewig, unglücklich gemacht!" *)

Von den weitläuftigen Triften der Sulsalp stuft sich das Gebirge in verschiedenen Absätzen und Vorsprüngen nach dem Lütschinenthale ab. Einer dieser Absätze wird durch die gewaltige Vogelfluh gebildet. Es ist dieses eine von dem Sulwalde (3645') gekrönte senkrechte Felsenwand, an deren Fuß auf schmaler, abschüssiger Terrasse das Dörfchen Eisenfluh (3625') gelagert ist. Etwas nördlicher strebt das Gehänge in der sonderbaren Felsgestalt der Dünnen Fluh empor, welche gleich einer Burgruine dem waldigen Gebirgsabfall entragt.

Die Aussicht, die man auf der Suleck genießt, gehört unstreitig unter die schönsten im Alpengebirge. Sie paart mit den stolzen Gebilden der Hochalpen das liebliche Gemälde eines reizenden Vordergrundes, zumal dicht zu den Füßen des Schauenden das freundliche „Bödeli" von Interlaken mit dem Silberbande des Aarstromes, und die blauen Spiegel der Seen von Thun und Brienz vor dem Auge aufgerollt sind. Die Aussicht gegen die entferntern Eisgebirge ist zwar durch die nahen Gruppen der Schwalmern und des Schillhorns in etwas beengt; dennoch verleihen die Prachtwerke der Jungfrau und ihrer majestätischen Nachbarn der Aussicht einen erhabenen Charakter, und die Suleck darf in Bezug auf Schönheit und Mannigfaltigkeit ihres Panoramas mit Faulhorn, Niesen und Brienzer-Rothhorn unter den Bergen des Oberlandes nach dem Preise ringen.

Einige Andeutungen über die Flora des Gebirgsstocks der Kander- und Lütschinenthäler werden wir beim Artikel Schillhorn Nr. 76 geben. Von der Suleck sind besonders folgende Spezies bekannt: Draba helvetica Schl. Dr. Johannis Host. Dr. tomentosa Wahl und Crepis hyoseridifolia Tausch.

Von Wilderswyl über Sareten und Bellen, von Zweilütschinen oder Lauterbrunnen über Eisenfluh und Suls in 4—5 Stunden, ohne

---

*) Vergl. Wälti, Blumen aus den Alpen.

die geringste Gefahr ersteigbar, wäre diese Alpenspitze wohl würdig, dem rüstigen Touristen und Naturfreunde, der in dem ausgesuchten Stappelplatze so vieler Reisenden, dem idyllischen Interlaken, auf einige Tage sein Lager aufschlägt, häufiger als es der Fall ist, zum Ziel seiner Ausflüge zu dienen.

Schlägt man den Weg über Sareten ein, so begibt man sich vorerst nach Wilderswyl, 1 Stunde von Unterseen oder Interlaken entfernt. Von hier bedarf es einer Stunde Steigung, um die Ortschaft Sareten (3347') in dem hochgelegenen Bergthale zu erreichen. Auf grünen Wiesen, im Schatten von Ahorngruppen und Kirschbäumen, deren Frucht gewöhnlich erst im August zur Reife kömmt, ruhen die bescheidenen hölzernen Wohnungen im Schooß steiler Gebirgslehnen gruppirt. Das Thal selbst besitzt treffliche Viehweiden. Es ist nach Ostein kirchgenössig. Durch ihr Austreten hat die Sareten in früheren Zeiten das Dorf Grenchen mit Gestein überführt und bis auf zwei Häuser verschüttet. Im Hintergrunde ist das Thal durch das wilde Felsengerüste der Schwalmern geschlossen, an deren nördlichem Fuß jedoch ein Alpensteig, über die Gebirgsniederung des Renggli, nach dem jenseitigen Suldthale führt. Will man von Sareten auf dem kürzesten Wege die Alp Bellen erreichen, so kann man in einer Stunde dahin gelangen, wenn man den halsbrechenden Geißpfad verfolgt, der sich an dem jähen Absturz hinaufwindet. Der angenehmere Weg aber geht durch das Thal hinein nach der Alp Neßleren, mit 182 Kuhrechten. Hier bewundert man die wasserreichen Stürze des Gurben und Weißbachs und wandert sodann, in schräger Richtung die Höhe gewinnend, nach jener Alp empor. Dieser Weg erfordert eine halbe Stunde mehr Zeit. Von der Alp Bellen kann man in 1½ bis 2 Stunden den Gipfel der Suleck ersteigen, sei es, daß man an der nördlichen Abdachung gerade empor klettert, sei es, daß man den etwas längern Weg um die Tschingelfluh einschlägt und auf der Seite der Sulsalp längs der begrasten, schmalen Ecke emporklimmt. — Von Zweilütschinen rechnet man eine gute Stunde nach Eisenfluh. In anderthalb Stunden gelangt man von da nach Suls und in weiteren anderthalb Stunden auf den Gipfel, der allerdings eine so scharfe Kante bildet, daß den Ungewohnten in den ersten Augenblicken einiges Bangen befallen mag, wenn er von dieser luftigen Hochwarte in die rings geöffnete Tiefe schaut.

Die Schilderung einer Bergreise auf die Suleck hat uns C. Escher in der Alpina hinterlassen *).

Nr. 62. Schneehorn. Nr. 63. Silberhorn.

Beeiste Gipfel, welche der Jungfrau angehören und an ihrem nördlichen Gehänge vorstehen. Siehe die Schilderung der Jungfrau unter Nr. 117.

Nr. 64. Rothe Brett.

Eine senkrecht aufgestellte und daher stets von Schnee entblößte Felswand am nordwestlichen Fuß des Silberhorns an der Jungfrau. Siehe Nr. 117.

Nr. 65. Hohe Eck. Nr. 66. Rothe Eck. Nr. 67. Klein Schiffli.

Spitzen des Grats, der sich vom Abendberg bei Unterseen nach dem Morgenberghorn emporzieht. Siehe Nr. 71.

Nr. 68. Lobhörner.

Politische Lage. Bern, A. Interlaken.
Höhe. 7915'. T. Frei.
Gebirgsart. Dunkle Schiefer und Kalke, auf Jurageßteinen ruhend.
Entfernung. 10½ Stunden.

Zwei Felsgipfel zwischen der Suleck und der Schwalmern. Das kleine Lobhorn, auf unserer Alpenansicht die Spitze rechts, ist eine Erhebung, zu welcher sich der Grat der Suleck selbst in seiner Verlängerung nach Südwesten aufschwingt. Das große Lobhorn ragt

---

*) Alpina, Bd. III, p. 192. Winterthur 1806.

als Nebengebilde südlich von jenem empor und ist durch eine schmale Einsattlung mit dem kleinen Lobhorn verbunden. Das große Lobhorn zeichnet sich durch seine seltsame Gestalt aus. Es besteht aus einer nackten, zu beiden Seiten lothrecht abgeschnittenen, dünnen Felsenmasse, die sich zahnartig zu einer Hauptspitze und mehreren kleineren Nebenzinken aufrichtet. Eine begraste First zieht sich vom großen Lobhorn in nordöstlicher Richtung nach dem Sulsars hinaus und scheidet das Sausthal von den Sulsalpen. Westwärts versenkt sich der Fuß der Lobhörner über den Uerschelenschafberg als eine begraste und gangige Halde nach der breiten Einsattlung, welche dieselben von dem Gebirgsstock der Schwalmern trennt.

Die Lobhörner werden mitunter auch Schnabelhörner und Uerschelihorn genannt, und ihre Form erinnert, wenn man sie z. B. von den nördlichen Ufern des Thunersees weg betrachtet, an die aufwärts stehende Scheere eines Krebses. Das große Lobhorn ist unersteiglich.

Nr. 69. Schwarzbirg. *)

Politische Lage. Bern, W. Interlaken.

Höhe. 8102' T. Frei.

Gebirgsart. Dunkle Schiefer und Kalke, auf Juragesteinen ruhend.

Entfernung. 11 Stunden.

Das Thal von Lauterbrunnen ist gleich einer tiefen Gebirgsspalte zwischen steilen, bei 1000 Fuß hohen Wänden eingeklemmt. Die westliche Thalwand erhebt sich dicht hinter den Wohnungen des Dorfes (2450') theils in jähen begrasten und bewaldeten Halden, an welchen sich der Kirchweg nach den Bergdörfern Mürren (5055) und Gimmelwald (4090) emporschlängelt, theils in senkrecht aufstrebender Fluh, über deren Rand die Bergwasser stäubend herniederwallen. Oberhalb dieser Thalwand liegt eine weit ausgebreitete Wiesenterrasse, auf welcher jene Dörfer gruppirt sind. Das Gebirge selbst aber erhebt sich, mit Alpweiden bekleidet, höher und gestaltet sich zu einem mächtigen

---

*) Siehe die Bedeutung von Birg bei Hinterbirg, Nr. 30.

Felsenkamm, dessen rauher nördlicher Absturz in ziemlich gleichförmi=
ger Abdachung das Hochthal von Saus begrenzt, während auf der Süd=
seite sporenähnliche Ausläufer sich ablösen, in deren Schooß die höhe=
ren Alpen geborgen sind. Der äußerste nördliche Gipfel jenes Felsen=
kammes trägt den Namen Schwarzbirg, und wir vermögen auf un=
serer Zeichnung dessen Spitze zu erkennen, wie sie zur Rechten der Lob=
hörner emporragt. Der hohe, rauhe, zum Theil in verwitterten und
zerklüfteten Felsen emporstrebende Gebirgsrücken, der sich vom Schwarz=
birg in südwestlicher Richtung nach dem Schilthorn erstreckt, heißt der
Schwarzgrat. Eine Gipfelerhebung desselben wird Bietenhorn
(8511') genannt. Bieten heißt im Oberlande der Ausschnitt im
Hintertheil des Schiffes. Ob aus dieser Bedeutung auch jener Berg=
name herzuleiten sei, vermag der Verfasser nicht zu entscheiden. Der
Name Schwarzbirg und Schwarzgrat bezieht sich wohl auf die
schwarze Farbe des diesen Gebirgskamm bedeckenden Gesteins. Ost=
wärts stuft sich von dem Gipfel des Schwarzbirg die Wurzeleck
gegen jene Alpenterrasse ab; in nordwestlicher Richtung aber fällt die
scharfe Gebirgskante über das Weißbirg (einen Felsen von hell=
grauem Kalk), das Wenghorn oder Schlechtwänghorn und die
Marcheck herunter. Unmittelbar am Fuße des Schwarzbirg, durch
jene Ausläufer begrenzt, breiten sich die Alpentriften von Wintereck
und Pletschen aus. Die Pletschenalp hat einen Umfang von
ungefähr 3 Stunden; sie ist zu 233 Kühen gesetzt und wird gewöhn=
lich mit 14 Kühen neben 400 Schafen und einer großen Anzahl Rin=
der beweidet. Auf dieser Alp entspringt auf der Stelle, „bei sieben
Brünnen" genannt, in sieben unweit von einander hervorrieselnden
Quellen der Pletschbach, der tiefer nach einem ersten bedeutenden
Sturze aus einer senkrechten Höhe von 900' in das Thal sich schwingt
und den berühmten Staubbach bildet, den Byron so gern mit dem
Schweif des bleichen Rosses in der Offenbarung Johannis vergleicht,
worauf der Tod reitet.

Wintereck ist zwar größer als Pletschen, aber dennoch bloß von
200 Kühen Setung. Die Lage der Alphütten des Oberberges ist sehr
malerisch. Am Rande der blumigen Trift gelagert, haftet das Auge des
Weilenden an eines Sommerabends stiller Pracht mit Wonnegefühl an
den umstehenden Bildern der Gebirgswelt, die von des Thales Abgrund

bis auf den Eisgipfel der Jungfrau ihre erhabenen Schönheiten in schweigender Größe enthüllt, während grasende Kühe, hüpfende Rinder, stampfende Rosse und der Ziegen muntere Schaaren in regem, buntem Treiben auf der weitschichtigen Alpweide sich herumtummeln, und der Ruf des Hirten, der Glockenklang der weidenden Heerde sich mit dem dumpfen Donnerschall stürzender Lawinen vermischt. Es ist dieses eine Naturscene ähnlich derjenigen, welche die Wengernalp darbietet, ja in ihrer Gruppirung noch schöner und reicher und das Gemüth ansprechender durch die Abgeschiedenheit des Standorts und die außerhalb des Touristenreviers liegende, ächt idyllische Umgebung.

Von Lauterbrunnen, welches 14 Wegstunden von Bern entfernt ist, läßt sich das Schwarzbirg in 5 Stunden besteigen. 2½ Stunden bedarf es, um den Oberberg der Wintereckalp zu erreichen; in 2½ Stunden erklimmt man von da den Gipfel, wenn man in gerader Richtung über die steilen Grashalden des Wibderfelds und die mit schieferigem losem Gefüge überdeckten Abstürze emporsteigt. Weniger rauh und steil ist der Weg, der in östlicher Umgehung der Wurzeleck über die Schafweiden des hochgelegenen Engethals an der Südseite nach dem Ziele führt. Auch von der Alp Gaus bietet die Besteigung dem gewohnten Berggänger keine Schwierigkeit dar. Aber nur dem furchtlosen Gemsenjäger ist es vorbehalten, vom Schwarzbirg aus den Kamm des Schwarzgrats in seiner ganzen Ausdehnung bis an das Schilthorn zu überschreiten.

Die Aussicht vom Schwarzbirg kann wegen der Höhe des Standpunktes und der Nähe der begletscherten Gebirgskolosse des Lauterbrunnenthals als eine der erhabensten bezeichnet werden. Jedoch wird dieser Gipfel durch das nahe Schilthorn überragt und der Wanderer, den seine Kühnheit oder Forschungslust antreibt, diese Hochregionen zu besuchen, wird sich durch die günstigere Lage und die zierliche Gestalt dieser im weißen Firnmantel auftauchenden Alpenzinne leicht bewegen lassen, den niedrigeren Gipfel des Schwarzbirg zu umgehen, um nach etwas mehr Mühe auf dem Gipfel des Schilthorns reicheren Genuß zu finden.

Unter den Trümmern der Schwarzbirgkette, so wie auf den Gausalpen findet man in dem Kalk, der im Hintergrund die oberste Stufe bildet, als Seltenheit Belemniten *).

Ueber die Flora siehe Nr. 76.

Nr. 70. Großschiffli.

Eine Spitze, welche zunächst am Morgenberghorn durch den Grat gebildet wird, der sich von Unterseen über den Abendberg nach jenem emporzieht (siehe Nr. 71).

Nr. 71. Morgenberghorn.

Politische Lage. Bern, A. Interlaken, Grenze gegen A. Frutigen.

Höhe. 6990'. T. Tralles.

Gebirgsart. Schwarzer und grauer Kalk und Schiefer (alpinische Kreide) auf Jura ruhend und von Nummulitenkalk und Sandstein bedeckt.

Entfernung. 9½ Stunden.

Aus der Ebene von Unterseen (1724') wirft sich eine Gebirgsstrecke auf, die das obere, südliche Ufer des Thunersee's einfaßt und, vorerst hart am Ufer hinziehend, sich in südwestlicher Richtung ausdehnt, bis sie in ihrem weitesten Abstande vom See in dem Gipfel des Morgenberghorns kulminirt, dann wieder dem Ufer sich nähernd, in der Richtung gegen Nordwesten nach dem waldreichen Hügelgelände von Aesche sich versenkt und in ihren letzten Niederungen den schmalen Strich zwischen dem See und der Kander ausfüllt. Es beginnt diese Gebirgsstrecke mit dem waldgekrönten Vorhügel des Kleinen Rugen (2330'), an dessen Seite der romantische Fußsteig durch die Wagnern nach der Ruine von Unspunnen und Wilderswyl hinführt, und von dessen freier gelegenen Höhenpunkten ein bezaubernder Ueberblick auf das vielgefeierte Böbelein genossen wird. In drei-

---

*) Studers Geologie der westl. Schweizeralpen.

tem, mit Waldung bewachsenem Fuß steigt sodann das Gebirge in dem Großen Rugen (3620') empor, und gestaltet sich oberhalb dieses zu einem schmalen Rücken, der den Namen Eck und Abendberg (5630') trägt. Die Hochwaldung des Abendberges grenzt bereits an die Alpenregion, und die freien Wiesenhöhen dominiren das herrliche Thal- und Seegelände und gestatten zugleich eine Prachtaussicht nach den Riesengestalten des Hochgebirges. Hier wohnte in früherer Zeit Kasthofer, der Veteran der schweizerischen Forstmänner, und betrieb versuchsweise die Zucht tibetanischer Ziegen. Jetzt besteht daselbst eine Heilanstalt für Kretinen, die seit der kurzen Zeit ihrer Gründung einen europäischen Ruf erlangt hat, obwohl ihre Resultate noch zweifelhaft sind. Ihr Gründer und Leiter ist Dr. Guggenbühl. Die Kretinenanstalt liegt 3400' ü. M. — Oberhalb des Abendbergs wird der Gebirgsrücken zusehends schmäler, ja zur eigentlichen Schneide, und bildet in allmäliger Steigung eine Reihe gleichförmiger Anschwellungen oder Spitzen, deren äußerste sich an den hochragenden Kulm des Morgenberghorns anlehnt. Die erste dieser Spitzen trägt noch lichte Waldung auf ihrem Scheitel und heißt die Hohe Eck (Nr. 65). Von hier an ist die Grathöhe mit Rasen bekleidet. Die zweite Spitze heißt die Rothe Eck (Nr. 66). Die Gratstrecke, die sich über diese beiden Spitzen ausdehnt, wird auch Därliggrat genannt, weil die Ortschaft Därlingen am Fuße des Berges liegt. Sodann folgen das Kleinschlffli (Nr. 67) oder die Fareck und das Großschffli (Nr. 70). Mit dem Namen Far wird eine besondere Grasart (Dactylis glomerata oder Nardus stricta) bezeichnet. Der Theil der Grates, den diese beiden letztgenannten Spitzen einnehmen, heißt auch Leensiggrat, von dem Dorfe Leißigen, das am nördlichen Fuße liegt. Endlich führt die schmale Berglante auf den Gipfel des Morgenberghorns. Derselbe bildet einen Flächenraum von etwa 30 Quadratfuß und ist ringsum, auf der Nord- und Südseite in breitem Absturz, in der Richtung des Gebirgszuges aber in schmaler First sehr steil abgerissen. Rauhe Trümmerhalden und nacktes Gestein, an welchem hie und da spärliches Gras hervorsproßt, bedecken das Gehänge des Gipfels. Erst in einer Tiefe von vielleicht 1000 Fuß beginnt mit der Alpenhöhe von Hutmaad der mit Tannen gekrönte Bergrücken, der über den schmalen Grat der Grebern (4580') gegen die

ausſichtsreiche Aeſchiallment ſich abſtuft und endlich in den Hü=
gelhöhen von Aeſchi (2700') verläuft. Auf der Mittagſeite lehnt
ſich ein ſchmales Gebirgsjoch an die Trümmerhänge des Morgenberg=
horns und verbindet daſſelbe mit der Schwalmern. Es bildet dieſes
Joch zugleich die Waſſerſcheide zwiſchen dem Sulbthale und dem
Thale von Sareten, welche den ſüdlichen Fuß der geſchilderten Ge=
birgskette begrenzen. Auf der Sattelhöhe liegt die Alp Renggli
(5280'), und ein rauher Gebirgspfad führt von Aeſchi oder Mühlenen
in 6 Stunden darüber nach Unterſeen. Das Morgenberghorn wird
auch nur ſchlechtweg der „Morgen,“ und der nördliche gähe Ab=
ſturz beſſelben der „läße“ Morgen genannt. Es iſt dieſes ein von
den Bergbewohnern gebrauchter Ausdruck um die ſchlimme, unfrucht=
bare oder unzugängliche Seite eines Berges zu bezeichnen. So heißt
die ſchmal abgeriſſene Weſtſeite der Schwalmern die läße Schwal=
mern, der ſteile nördliche Abfall der Mähre im Simmenthal die
läße Mähre u. ſ. f.

Der nördliche Abfall der Gebirgskette des Morgenberghorns
iſt zwiſchen dieſem und dem großen Rugen in ſeiner ganzen Ausdeh=
nung ſteil und rauh. Die ſchroffen Halden ſind durch ein mächtiges,
in ſchräger Linie anſteigendes Felſenband durchzogen. Zwei tiefe Ein=
ſchnitte, die gleich Radgeleiſen dieſe Felſenſchicht verfolgen, tragen
den Namen „des Teufels Karrweg.“ Der Teufel, melbet die
Sage, mit Pfaffen und Nonnen zu Interlaken in freundlichſtem Ver=
nehmen, habe die einen und die andern oft in der Kutſche hierdurch
auf den Gipfel des Berges oder auf die Suleck geführt und droben
blocksbergiſche Tänze und ausgelaſſene Feſte veranſtaltet. So erzählt
uns Wyß. — Unterhalb der ſteilen Gipfelmaſſe des Morgenberghorns
und von da hinweg bis zum Auslauf des Gebirges gegen Aeſchi ſind
die Abhänge zahmer, und die Abdachung iſt weniger ſchroff. Ober=
halb des Dorfes Leißigen befindet ſich die Horneckalp (3970') und
der Stoffelberg (2610'). Gegen das Sarethenthal iſt der Gebirgs=
grat, wenn auch im Allgemeinen nicht in ſolcher Steilheit wie auf
der Nordſeite, doch immerhin ſtark abſchüſſig geſenkt. Statt der Fel=
ſen und Waldgehänge erſcheinen aber vorzugsweiſe glatte, begraste
Halden, tiefer von Gräben durchfurcht, die ihr Waſſer dem Sareten=
bache abgeben. Hier dehnen ſich die Alpen Innerberg mit

8

93 Kuhrechten, Außerberg mit 120 Kuhrechten und unterhalb der Eck die Seiteweiden aus. Gegen das Suldthal zu ist der schroffe, oft felsige Absturz mehrentheils bewaldet.

Was die Zugänglichkeit dieser Gebirgsstrecke anbelangt, so führt von Unterseen ein guter Reitweg in 2 Stunden nach dem Abendberg und von da, sowie aus dem Saretenthale, kann man die verschiedenen Gipfelpunkte besuchen. Die Steilheit der oberen Gebirgstheile und die schwindelerregende Schärfe des Grats machen aber deren Berei= sung etwas schwierig und setzen bei dem Wanderer Muth und Vorsicht voraus. — Zwischen dem Morgenberghorn und dem großen Schiffli ist eine Einbiegung des Grates, den man hier auf schmalem, kaum wahrnehmbaren Schafsteige übersteigen kann und von Aeschi oder Lei= ßigen gelangt man sodann nach dem Saretenthale hinüber. Das große Schiffli ist von dieser Gratniederung hinweg nur dem Schwin= delfreien zugänglich. Eine äußerst schmale Kante zwischen gähnenden Abstürzen muß überschritten werden. Der südliche Absturz besteht aus kahlen Felsplatten. Von Aeschi über die Aeschiallment und den Gre= berngrat bis auf das Schiffli sind 3½ Stunden Wegs zu rechnen. Weniger schwierig ist dessen Besteigung auf der Ostseite. Die Aus= ficht ist schön, der Blick von der scharfen Schneide hinunter in die Tiefe des Sees schwindelerregend. Je weiter man längs dem Gra= ben gegen den Abendberg zu vorrückt, desto schöner und fesselnder wird sie, indem das reizende Bödeli besser zu Gesicht kommt, und die Mas= sen der Hochgebirge, namentlich das Wetterhorn und die Eiger freier hervortreten.

Den schönsten Aussichtspunkt zwischen dem Morgenberghorn und dem Abendberg gewährt unstreitig die Hohe Eck. Hier sind dem Auge das Bödeli und das Lütschinenthal frei enthüllt. Das Well= horn mit dem obern Grindelwaldgletscher, Schreckhorn, Eiger und Mönch zeigen sich in kolossaler Größe und Pracht. Von keinem an= dern Punkte bietet sich ein so vollständiger und klarer Ueberblick über das Becken des Thunersees dar. Dem kühnen Steiger winkt jedoch der dominirende Kulm des Morgenberghorns. Da kann er seiner Glieder Kraft und seines Auges Festigkeit erproben. Dort ist ihm aber auch zum Lohne ein erhabener Genuß bereitet.

Als der Verfasser im Jahr 1831 in Begleit eines jungen Natur=
freundes eine Wanderung auf das Morgenberghorn unternahm, wählte
er den Weg von Thun über Aeschi nach dem Suldthal (Aeschi liegt
8½ Wegstunden von Bern). Es war eine stille, herrliche Mond=
nacht. Wohlgemuth schritten die beiden Wanderer durch die ihnen
damals unbekannte Gebirgsgegend. Zwei kleine Stunden hinter Aeschi
liegen in einem Thalkessel die Hütten von Lauenen mit einer Säge=
mühle. Unmittelbar dahinter gestaltet sich die Thalkluft zur hohen Felsen=
stufe, über welche das Thalwasser, das hier noch den Namen Lat=
treienbach trägt und erst von jener Mühle hinweg, wo das Seitenthal
des Oberfeldbergs ausmündet, Suldbach genannt wird, zwischen nah=
gedrängten Uferwänden sich mehrere hundert Fuß hoch herabstürzt und
eine sehenswerthe Kaskade bildet. Der plötzliche Anblick dieser zit=
ternden Säule von Silberschaum, die von dem Mondstrahl magisch
beleuchtet aus dem Tannendickicht der nächtlichen Kluft hervorschim=
merte, überraschte die Wanderer. Dicht neben dem Fall vorbei schlän=
gelte sich sodann der Weg auf einmal steil aufwärts. Hinter den
nahen, engverschlungenen Berggestalten war der Mond verschwunden.
Riesenhafte Tannen bekränzten die Thalgehänge. Dichte Finsterniß war
eingetreten. Nur das Getöse des Bergstroms unterbrach die unheim=
liche Stille, bis es sich allmälig in der Tiefe verlor. Mittlerweile
begann der Morgen zu dämmern, die schwächern Sterne verblichen
und ein frischer Wind rauschte durch die weithin ragenden Aeste des
alten Fichtenwaldes. Rastlos drangen die Wanderer weiter durch das
wieder ebener gestaltete Thal, und als sie sich Angesichts des hinter=
sten Beckens, wo die Hütten der Lattreienalp am Fuße des Renggli
gebettet sind, in der unmittelbaren Nähe des Morgenberghorns wußten,
da verließen sie aufs Gerathewohl den gebahnten Weg und kletterten
pfadlos zur Linken an der gähen Berghalde empor, mit den Händen
an Gras und Gesträuche sich festklammernd und auf Steinblöcke fußend,
die, dem ungewohnten Gewicht nachgebend, sich losrissen und krachend
in den Abgrund rollten. Allgemach wurde der Abhang weniger schroff,
der Gesichtskreis freier, freier das durch die Ungewißheit eines sichern
Ausgangs beklommene Gemüth! Leichter schritt der Fuß durch den be=
thauten Blumenteppich nahrhafter Bergweide. Eine ärmliche Alp=
hütte winkte den Wanderern zur augenblicklichen Rast. Sie klopften

an. Ein altes Weib, dem schlechten Lager enteilend, mit ungekämm=
tem Haar, in der flüchtig umgelegten, schmutzigen Hülle garstig an=
zuschauen, öffnete gutmüthig die mit dem hölzernen Riegel geschlos=
sene Thür, und reichte den Ermatteten Milch, Ziegenkäse und hartes
Brod. — Kurz war die Rast. Das Ziel stand nahe. Einer Stunde
bedurfte es von der gastlichen Hütte der Huthmaadalp, um dasselbe
zu erreichen; die Zeit drängte, denn schon streuten die Engel des
Lichtes schimmernde Rosen auf des Himmels Decke, um der nahen=
den Tageskönigin die Siegesbahn zu schmücken. Die Ersteigung der
Felsenmauer, die hier das Horn umzieht, hemmte auf einige Augen=
blicke die geflügelten Schritte. Schon erglühten die Zinnen des Rie=
sens und Stockhorns im Purpurstrahl der aufgehenden Sonne! — Von
dem oberen Rande jener Felsenmauer stuft sich eine abgerundete, stei=
nige First gegen die höchste Spitze empor; zu beiden Seiten schweift
das Auge über ungeheure Trümmerhalden. Eine Gemse, aus ihrer
einsamen Morgenruhe gestört, sprang leichten Fußes darüber hinweg.
Endlich ward das Ziel erreicht, und im Vollgenuß der wunderschö=
nen Aussicht, welche derjenigen des Riesens keck an die Seite ge=
stellt werden kann, wurden die Mühen der Nacht vergessen.

Da wiegten sich in der Tiefe in ihren bergumkränzten Becken die
Gewässer des Thuner = und Brienzersees, und zwischen ihnen entfal=
tete ein kleines Paradies seine Reize. Jenseits erhoben sich, den
Fuß mit Wiesen und Waldung und freundlichen Ortschaften geschmückt,
die Gebirgsstöcke des Beatenberges, des Hohgants, der Schratten und
des Feuersteins. Der Brienzergrat offenbarte seine schroffen Rasen=
wände. Der Hohbrisen, die Melchthal= und Engelbergergebirge tra=
ten auf. Ostwärts entwickelte sich das Chaos von Felshörnern, die
dem Gebirgsstocke des Faulhorns und Wildgersts angehören. Mit dem
Gusten und Wellhorn erschloß sich der Kranz der begletscherten Hoch=
alpen, dem das Wetterhorn, das Schreckhorn, die Eiger und Jung=
frau entragten. In ernster Nähe erhob sich der Riesengrat der Suleck,
die Lobhorngruppe und das schrecklichwilde Felsengerüste der Schwal=
mern. Rechts an diese reihten sich First und Dreispitz. Im Westen
brüstete sich die stolze Riesenkette mit ihren reichen Alpen, die Ge=
birgswelt des Simmenthals erschloß ihre Thore, und die Stockhorn=
kette streckte ihre hundert schlanken Gipfel empor. Gegen Nordwesten

überflog der Blick die Hügel- und Flächengefilde des breiten Thals, das zwischen den Alpen und dem Jura ausgespannt ist.

Das Herabklettern an der östlichen Kante des Horns, welche stellenweise nicht viel mehr als einen halben Fuß breit sein mag, war etwas mißlich und erforderte Muth und Vorsicht. Wer sich nicht ganz auf seinen Kopf verlassen kann, der wage diesen Gang nicht. Glücklich erreichten die Wanderer die Spur des Schafwegs, der zwischen dem Horn und dem Großschiffli die Schneide durchkreuzt; ohne weitere Gefahr stiegen sie nach den Alpweiden hinunter, erreichten in etwa 4 Stunden Unterseen und kehrten noch am nämlichen Abend nach Bern zurück.

Schließlich ein Wort über die g e o l o g i s c h e n Verhältnisse der Kette des Morgenberghorns. Sie besteht vollständig aus Kalk und Sandsteinen, welche zum größten Theil der Sekundär- und Tertiärformation angehören und in sehr dunkler und verworrener Lagerung theils mit den Gebilden der Schilthornkette, theils mit denjenigen der durch den See getrennten Ralligstöcke in Zusammenhang zu stehen scheinen. Einer höchst beschränkt zu Tage tretenden jurassischen Grundlage aufgesetzt, gelangen besonders die Kreidegesteine (Spatängen- und Rubistenkalk) und in noch höherem Maße die Nummulitenformation zur Ausdehnung. Am westlichen Abfall der Kette wird ein ziemlich bedeutendes Gypslager ausgebeutet.

Ueber die F l o r a siehe Nr. 76.

Nr. 72. Auf Hohburg.

So heißt die Anhöhe des Belpbergs bei den Häusern von Hohburg. Die Nummer 72 bezeichnet die Stelle des alten Schlosses (siehe die Schilderung des Belpberges bei Lit. A.).

---

an. Ein altes Weib, dem schlechten Lager enteilend, mit ungekämm=
tem Haar, in der flüchtig umgelegten, schmutzigen Hülle garstig an=
zuschauen, öffnete gutmüthig die mit dem hölzernen Riegel geschlof=
sene Thür, und reichte den Ermatteten Milch, Ziegenkäse und hartes
Brod. — Kurz war die Rast. Das Ziel stand nahe. Einer Stunde
bedurfte es von der gastlichen Hütte der Huthmaadalp, um dasselbe
zu erreichen; die Zeit drängte, denn schon streuten die Engel des
Lichtes schimmernde Rosen auf des Himmels Decke, um der nahen=
den Tageskönigin die Siegesbahn zu schmücken. Die Ersteigung der
Felsenmauer, die hier das Horn umzieht, hemmte auf einige Augen=
blicke die geflügelten Schritte. Schon erglühten die Zinnen des Rie=
sens und Stockhorns im Purpurstrahl der aufgehenden Sonne! — Von
dem oberen Rande jener Felsenmauer stuft sich eine abgerundete, stei=
nige First gegen die höchste Spitze empor; zu beiden Seiten schweift
das Auge über ungeheure Trümmerhalden. Eine Gemse, aus ihrer
einsamen Morgenruhe gestört, sprang leichten Fußes darüber hinweg.
Endlich ward das Ziel erreicht, und im Vollgenuß der wunderschö=
nen Aussicht, welche derjenigen des Niesens keck an die Seite ge=
stellt werden kann, wurden die Mühen der Nacht vergessen.

Da wiegten sich in der Tiefe in ihren bergumkränzten Becken die
Gewässer des Thuner= und Brienzersees, und zwischen ihnen entfal=
tete ein kleines Paradies seine Reize. Jenseits erhoben sich, den
Fuß mit Wiesen und Waldung und freundlichen Ortschaften geschmückt,
die Gebirgstöcke des Beatenberges, des Hohgants, der Schratten und
des Feuersteins. Der Brienzergrat offenbarte seine schroffen Rasen=
wände. Der Hohbrisen, die Melchthal= und Engelbergergebirge tra=
ten auf. Ostwärts entwickelte sich das Chaos von Felshörnern, die
dem Gebirgstocke des Faulhorns und Wildgerüts angehören. Mit dem
Gusten und Wellhorn erschloß sich der Kranz der begletscherten Hoch=
alpen, dem das Wetterhorn, das Schreckhorn, die Eiger und Jung=
frau entragten. In ernster Nähe erhob sich der Riesengrat der Euleck,
die Lobhorngruppe und das schrecklichwilde Felsengerüste der Schwal=
mern. Rechts an diese reihten sich First und Dreispitz. Im Westen
brüstete sich die stolze Riesenkette mit ihren reichen Alpen, die Ge=
birgswelt des Simmenthals erschloß ihre Thore, und die Stockhorn=
kette streckte ihre hundert schlanken Gipfel empor. Gegen Nordwesten

überflog der Blick die Hügel= und Flächengefilde des breiten Thals, das zwischen den Alpen und dem Jura ausgespannt ist.

Das Herabklettern an der östlichen Kante des Horns, welche stellenweise nicht viel mehr als einen halben Fuß breit sein mag, war etwas mißlich und erforderte Muth und Vorsicht. Wer sich nicht ganz auf seinen Kopf verlassen kann, der wage diesen Gang nicht. Glücklich erreichten die Wanderer die Spur des Schafwegs, der zwischen dem Horn und dem Großschlifli die Schneide durchkreuzt; ohne weitere Gefahr stiegen sie nach den Alpweiden hinunter, erreichten in etwa 4 Stunden Unterseen und kehrten noch am nämlichen Abend nach Bern zurück.

Schließlich ein Wort über die geologischen Verhältnisse der Kette des Morgenberghorns. Sie besteht vollständig aus Kalk und Sandsteinen, welche zum größten Theil der Sekundär= und Tertiärformation angehören und in sehr dunkler und verworrener Lagerung theils mit den Gebilden der Schilthornkette, theils mit denjenigen der durch den See getrennten Ralligstöcke in Zusammenhang zu stehen scheinen. Einer höchst beschränkt zu Tage tretenden jurassischen Grundlage aufgesetzt, gelangen besonders die Kreidegesteine (Spatängen= und Rudistenkalk) und in noch höherem Maße die Nummulitenformation zur Ausdehnung. Am westlichen Abfall der Kette wird ein ziemlich bedeutendes Gypslager ausgebeutet.

Ueber die Flora siehe Nr. 76.

Nr. 72. Auf Hohburg.

So heißt die Anhöhe des Belpbergs bei den Häusern von Hohburg. Die Nummer 72 bezeichnet die Stelle des alten Schlosses (siehe die Schilderung des Belpberges bei Lit. A.).

Nr. 73. Hohburg.

Vier einzelne Häuser auf dem nördlichen Höhenrande des Belpbergs in der Kirchgemeinde Belp, 35 Minuten von der Kirche, 2 St.
30 M. von Bern entfernt.

Nr. 74. Auf der Breiten.

Ein Hof in der Gemeinde Belp, am nördlichen Fuß des Belpbergs, 15 M. von der Kirche, 1 St. 45 M. von Bern entfernt.

Nr. 75. Schwalmern.

Politische Lage. Bern, Grenze zwischen dem A. Interlaken
und Frutigen.

Höhe. 8427' B. Kasthofer.

Gebirgsart. Basis jurassischer Hochgebirgskalk. Darüber alpinische Kreide (Kalk und Kalkschiefer).

Entfernung. 10¼ Stunden.

Suleck, Morgenberghorn und die Lobhörner an Höhe überragend,
erhebt sich der breite und wilde Gebirgsstock der Schwalmern als
einer der ansehnlicheren Gipfel der mächtigen, gemsenreichen Gebirgsgruppe, welche zwischen dem Lauterbrunnenthal, dem Thunersee und
dem Kienthal aufgestellt ist und in mancherlei Gipfelformen den blauen
Aether berührt.

Zwischen dem Morgenberghorn nördlich, den Lobhörnern und dem
Spaltenhorn östlich, dem Schilthorn südlich, der First westlich, mit
welchen Bergspitzen sie durch vertiefte Joche verbunden ist, steht die
Schwalmern gleichzeitig als Gebirgsknoten da, von welchem das Sulb-
thal und der Spyggengrund in westlicher Richtung, das Saretenthal
und das Thal von Saus in östlicher Richtung auslaufen. Unter jenen
Nachbargebilden ist einzig das Schilthorn, das an Höhe sie übertrifft. Ihre Gipfelmasse tritt als ein von Norden gegen Süden zie-
hender Felsgrat auf, welcher verschiedene Erhebungen bildet. Stellen
wir uns auf die Einsattlung des Renggli (5280'), so können wir

die Gebirgskante verfolgen, wie sie sich zwischen den hintersten Grün=
den des Gulb = und Saretenthals stufenweise über das Rengglihorn,
das Wasmi, sodann in jäher Ansteigung auf den Knubel oder die
Kleine Schwalmern (Schwalmihöri) und wieder in mehr
gedehntem Rücken auf den vordersten nördlichen Gipfel der Schwal=
mern erhebt. Dieser hat die Form einer flachgedrückten Kuppe von
wenigen Schritten im Umfang. Ein scharfer Kamm führt von da hin=
über auf den höchsten Schwalmerngipfel, der mehr zugespitzt ist.
Dann folgt ein dritter Gipfel, der den Namen Glütschhorn trägt.
Endlich erscheint die äußerste südliche Spitze, das Rothhorn, zu=
weilen auch Drettenhörnli genannt (8629'), das gleich einem
schlanken Felsenthurme von röthlichem Gestein auf den Grat gepflanzt
ist. In kurzen, steilen Stufen senkt sich von hier der Gebirgskamm
nach der Einsattlung der Kieneck hinab, über welche ein müh=
samer Bergpaß aus dem Kienthal nach Saus hinüber geht. Die
Grundlinie von dem Renggli bis zur Kieneck beträgt ungefähr eine
Stunde.

Von unserem Standpunkte hinweg gesehen, verliert sich der Grat
des Glütschhorns und Rothhorns hinter dem Hauptgipfel der Schwal=
mern, so daß diese in der Gestalt einer zugespitzten Pyramide sich dar=
stellt. Ihre breiten Abstürze sind gegen Nordosten und Westen äußerst
steil abgerissen. Die westliche oder dem Gulbthale zugekehrte Seite
wird die lätze Schwalmern genannt *). Sie umfaßt ein wüstes, von
Lauezügen und Bachrunsen durchfurchtes, vielfach verwittertes Felsge=
hänge, an dem das Auge kaum hie und da ein Hälmchen Gras zu
erspähen vermag. Dennoch unternehmen es versuchte Jäger hier em=
porzuklimmen. Eben so wild und kahl senkt sich der nordöstliche Ab=
sturz der Schwalmern in den Grund des Saretenthals. An ihrem
Fuß liegt auf schöner Rasenterrasse die Alp Neßleren mit ihren
hübschen Wasserfällen. Sie ist durch den niederen Bergvorsprung der
Burg von der Thalverzweigung getrennt, die von dem Rengglibach
durchflossen wird.

Ein vortretendes Stück der Felsenwand, welche den Absturz gegen
die Neßlerenalp bildet, heißt der Mönch oder die Mönchsfluh.

_____

*) Die Bedeutung dieses Wortes ist bei Nr. 71 erklärt.

Gleich eingehauenen Pfaden ziehen sich zwei Furchen, eine höher/ eine tiefer, längs der Felswand schräg aufwärts. Sie werden die „obere und untere Mönchsschnur" genannt und sollen in früherer Zeit kühnen Jägern zu Schleichwegen gedient haben. Jetzt sind diese Gänge so zerfallen, daß sie Niemand mehr zu betreten wagt. Eine Felsenkante, die von dem nördlichen Schwalmerngipfel ausgeht und den Absturz gegen das Gaxetenthal krönt, lehnt sich in ihrem flachen Auslaufe an den Fuß der Lobhörner an. Mit dieser Kante ungefähr parallel verläuft sich vom Rothhorn ein Grat in östlicher Richtung auf eine eben so merkwürdige Felsengestalt, wie sie das große Lobhorn aufweist, nämlich auf das Spaltenhorn (auch Breitart genannt), welches gegen das Sausthal lothrecht abgeschnitten ist. Die gesammte östliche Abdachung des Schwalmerngrats bildet zwischen jenen sie begrenzenden Kanten eine sanftgeneigte Hochfläche, die mit dem Namen Hohgant (von Gant, Felsenbruch, siehe die Anmerkung beim Art. Hohgant Nr. 13) bezeichnet wird und dem Auge ein Chaos von Felsen, Trümmerwüsten und Schneefeldern gewährt. Das Schmelzwasser des Schnees quillt als brausender Bach zwischen dem Lobhorn und Spaltenhorn in das Thal von Saus. Auch in südwestlicher Richtung stößt das Gebirge vom Rothhorn und dem höchsten Schwalmerngipfel kurze Seitenäste ab, deren Fuß von den Alpen Hohkien und Glütsch umgürtet ist.

Soviel über die topographische Lage dieses interessanten Gebirges. Die geologischen Verhältnisse desselben sind beim Schilthorn (Nr. 76) erläutert. Ebenso die Flora des Gebirgsstocks der Kander- und Lütschinenthäler. Von der Schwalmern insbesondere sind folgende Spezies bekannt: **Saxifraga** Koohii und **Campanula** cenisia L.

Die Schwalmern bleibt mit unvergänglichem Schnee belastet. Wenn auch selbst bei Menschengedenken, in seltenen äußerst günstigen Sommern ihre Winterdecke verschwand, so hat die Rauheit des Klimas und die Wildheit des Berges so zugenommen, daß seit einer Reihe von Jahren eine nicht unbeträchtliche Schneemasse auf ihren luftigen Zinnen haften geblieben ist. Dieser Berg trägt übrigens, wie wenig andere Alpenhörner, historische Merkmale seiner einstigen

Nutzbarkeit und seines verwilderten Zustandes. Der Name „Heim=
gärten," der jetzt noch einem Bezirke am höchsten östlichen Abhang
der Schwalmern zukömmt, entspricht der Volkssage, daß vor Zeiten
auf Suls und bis an die Schwalmern hinauf Heugüter gelegen seien.
Die flache Grabniederung am westlichen Fuße der Lobhörner heißt
noch jetzt das Schwingerplätzli, und auf dieser Stelle soll einst
eine Stadt (d. h. wohl ein Läger von Alphütten) gestanden haben,
wo Schwingfeste gehalten wurden. An der Seite der Mönchsfluh ge=
wahrt man zerfallene Rasenhänge, welche den Gemsen zum Weit=
beplatz dienen. Sie werden die Hohgantmäder genannt, und ihr
Name deutet darauf hin, daß hier das Heu eingesammelt wurde. Ei=
nem alten Steuerurbar zufolge mußte ehemals von diesen Mädern
eine Steuer oder Telle von jährlich Bz. 17½ entrichtet werden.

Die anwohnenden Bergleute geben der Schwalmern den Namen
Schwalmenen. Ihrer Höhe und Wildheit wegen wird sie beinahe
ausschließlich von Gemsjägern bestiegen, obgleich ihre Besteigung von
mehreren Seiten her gefahrlos ist. Von Sareten aus bieten sich zwei
Wege dar. In einer starken Stunde gelangt man nach der Alp Neß=
lern. Von da zieht sich südwärts eine Bergschlucht hinein. Sie wird
in den Schöpfen *) genannt und ist von dem Mönchbache, einer
Quelle des Gurben, bewässert. Im Hintergrunde dieser kurzen Schlucht
klettert man an der steilen Bergwand empor und erreicht die Stelle,
die das Schwingerplätzli heißt. Alsdann verfolgt man eine jener
Schneebuchten, die sich gegen den Gipfelkamm hinziehen, und in we=
nigen Schritten wird dieser erklommen. Auf diesem Wege bedarf es
zur Besteigung der Schwalmern von der Alp Neßlern hinweg etwa
3 Stunden. Weniger steil, aber etwa drei Viertelstunden weiter, ist
der Weg nach der Alp Bellen, von da schräg aufwärts gegen die
niederste Suleck und um das kleine Lobhorn herum auf das
Schwingerplätzli, wo man mit jenem ersterwähnten Wege zusammen=
trifft. Freilich muß sich der Leser hier nicht mehr gebahnte Wege
vorstellen. Auch von der Alp Suls kann man durch das Fürthal ge=
gen die niederste Suleck emporsteigen und von da den letztbezeich=

---

*) Schopf ist gleich Felsenkopf, es kommt von Schaub, goth. Skufta, holl. top oder
stop, ital. ciuffo und bedeutet eigentlich einen Schopf von Haaren. (Frisch.)

neten Weg verfolgen, oder aber das Lobhorn an seiner Mittagseite
umgehen und zwischen diesem und dem Spaltenhorn hinaufschreiten.
Keine größere Schwierigkeit bietet die Besteigung aus dem Sausthal
und von der Glütschalp dem rüstigen Berggänger dar.

In seinen Knabenjahren hörte der Verfasser einst von dem für
unsere Alpennatur so begeisterten Dichter der Parthenais die Aeußerung,
daß zu einer klaren Uebersicht der großartigen Gebilde des Berner-
Hochlandes kein Standpunkt geeigneter sein dürfte, als der erhabene
Gipfel der Schwalmern. Diese hingeworfenen Worte hafteten fest
in dem jugendlichen Gemüthe und es ruhte nicht, bis es sich von der
Wahrheit derselben überzeugen konnte. Indessen wurden die gehegten
Erwartungen des Verfassers nicht in vollem Maße erfüllt, als er im
Jahr 1838 an einem schönen Herbsttage auf dem Gipfel der Schwalmern stand. Allerdings entfaltet sich daselbst ein wunderschönes Panorama. Die Faulhornaussicht mag dasselbe nicht übertreffen; vielmehr steht man hier fast eben so nahe den Riesenhäuptern des Hochgebirges gegenüber und der Blick nach der Tiefe und Weite des Landes ist umfassender und bestimmter, als von jener berühmten Alpenspitze. Die genahten, hohen Gipfel des Schilthorns und Schwarzbirgs beschränken aber einiger Maßen die freie Ansicht der Gletscher-
kette, obwohl sie selbst wieder durch ihre mächtigen Profile und ihren
ernsten Ausdruck die gewaltigen Bilder des Gemäldes vermehren
helfen.

Jedenfalls wird die Schwalmern, wegen ihrer Abgelegenheit, ihrer
abschreckenden äußeren Gestalt, des Mangels an naher Zufluchtsstätte und bequemer Zugänge niemals ein Touristenziel werden. Würde
sich doch selbst unter der Masse der Herrenführer, die sich dort im
Böbelein dem Fremden zu Dutzenden aufdrängen, kaum einer finden lassen, der die Schwalmern selbst bestiegen hat und als zuverläßi-
ger Wegweiser dienen könnte. Der unerschrockene Forscher oder Naturfreund, dem es vorbehalten bleibt, auf dieser stolzen Hochwarte
die Offenbarungen einer großen Natur zu feiern, muß sich seinen sicheren
Begleiter aus der Zahl der Jäger oder Hirten in Sareten, auf Suls,
auf Lattreien oder auf der Glütschalp erlesen.

Nr. 76. Schilthorn.

Politische Lage. Bern, Grenze zwischen dem A. Interlaken und Frutigen.

Höhe. 9187'. T. Veel.

Gebirgsart. Basis, jurassischer Hochgebirgskalk. Darüber alp. Kreide (Kalk und Kalkschiefer).

Entfernung. 11 Stunden.

Wer von Bern aus die Hochalpen betrachtet, der gewahrt zwischen dem Felsengürtel der Kalligstöcke und der Pyramide des Riesen, die Gegend bezeichnend in welcher das Becken des Thunersees liegt, eine Gruppe von dunkeln Gebirgen, die, obschon den Mittelalpen angehörend, dennoch auf ihren kahlen, wild durchfurchten Kuppen nie ganz von Schnee entblößt sind. — Mitten aus diesem Gewirre finsterer Berggestalten, etwas verloren im Hintergrunde zwischen den vorgeschobenen Massen der Schwalmern und der Kilchfluh, blickt, oft kaum wahrnehmbar, weil er mit den nahestehenden Firnen des Hochgebirges an Höhe und Farbe wetteifert, ein Gipfel hervor, der sich durch die reine Schneekappe auszeichnet, mit welcher auch im höchsten Sommer sein starres Felsenhaupt geschmückt ist. Dieser Gipfel ist das Schilthorn*).

Wenn wir die topographische Lage des Schilthorns in's Auge fassen, so erkennen wir dasselbe als Kulminationspunkt sowohl des vielgliedrigen Gebirgsstockes, der als Vorwall der beeisten Zinnen des Gspaltenhorns und der Büttlosa das Thal von Lauterbrunnen von dem Kanderthale scheidet und seinen nördlichen Fuß in die Tiefe des Thunersees versenkt, als auch zunächst des hohen Felsenkammes, der unter dem Namen Schwarzgrat in nordöstlicher Richtung von ihm nach dem Gipfel des Schwarzbirgs ausläuft. Als ein gegen Norden vorstehendes Felsenpostament des Schilthorns erscheint die Kilchfluh (auch Schilt an Hohlen genannt), welche in lothrechten Wänden und jähen Trümmerhalden gegen das vertiefte Joch der Kieneck und die Alpenterrasse des Kienbodens oder Hohlen abgeschnitten ist.

---

*) Schilt bedeutet eine Dachfirst.

Eine hohe Bergwand senkt sich von dieser Alpenterrasse nach dem hintersten Grunde des kleinen Kienthals oder Spyggengrundes herab. Drei Bäche: der Weißbach, der Ferrichbach und der Hengstbach, stürzen sich über diese Bergwand hinunter. Diese Gegend lieferte seiner Zeit eine reichliche Ausbeute zu Hallers unsterblicher Hist. Stirp. Helv.

Westwärts steht das Schilthorn vermittelst der Gratniederung des Rothenheerdes mit den Anbrist- und Hundshörnern in Verbindung. Schroffe Felsen und Schneehänge bilden hier den Absturz des Gipfels; ein rauher Jägerpfad führt aus dem Spyggengrund über den rothen Heerd nach Sevinen. Gegen Südosten sind die kahlen Felswände und Schieferhalden des Schilthorns gegen das enge Schiltthal gekehrt, welches in seinem Schoße die Triften der nach Gimmelwald gehörenden Schiltalp, mit 180 Kuhrechten, birgt und von dem Schiltbache bewässert ist. Dieses Hochthal ist auf der einen Seite durch den Schilt- oder Wasengrat eingedämmt, welcher sich von der südöstlichen Kante des Horns ablöst, in der schroff abfallenden Doppelspitze des Bräunli (6619') endet und die Schiltalp von der Alp Boganggen, die zu der großen Sevinenalp gehört, scheidet. Auf der anderen Seite wird das Schiltthal durch den Grat des Widderfelds von dem Mürrenberge geschieden. Dieser Grat stuft sich gegen die kahle Felsenmasse des Weißbirgs empor, und dieses letztere schließt sich an den Schwarzgrat an. Ein wildes Hochthal, welches den Engeschafberg umfaßt und welchem der Mürrenbach, über ein hohes Felsenhorb niederstürzend, entströmt, liegt zwischen dem Vorwall des Weißbirgs und dem Schwarzgrat verborgen. Hoch oben im Gebirge, vom Schilthorngipfel, dem Schwarzgrat und Weißbirg umschlossen, befindet sich in einem wilden Felsenkessel der Trichter des Grauen Sees, dem der Schiltbach entquillt. Es giebt Jahre, wo dieser kleine Alpensee seine Schneedecke nie ganz verliert. Im Nordosten endlich fallen die schwarzen Wände des Schilthorns in den Grund des Sausthals ab. Dieses hohe Alpenthal dehnt sich bei zwei Stunden lang an der Nordseite des Schwarzgrats aus. Die Thalsohle bildet verschiedene unregelmäßige Terrassen. Der Sausbach, der das Thal durchfließt, stürzt vor seiner Vereinigung mit der Lütschine in mehreren mächtigen Fällen über die Bergwand

hinunter. Die enge wilde Kluft, welche die weitspritzende Wasser=
masse aufnimmt, wird die Hölle genannt. Von den Häusern im Sand=
weidli an der Straße nach Lauterbrunnen bedarf es kaum einer Vier=
telstunde, um diese furchtbarschöne Scenerie anzuschauen. Saus hat
563 Kuhrechte; die Hauptläger sind Oberberg, Matten und Alpbigeln.
Dieses Thal ist der Sage nach sehr verwildert. In alter Zeit soll
daselbst ein hübsches Dorf gestanden haben, das, bis auf ein kleines
Kind, mit all seinen Bewohnern von dem Bergstrome vernichtet wurde.
Der gerettete Fündling erhielt den Namen Sauser, und noch ist
dieses Geschlecht im Oberlande zahlreich vorhanden. Romantischer
klingt die Sage von dem schönen Mädchen von Eisenfluh und dem
wackeren Jüngling von Mürren, welche an den Ufern des Sausbachs
hirteten und über den angeschwollenen Strom im Scherze sich mit Blu=
menstücken bewarfen. Unglückseliger Weise barg eine aus dem Bo=
den gerissene Scholle den Stein, der, von der Hand des rüstigen Kna=
ben geschleudert, die Geliebte an die Schläfe traf, so daß ihr Athem
schwand, als sie noch verzeihend aufblickte zu dem jungen Hirten,
welcher sich kühn zu ihr hinüber gearbeitet hatte. Das schöne
Mägdlein ward bestattet, wo es hingefallen; der schuldlose Jüngling
aber wollte nicht mehr heimkehren ins väterliche Dorf, sondern er=
baute sich ein Hüttchen am Grabe und starb nach wenigen Jahren
eben da, wo seine Freude gestorben war *).

Was die geologischen Verhältnisse der Schilthorngruppe (Nr. 75.
76. 77. 83. 86. 87.) anbetrifft, so ist der ganze Gebirgsstock der Kien=
und Lütschinenthäler ausschließlich Kalkgebirge. Seine ganze in den
Thälern zu Tage tretende Grundlage besteht aus dunklem, hartem, so=
genanntem Hochgebirgskalk, der der Epoche des Lias und Jura ange=
hört. In großer Mächtigkeit ist ihr eine zur Kreideepoche zu zählende
Formation von Kalk und Kalkschiefer aufgesetzt, die meistens in sehr
unregelmäßiger und verworrener Lagerung die höheren Gräte und Gi=
pfel bildet. Längs des nördlichen und westlichen Abfalls des genann=
ten Gebirgsstocks wird die Kreide noch von einem, freilich oft unter=
brochenen, Wall von Nummulitenkalk bedeckt, der an manchen Stellen

---

*) Vergl. Wyß Alpenreise.

fogar die höheren Gipfel erreicht (Lattreienfirst, Morgenberghorn) und auch hier und da Spuren von Steinkohlen zeigt.

In botanischer Hinsicht ist der Gebirgsstock der Kander= und Lütschinenthäler im Allgemeinen noch wenig erforscht. Er scheint sich im Ganzen ungefähr in die Flora der Riesen = und Faulhornkette zu theilen, ohne jedoch eine so reiche Anzahl seltener Formen aufzuweisen, wie die letztere. Dennoch enthalten die hintern Thäler dieses Gebirges neben den Pflanzen der höheren Alpen hier und da ziemlich unerwartete Spezies. Wir haben die bekannten bei den einzelnen Lokalitäten (Suleck, Schwalmern, Dreispitz u. s. w.) angegeben. Zunächst am Schilthorn, im Sevinenthal, wurden gefunden: Anemone sulfurea L. Cardamine resedifolia L. Gentiana acaulis flore albo. Primula auricula fl. purpureo. Aretia helvetica L. Gagea lutea Gawl.

Das Schilthorn läßt sich von mehreren Seiten her bereisen. Von Thun aus dürfte der nächste Zugang derjenige sein, der über Reichenbach durch das Kleine Kienthal dahin führt. Auf der Alp Hohtlen, 8 Stunden von Thun entfernt, könnte der Wanderer die Nachtherberge nehmen und am folgenden Morgen, gegen den Rothen Heerd hinansteigend, den Gipfel bei guter Tageszeit erreichen. — Aus dem Thal der Lütschine steigt der Wanderer entweder über Eisenfluh nach der Sausalp empor, durchzieht das lange Bergthal von Saxs, gewinnt die Höhe des Schwarzgrats und gelangt von der Nordseite her auf den Gipfel; oder er begiebt sich nach Mürren, von da nach der Schiltalp und erklimmt das Horn von der Ostseite; oder er dringt noch weiter hinein nach der Alp Boganggen und erklettert den Gipfel von der Südwestseite. Die Reise auf das Schilthorn kostet jedenfalls nicht geringe Anstrengung und darf nur dem kräftigen und gewohnten Gänger anempfohlen werden. Ein kundiger Führer ist unerläßlich dabei.

Es war im Jahr 1843, als der Verfasser in Begleit zweier Freunde eine Reise nach dem Schilthorn unternahm. Um Mittag waren sie in Lauterbrunnen und setzten von da ihre Wanderung fort. Lauterbrunnen liegt 14 Stunden von Bern entfernt. Zur Seite der kahlen Felswand, über welche der Staubbach niederwallt, windet sich unmittelbar hinter dem Dorfe an der steilen bewaldeten Bergwand ein Reitweg empor. Allmälig wird der Absturz weniger gleichförmig.

Es bilden sich Schluchten und Vorsprünge, die man umgeht. Das steinige Bett des Pletschbachs wird überschritten. Unbedeutsam rieselt das Wasser dahin, das wenige Schritte tiefer jenen vielbewunderten Sturz erzeugt. Die Waldung wird endlich lichter. In sanfter Steigung führt der Weg den freien begrasten Höhen entlang. Gegenüber verweilt das Auge an den Riesenfirnen der Jungfrau, es haftet mit Grauen an den lothrechten Felsenwänden des Schwarzmönchs, betrachtet mit Lust die sonnigen Triften der Wengernalp, mit Bangen die finstere Kluft des Trümmletenthals. In schwindlicher Tiefe schlängelt sich die Lütschine durch die grünen Wiesen von Lauterbrunnen. Ohne Ermüdung erreicht man in 2½ Stunden das Bergdorf Mürren. Die Dorfbewohner, vor allen aus der weibliche Theil der Bevölkerung, drängten sich neugierig um die ankommenden, ungewohnten Gäste. Diese aber, den guten Anlaß ergreifend, mit einer kurzen Rast eine stärkende Erquickung zu verbinden, erkoren sich aus der Mädchenschaar die lieblichste Maid, die den Tribut der Neugierde mit — einem Kusse? nein, bewahre! mit einer mächtigen Kanne dampfenden Kaffeegetränks zu bezahlen hatte. — Wenn man den dumpftosenden Mürrenbach überschreitet und auf lieblichen Pfaden über die duftenden Weiden emporsteigt, so gelangt man in einer Stunde von Mürren zu den Sennhütten der Schiltalp in jenem hochgelegenen, baumlosen Bergthal. Der Schiltbach rauscht durch die begraste Fläche der schmalen Thalsole und scheint sich tiefer in enger Kluft zu begraben. Im Hintergrunde schließt die finstere Gestalt des Schilthorns, in der Form einer abgestumpften Pyramide, den Thalkessel, während die Thalöffnung ostwärts die wunderschöne Ansicht der reichbegletscherten Jungfraukette gestattet. In der ersten Alphütte, in der die Wanderer anklopften, wurden sie gastfreundlich willkommen geheißen. Am 8. August brach ein wolkenloser Morgen an, und die Besteigung des Schilthorngipfels wurde angetreten. Aus dem hintersten Grunde des Schiltthals klimmt man an den steilen Rasenhängen empor, jede Spur eines Pfades hinter sich zurücklassend. Schon in ansehnlicher Höhe gelangt man zu der „Grauen Platte,“ einer Stelle, wo etwa 16 Schritte breit ein steiler, glatter Felsen den Rand einer sich öffnenden Kluft beherrscht. Auf einem schmalen Absatze, der von der Natur gebildet ist, muß diese Wand quer überschritten werden. Der

Schwindelfreie gelangt ohne Schwierigkeit an das jenseitige Bord, und an der Hand eines sicheren Führers hat selbst der Ungewohnte diesen Gang nicht zu scheuen. Man nähert sich dem moosigen Ufer des schäumenden Schiltbachs und bald gelangt man auf die Grathöhe zwischen dem Schilthorn und dem Weißbirg. Hier öffnet sich ein neues, bisher den Blicken verborgenes Hochthal, in dessen Grund das Gewässer des grauen Sees liegt. Die Wände des Trichters waren mit Schnee bedeckt. Der See selbst lag großentheils unter Eis begraben. Auf der Zinne des Schwarzgrats zeigte sich eine Gemse, die da als aufmerksame Vorhut zur Wache aufgestellt war und die Ankunft gefürchteter Gäste ihren sorglos weidenden Gefährten durch helles Pfeifen kund gab. An der Westseite des Sees zogen sich die Firnhänge in glänzender Frische stufenlos bis auf den höchsten Gipfel des Schilthorns empor. Der Schnee besaß jene angenehme Elasticität, die es möglich macht nur vermittelst des leichten Eindrucks der Fußspitze selbst an jähen Stellen leicht und sicher vorwärts zu schreiten. Ist die Abdachung nicht zu steil, so ist es ein wahrer Genuß auf einem solchen diamantnen Teppich zu lustwandeln.

In der Zeit von drei Stunden, von der Schiltalp weg gerechnet, hatten die Reisenden den Gipfel bestiegen.

Wer einmal zur Seltenheit einen Blick thun will in die kolossale Welt der Berner Hochalpen, wer ihre kühnen Formen, ihre riesenhaften Verhältnisse, ihren Reichthum an Gletschern, ihre Felsenwüsten in unmittelbarer Nähe auf einmal zu überschauen sich sehnt, der walle nach des Faulhorns Zinne, oder noch lieber nach dem Schwarzhorn, oder besteige des Schilthorns selten betretenen Gipfel. Wenn sich von hier aus im Einzelnen eine weniger malerische Formenbildung unterscheiden läßt, als sie dort Wetterhorn, Schreckhorn, Finsteraarhorn, Viescherhörner und Eiger zur Schau tragen, so ist das Bollwerk der Eisgebirge dem Schilthorn in gedrängterem, massenhafteren Zusammenhange zugekehrt. Am nächsten dürfte der Aussicht des Schilthorns das Prachtpanorama des Brévont zur Seite gestellt werden, wo die Wunder des Montblancgebirges sich dem Auge in ihrer ganzen Fülle offenbaren.

Versuchen wir mit einigen Zügen den Charakter der Schilthornaussicht zu entwerfen. Gegen Osten verfolgt das Auge die Gebirgs-

ketten, die sich hinter dem Grat des Schwarzbirges bis nach dem
Wildgerst und Schwarzhorn erheben. Brienzergrat, Rigi, noch entferntere zahllose Gipfel der Urkantone, Uri-Rothstock, Glärnisch, Titlis,
bekränzen den Horizont. Hinter den nahen Gräten der Lauberhörner
beginnt die Reihe der Berner-Hochalpen, die mit ihren strahlenden
Firnen den südlichen Horizont umstellt. In der Mitte zwischen Wetterhorn und Doldenhorn thront, alles überragend, die Jungfrau, Brust
und Haupt schwanenweiß, vom Gürtel bis zum Fuß in ein düsteres
Felsengewand gekleidet. Der Grund des Sevinenthals, beherrscht von
den Gebilden des Tschingelgrats, des Gspaltenhorns und der Büttlosa,
ist dem Auge erschlossen. Nicht leicht gewahrt man eine so schauerliche
und gleichzeitig so großartige Felsenwildniß. Riesenhafte Flühe umgürten den öden Thalkessel, zerschrundete Gletscher und unvergängliche
Schneelasten krönen die Felsenwand. Gletscherbrüche und Schneelawinen ergießen sich zuweilen in schönen Kaskaden von Silberstaub
wohl 1000 Fuß hoch über jene Felswand herab, und ihr Staub ver-
vermischt sich mit den Trümmern eingestürzter Berge, deren Ruinen
zwar noch stolz da stehen und ins ferne Land hinleuchten. Diese
Wildniß erinnert an das ihr ähnliche Creux de Champs an den
Diablerets, oder an die begletscherten Felswände des Rätzlberges.
— Im Westen übersieht das Auge ein Gewirre von Gebirgszügen,
die theils in einander geschoben, theils parallel hinter einander fort-
laufend, nur von dem Kenner entziffert werden können. An der äußersten Grenze dieser Gebirgzone erscheinen Diablerets, Oldenhorn,
Donts d'Oche, Brenleire, die Hörner bei Charmey und Jaun, und die
Gipfel der Stockhornkette; näher Filfistock, Lohner, First, Albrist,
Gsür, Männlifluh und Niesen; noch näher Oeschinengrat, Düuden-
stock, Aermighorn und im ersten Gliede die Andrist- und Hundshörner.
Gegen Norden sieht man in weiterer Ausdehnung um die Kilchfluh
gelagert: Dreispitz, First, Schwalmern, Lobhorn, Suleck und Spaltenhorn. Es öffnet sich die Aussicht auf den Spiegel des Thunersees
und auf die reichbebauten Hügel und Landesflächen. Der Jura und
die Züge der Emmenthaler- und Entlebucherberge begrenzen für das
unbewaffnete Auge den Gesichtskreis.

Während zwei Stunden verweilten die Reisenden auf dem Gipfel,
als anstauchende Nebel, die wie zürnende Berggeister in mancherlei

9

bizarren Gestalten an die Berggipfel sich hängten, zum Aufbruch mahn=
ten. Der hehren Alpenwelt wurde ein flüchtiges Lebewohl gesagt, mit
der Ahnung, daß es nicht das letzte sei. Auf rauhen und mißlichen
Pfaden ward die schneebedeckte Einsattlung des Rothen Heerdes erreicht,
und von hier längs dem Höhenrande steiler, gefrorner Halden die loth=
rechte Felsenwand der Kilchfluh umgangen. Nach einem Marsche von
3 Stunden betrat man den sichern Boden der Kienegg, und rascher ging
es von da nach den tiefern Gründen des Sausthals. Einer Stunde
Wegs bedarf es ungefähr bis zu den Hütten des Oberberges, und 3
weiterer Stunden, um nach Zweilütschinen zu gelangen.

Nr. 77. Kilchfluh.

Das nördliche Fußgestelle des Schilthorns. Siehe die Schilderung
des letztern oben bei Nr. 76.

Nr. 78. Tschingelgrat.[1]

Politische Lage. Bern, B. Interlaken.
Höhe. 10,500' (?).
Gebirgsart. Hochgebirgskalk, von Kreidegesteinen bedeckt.
Entfernung. 12 Stunden.

Ein Felsenpostament von mehreren tausend Fuß senkrechter Höhe
belastend, erhebt sich der Kamm des Tschingelgrats, östlich an das
Gspaltenhorn gelehnt, in zwei abgesonderten Gipfelmassen. Der eine
Gipfel, der dem Gspaltenhorn am nächsten liegt, ist in dem Profil eines
ziemlich regelmäßigen Dreiecks zugespitzt. Die Höhenkante scheint
schneidend scharf zu sein. Die Seitenflächen gleichen glatt polirten
Firnwänden, von einzelnen Felsbändern in schiefer Richtung durchzogen.
Die östlich anstehende Gipfelerhebung erreicht die erstere an Höhe nicht
ganz. Sie stellt sich dar als ein gedehnter, mit einer massigen Eis=
decke überwölbter, weniger scharf zugeseilter Rücken, der an seinem
äußeren Endpunkte in den kahlen Tschingelflühen lothrecht auf

---

[1] Die Bedeutung des Worts Tschingel siehe beim Art. Tschingelhorn, Nr. 110.

die Schneide des vertieften Grates abfällt, welcher sich in östlicher Richtung über den Ellstab und das Spitzhorn auf den Busengrat und Tanzboden hinaus erstreckt. Das Gspaltenhorn und der Tschingelgrat bilden die kurze Gebirgsverzweigung, welche das Sevinenthal von dem hintersten Theil des Lauterbrunnenthales scheidet.

Auf ältern Panoramen erscheinen die beiden Gipfel des Tschingelgrats auch unter dem Namen Lauterbrunnen-Eiger, und der westlicher gelegene insbesondere noch unter der Benennung Wetterhorn. Diese Bezeichnung beruht aber offenbar auf einer Verwechslung mit einem mehr südlich am Fuß des Tschingelhorns gelegenen Gipfel, welcher von den Einwohnern von Ammerten das Wetterhorn genannt wird. Die Benennung Lauterbrunnen-Eiger sodann ist durchaus verschollen. Wyß *) sagt, daß man ihm das ganze Felsgebirg oberhalb des Steinbergs in Ammerten Breittschingel genannt habe. In früherer Zeit trug der Tschingelgrat auch den Namen Büttlassengletscher, das Gspaltenhorn hieß Büttlassenhorn; jetzt aber kömmt diese Benennung nur noch einem nordwärts am Gspaltenhorn liegenden Firngipfel zu.

Die entsetzlich schroffen Eis- und Felsenhänge des Tschingelgrats scheinen seiner Erklimmung, wenigstens von der Nordseite her, unüberwindliche Schwierigkeiten entgegenzusetzen. Wenn je eine solche möglich ist, so müßte sie von dem Tschingelgletscher aus versucht werden, weil sich auf dieser Seite ein Felsgrat von dem Gipfel ablöst, und der Gletscher selbst schon eine leicht erreichbare, hochliegende Basis bildet, die sich an den Tschingelgrat anlehnt.

---

*) Reise ins Berner-Oberland.

Nr. 79. First. Nr. 82. Dreispitz.

Politische Lage. Bern. A. Frutigen.

Höhe. { First 7700' (?).
{ Dreispitz 7793'. T. Frei.

Gebirgsart. { First. Nummulitenkalf.
{ Dreispitz. Schwarzer Kalk und Schiefer (alpin.
{ Kreide), von Nummulitenkalf bedeckt.

Entfernung. 9¾ Stunden.

Westwärts vermittelst des schmalen Alpensattels der Rengg an die Gruppe der Engelhörner (siehe Nr. 81) angelehnt, ostwärts durch das vertiefte, flache Joch des Lattreienfeldes mit dem Gebirgstock der Schwalmeren verbunden, thürmt sich zwischen dem Suldthal und dem Spyggengrund eine mächtige Gebirgsmasse empor. Sie gestaltet sich zu einem Gipfelpaar, und ein hoher, scharffantiger Grat verbindet diese beiden Erhebungen mit einander. Der westlich gelegene Gipfel heißt Dreispitz, der östliche die First. Aus dem Suldthale führt durch den Berggrund, der die Triften des unteren Berges von Obersold umfaßt, über jenen Alpensattel der Rengg ein schlechter Fußweg in 2½ bis 3 Stunden nach dem Kienthal, der auf keiner Karte als üblicher Gebirgspaß bezeichnet werden sollte. In steilen Hängen und Trümmerhalden, welche quer von Schafwegen durchzogen sind, strebt das Gebirge gegen die höhere, abschreckend wilde, felsige Gipfelmasse des Dreispitzes empor, während tiefe Gräben nach der Kienthalseite ausmünden. Der Gipfel des Dreispitzes selbst, der den Culminations-punkt mehrerer scharf zulaufender Felsenkanten bildet, ist auf der Süd-seite bis obenauf begrast und wird von Schafen besucht. Derselbe fußt an der Südwestseite auf der begrasten Terrasse des Höchstschaf-berges, welche in der ungeheuern Felswand der Höchstfluh loth-recht gegen das Kienthal abgeschnitten ist. Ein am oberen Rande der Höchstfluh durch und durch gehendes Loch ist vom Kienthaldörfchen sicht-bar. Der Höchstschafberg ist für 600 Schafe gefeiet und hat wohl eine Stunde Ausdehnung. In regnerischen Sommern ernährt er aber kaum die Hälfte von jener Zahl. Der Grat, der sich vom Dreispitz nach dem Gipfel der First erstreckt, fällt nordwärts sehr steil und felsig nach einem mit Trümmern bedeckten Gebirgskessel. Die Südseite des Grats ist zwar weniger kahl, ja beinahe durchgehends bis auf die höchste

Kante begrast. Der Absturz ist aber äußerst schroff bis da, wo in ansehnlicher Tiefe die Kühalpen liegen, und von wo sich der Fuß des Gebirges licht bewaldet in den Grund des Kleinen Kienthals verliert Dieser Seite entlang dehnen sich die Alpen Auf der Agnen, Feißbergli, Eggmatte, Eggmittelberg und Eggurschel aus. Die First, Lattreienfirst und, mit Rücksicht auf ihren nördlichen Abfall, auch Wannenfluh genannt, ist etwas weniger hoch und hat eine stumpfere Gipfelform als der Dreispitz. Auch das Aussehen ist weniger abschreckend. Die Abstürze sind zwar steil, aber mehrentheils begrast. Das Lattreienfeld am östlichen Fuße der First umfaßt die Alp Oberlattreien, und ein guter Bergweg führt aus dem hintersten Grund des Suldthals darüber nach dem Spyggengrund und jenen vorerwähnten Alpen. Nordöstlich stürzt sich die First nach dem vorspringenden Wyttllhorn ab. Am nördlichen Gehänge ist die weitschichtige, fast baumlose Alpenhöhe des Oberen Berges von Obersolb, mit schöner Fernsicht nach dem Thunersee und Jura, ausgespannt. Die untersten Hänge senken sich wieder steiler, theils bewaldet, theils felsig, in den engen Grund des Suldthals.

Der eigenthümliche Charakter der Dreispitzgruppe, die großartigen Aussichten, die ihre Höhenpunkte gewähren, die reiche Flora, die zwischen drohenden Felsen bis an die höchsten Zinnen hinaufreicht (auf dem Dreispitz wurde die sehr seltene Viola cenisia All. gefunden), die Auswahl von interessanten Gebirgsübergängen zwischen den angrenzenden Thälern, machen den Besuch dieser fast unbekannten Alpengegend lohnend genug. — Um den Dreispitz zu besteigen, kann der Wanderer durch die herrliche Gegend von Thun und Aeschi nach dem Suldthal vordringen und in dem Seitenthälchen der Obersoldalp in der Hütte des Höchstschäfers sein Nachtquartier aufschlagen. Von Thun hieher sind 6 kleine Stunden, von Bern nach Thun 5½. Am folgenden Morgen gewinnt man in kurzer Zeit die Höhe des Renggsattels, steigt dann über die Stufen des schmalen Grates hinan bis dicht an die felsige Wand des Dreispitzes, verfolgt alsdann den obersten von jenen quergehenden Schäferpfaden bis dahin wo, ungefähr in der Mitte des Weges nach der Höchstfluh, eine seltsam geformte Felsenmasse gleichsam wie ein Auswuchs des Berges hervorsteht. Dieser entlang windet man sich durch eine mit Trümmern angefüllte Kehle zwischen den Felsen empor, wählt sodann eine der Kanten, die nach dem Gipfel führen, und nach wenigen Schritten betritt man diesen. Von der Schäferhütte auf Höchst bis auf den Dreispitz sind 3—3½ Stunden zu rechnen. — Unter den Bildern der Aussicht sind es hauptsächlich die nahen male-rischen Gruppen des Schilthorns und der Kienthalgebirge und die da-hinter thronenden begletscherten Hochalpen, die den freudig umherschwei-fenden Blick fesseln. — Vom Gipfel kann man längs den begrasten Abstürzen an der Mittagseite nach dem Kienthal heruntersteigen. We-niger rauh und beschwerlich ist die Wanderung auf die Lattreienfirst. Der Verfasser erinnert sich noch mit Vergnügen jenes Ausflugs, den er im Jahr 1842 mit einigen Freunden unternahm, in der Absicht, den Dreispitz zu erklimmen. Sie genossen damals einen köstlichen Abend auf den freien Triften des Obersolbberges. An dem Feuerherde in der ärmlichen Hütte des Gustihirten brachten sie eine lange schlaflose Nacht zu. In des Morgens stiller Klarheit erstiegen sie die First und über-schritten jubelnd den schmalen Blumenpfad auf der Kante des Grats. Schon vermochten sie drüben die Schafe zu zählen, die sich auf dem Dreispitz munter herumtummelten; weniger Schritte bedurfte es, um das Ziel zu erreichen; — da hemmten plötzlich die steil und schneidend aufgestellten Felstafeln des Gebirgskamms den fröhlichen Marsch, und die Wandrer waren gezwungen, von ihrem Plane abzustehen und den Rückweg einzuschlagen. Die Besteigung des Dreispitzes ward für ein anderes Mal vorbehalten. Bei seinem spätern Besuche vernahm der Verfasser freilich vom Schäfer auf Höchst, daß in geringer Höhe un-ter dem Grat ein Gang längs dem Felsen zum Ziele geführt hätte.

Nr. 80. Harzeren.

Politische Lage. Bern, A. Seftigen.
Höhe. 2753'. T. eidg. Berm.
Gebirgsart. Nagelfluh und Molasse.
Entfernung. 2½ Stunden.

1.   So heißt die höchste Erhebung des Belpbergs, die als selbstän-diger Hügelaufwurf dem Hochplateau dieses zahmen Berges entsteigt (siehe die Schilderung bei litt. A. hienach). Mit den Namen obere

und untere Harzeten werden aber auch einzelne Häuser belegt, die auf
dieser Höhe zerstreut sind und der Gemeinde Belpberg angehören, aber
nach Belp kirchgenössig sind.

Nr. 81. Engel.

Politische Lage. Bern, A. Frutigen.
Höhe. 6203' (?).
Gebirgsart. Nummulitenkalk.
Entfernung. 9½ Stunden.

Als nordöstlicher Vorwall der Dreispitzgruppe erhebt sich zwischen
den Mündungen des Sulb- und Kienthals aus dem freundlichen Thalboden von Reichenbach das Engelgebirge. Sein höchster Gipfel
ist die Wetterlatte oder Engelfluh, welche ostwärts in kahler
Felsenwand nach dem Renggbergli (3860') abfällt. Eine Rasenfirst
verbindet mit der Wetterlatte einen zweiten südwestlich gelegenen Gipfel des Engelgebirges, die Staubfluh geheißen. Von diesem dehnt
sich nordwestwärts ein breiter schöner Alpenrücken zu einem kleinen
Hochplateau aus, welches auf seiner äußeren Höhe bewaldet ist, und
von wo das Gebirge steil gegen die wiesen- und baumreichen Terrassen oberhalb des Dorfes Reichenbach sich versenkt. Zwischen den Erhebungen der Wetterlatte, der Staubfluh und jenem Hochplateau bildet
das Gebirge eine beckenförmige Vertiefung, in welcher die Hütten der
Engelalp liegen. Diese Alp hält 50 Kuhrechte. Eine Bergschlucht
öffnet sich nordwärts zwischen den Vorstufen des Engelgebirges und dem
waldreichen Gebirgsrücken, der von der Wetterlatte in nordwestlicher
Richtung über den Hochgalm *) und Faulenmatt niedersteigt und
in der großen schönen Falschenallment gegen Reichenbach und
Mühlenen (2080') in das Kanderthal sich ausflächt. Auf dem untersten sanften Gehänge liegt das Dorf Falschen. Dasselbe hieß vormals
Engelburg. Die Sage erzählt: Einst hätten die Walliser das Wage-
stück eines Einfalls in das Thal von Kandersteg unternommen und wä-
ren bis Mühlenen vorgedrungen. Da hätten sich mit den Männern

---

*) Die Bedeutung des Worts Galm siehe bei Drunengalm, Nr. 104.

auch die Weiber und Töchter von Engelburg bewaffnet und den Feind zum Rückzug gezwungen. Zum Andenken an diese Waffenthat sei des Orts Name in „Falschen" umgewandelt worden.

In ihrer geologischen Beziehung findet man die Engelkette jenseits des Thunersees in den beiden Gebirgsreihen, welche das Justisthal einfassen, in der Seefeldalp und dem Hohgant wieder. Sie setzt sich fort über die Schratten, und ihr östlicher Grenzstock ist der Pilatus. Die höheren Massen des Engels enthalten sehr mächtige Nummulitenbänke *).

Der äußere Charakter des Engelgebirges ist freundlich. Freilich sind die dem Thal zugekehrten Bergwände durchgehends sehr schroff und zum Theil felsig, die Höhen aber mit einem grünen Teppich schöner Alpweiden reich bedeckt. Sie ragen wenig über die Waldregion empor und sind leicht zugänglich. Das Vieh steigt auf die höchsten Zinnen, und es bieten sich Standpunkte dar, welche der malerischen Aussicht wegen besuchenswerth sind. — Der kürzeste Weg nach der Engelalp geht von Mühlenen oder Reichenbach (dieses 9 Wegstunden von Bern entfernt) über die Falschenallment in 2 bis 2½ Stunden dahin. Von den Alphütten kann man in einer halben Stunde die Standfluh, in einer Stunde die Wetterlatte erreichen. Will der Lustreisende seine Wanderung weiter ausdehnen, und ist er im Bergsteigen geübt, so kann er die Wetterlatte auf ihrer Nordseite umgehen, auf schmalem Pfade nach dem Renggbergli sich wenden und von hier entweder den Dreispitz erklettern oder nach dem Suldthal niedersteigen.

Die charakteristischen Parthien der Aussicht, die man auf den Höhen des Engels genießt, sind: der Thuner- und Brienzersee mit ihren reizenden Umgebungen, der wiesenreiche Thalboden von Frutigen mit seinen vielen Ortschaften, die alpenbedeckte Riesenkette, die imposanten Kienthalgebirge mit den Schneehäuptern der Blümlisalp und des Doldenhorns, und das wilde Gerüste des Dreispitzes.

*) Studer, Geologie der westl. Schweizeralpen.

Nr. 82. Dreispitz.

Siehe Nr. 79.

Nr. 83. Groß Hundshorn. Nr. 85. Zahm-Anbrist. Nr. 87. Golderenhorn.

Politische Lage. Bern. A. Frutigen.

Höhe. {
G. Hundshorn 9680' (?).
Z. Anbrist 8812'. T. Frei.
Golderenhorn 5948'.
}

Gebirgsart. Basis: Jurassischer Hochgebirgskalk. Darüber alp. Kreide. (Kalk und Kalkschiefer.)

Entfernung. 11. Nr. 83. 10¼ Stunden.

Da wo am nördlichen Fuß der Büttlosa die Gratniederung der Furgge (8000'?) einen beschwerlichen Uebergang aus dem Kienthal in das Thal von Lauterbrunnen gestattet, beginnt nordwärts der Furgge die Gipfelmasse eines wilden Gebirgsstocks, der sich durch mehrere hohe, zum Theil mit ewigem Schnee belastete Kuppen charakterisirt, jedoch nach kurzer Strecke sich rasch erniedriget und als zahme Alpenfirst gegen die Mündung des kleinen Kienthals oder des Spyggengrundes in das Große ausläuft. Von der Furgge stuft sich der Gebirgskamm über das nackte felsige Fußgestelle der Hundsfluh sogleich in seinem höchsten Gipfel, dem großen oder innern Hundshorn (Nr. 83) empor. Nordöstlich von diesem erhebt sich beinahe gleich hoch das äußere Hundshorn. In einer Marchbeschreibung des Amts Interlaken vom Jahr 1786 wird das Hundshorn Hundsbachhorn genannt. Das vertiefte Gebirgsjoch macht darauf eine Biegung nach Nordwesten und erhebt sich zu der schlanken Spitze des Wild-Anbrist, der von unserem Standpunkte aus zwischen den Nummern 83 und 85 für das scharfe Auge erkennbar ist. An den westlichen Gehängen des Großen Hundshorns und des Wild-Anbrist liegt der Dürrenberg mit 50 Kuhrechten und Weidrecht für 1000 Schafe. An der Hundsfluh befindet sich ein Loch mit einer dasselbe ringförmig umgebenden Vormauer, genannt Känels Bettstatt. Ein Gemsjäger, Namens Känel, soll diese Stelle zu seinem Nachtlager gewählt haben, wenn er auf die

Gemsjagd ging. Auf der nämlichen Seite erhebt sich eine Felsenwand
unter dem Namen Rumpfmannsfluh. Die Sage erzählt, zwei
Brüder des Geschlechts Rumpf, leidenschaftliche Gemsjäger, hätten
mit dem Teufel einen Pakt geschlossen, daß er sie jedesmal, wenn sie
auf die Jagd ausgehen wollten, in schnellem Fluge auf jene Fluh em-
portrüge, damit sie ohne Zeitverlust ihrem Weidwerk obliegen könn-
ten. — Nordostwärts verbindet sich die Hundshorngruppe vermittelst
der Einsattlung am Rothen Herd, welche die Wasserscheide zwischen
dem Sevinenthal und dem Spyggengrund bildet, mit dem Gebirgsknoten des Schilthorns. Der Rothe Herd liegt zwischen den Nr. 83,
77 und 76. — Auf den Wild-Andrist hingegen folgt die zum Theil schon
begraste Spitze des Zahm-Andrist oder Andreashörnleins, auch
Dürrenberghorn genannt (Nr. 85). An seinem östlichen Fuß dehnt
sich der wilde Hartisberg aus. Ein Felsgipfel am westlichen Absturz heißt das Schneiderhorn, das von einem Gemsjäger, des
Geschlechts Schneider, der durch einen Sturz hier verunglückte, seinen
Namen erhalten hat. Unterhalb des zahmen Andrist beginnt sofort eine
starke Senkung des Gebirgskamms. Ueber die Graterhebung der
Schöni, den seltsamen Felsenthurm der Hasenbodenkanzel und
die grüne, schmale First des Abendberges dehnt sich der Gebirgsrücken oberhalb der Margsfelalpen nördlich, des Hochgalm, der Roh-
leren und des Tschingel südlich, in nordwestlicher Richtung nach seiner
äußersten Erhebung aus. Diese zeigt sich in dem Felsgipfel des Gol-
derenhorns (Nr. 87), welches schroff und bewaldet in den Thalgrund
fällt. — Diese gesammte Gebirgsgruppe ist wenig gekannt und selten
besucht; die niedrigeren Theile derselben gestatten wegen ihrer beeng-
ten Lage keine umfassenden Aussichten, die höheren Gipfel schrecken
durch ihr wildes, starres Aussehen ab, obwohl gerade das große Hundshorn sowohl von der Seite von Lauterbrunnen als vom Kienthal her
in der späteren Jahreszeit, wenn der Schnee der höheren Berge seinen
tiefsten Stand erreicht hat, ohne Gefahr und ohne große Mühe bestiegen
werden kann. Von Lauterbrunnen gelangt man in 2½ Stunden nach
Mürren, von da in 2 Stunden nach der Sevinenalp Boganggen, und
in weiteren 1½ Stunden auf den Gipfel. Da wo die Schafweide auf-
hört, beginnen weite Trümmergehänge, welche reich an Petrefakten,
namentlich Ammoniten, sind. Es ist dieser Weg reich an großartigen

Naturansichten. — Weniger genußreich ist derjenige, der durch das kleine Kienthal führt. Da sind von Mühlenen oder Reichenbach bis auf die Alp Hohkien 5 Stunden zu rechnen, und von hier wird man kaum in 2 Stunden den Gipfel erreichen. Jedenfalls müßte man sich in Hohkien mit einem kundigen Führer versehen. Die Alp Kien=boden oder Hohkien liegt auf einer Hochebene im hintersten Grunde des Kleinen Kienthals. Stäubende Bäche, der Weißbach, Ferrichbach und Hengstbach, stürzen über die steile Bergwand in dieses Thal her=unter und bilden vereint mit dem Glütschbach die Spyggenkiene, wäh=rend die schöne Alpenfläche gegen die höheren Felshörner theilweise von kahlen, lothrechten Felswänden umgürtet ist. Hohkien enthält mit Steinwängen 144 Kuhrechte und Schafweide für 500 Stück.

Auch aus dem großen Kienthal kann ein rüstiger Gänger durch das sogenannte Telli zwischen dem Großen Hundshorn und dem Wild=Andrist auf das Gebirgsjoch und jenseits nach Sevinen hinüber steigen.

Die Aussicht, die man auf der flachen Kuppe des Großen Hunds=horns genießt, ist in hohem Grade lohnend. In ihrer ganzen riesen=haften Größe und Pracht stellt sich die Kette der höchsten Berneralpen dar, und wenn auch vom nahen Schilthorn der Blick nach Osten auf die fernen Gebirgsgruppen der Unterwaldnerberge etwas freier ist, so sind hier die mächtigen Schnee= und Felsenkämme des Kienthals besser entwickelt. Die Blümlisalp zeigt sich in wunderbarer Schönheit. Was der Aussicht vom Hundshorn noch einen besonderen Vorzug vor den östlicher liegenden Mittelgebirgen des linken Aarufers verleiht, ist die schöne Ansicht des Montblanc, der zur Rechten des Doldenhorns her=vortritt, und den man von den Gipfeln der Schwalmeren, des Schilt=horns, der Suleck und der Faulhornkette vergebens zu erforschen strebt.

Die geologischen Verhältnisse des hier geschilderten Gebirgs=stocks sind beim Schilthorn (Nr. 76) erläutert. Ebenso die botani=schen. In letzterer Beziehung bemerken wir, daß sich im Kien=thal neben den gewöhnlichen Pflanzen der höhern Alpen folgende Spezies finden: Draba frigida Saut. Cardamine resedifolia L. C. impatiens L. Viola cenisia All. Lychnis alpina L. Geranium lividum l'Hér. Phaca alpina Jacq. Geum reptans L. Hieracium staticifolium Willd. Aretia helvetica L. Ar. glacialis Heg. Ar. alpina Gaud. Neottia cordata Rich.

Nr. 84. Büttlaßen.

Politische Lage. Bern, Grenze zwischen den A. Frutigen und
Interlaken.

Höhe. 9790'. T. Frei.

Gebirgsart. Hochgebirgskalk, in der Höhe Kreibegesteine.

Entfernung. 11½ Stunden.

Gegen das Gebirgsjoch der Furgge, zwischen Sevinen und dem
Kienthal in hoher, steiler Felsenmauer abgeschnitten, thürmt sich südlich
von jenem die Kuppe der Büttlaßen empor, und zwar in der Ge=
stalt eines sanft ansteigenden, gegen seinen höchsten südlichen Gipfel=
punkt schmal zulaufenden Eisrückens, der, von Norden gesehen, die
Form eines mit der Spitze schief an das Gspaltenhorn gelehnten Drei=
ecks bildet und sich durch die Reinheit und die blendende Frische seiner
schönen weißen Decke auszeichnet. Der östliche Absturz fällt als eine
einzige kahle Felsenwand in das Sevinenthal ab. Auf der Seite des
Kienthals senkt sich das Gehänge in wilden Horngestalten, Schneehal=
den und Felsenschichten herab. Die Büttlaßen wird auch Büttlofa
und Binblofen genannt, und der Ausdruck „los" scheint das Brü=
chige, Lose ihrer Masse zu bezeichnen. Sie gehört, wenn auch nicht
unter die höchsten, doch unter die wildesten und unzugänglichsten Alpen=
hörner, und ihre Besteigung dürfte nur auf der Kienthalseite und nicht
ohne Wagniß gelingen.

Nr. 85. Zahm-Andrist. Siehe bei Nr. 83.

Nr. 86. Gamchilücke.

Politische Lage. Bern. Grenze zwischen den A. Frutigen und
Interlaken.

Höhe. 9200' (?).

Gebirgsart. Schwarzer, glänzender Thonschiefer, ein Lager von
Kalkschiefer mit Jurapetrefakten bedeckend.

Entfernung. 12 Stunden.

Zwischen dem Gspaltenhorn und der Blümlisalp bildet der Ge=
birgskamm, welchem jene mächtigen Gebilde entsteigen, eine auffallende

Krinne oder Einsattlung, die mit dem Namen Ganthi- oder Gam-
chi- (auch Gampchi-) Krinne oder Lücke belegt, von den Lötsch-
thaljägern aber die Kienthalfurgge genannt wird. Die nördlichen
Abstürze des schmalen Grats sind in ihren oberen Theilen entsetzlich
schroff und mit glattem Firne bekleidet. Tiefer beginnt der Gamchigletscher, der, einem mächtigen, zu Eis erstarrten Wassersturze gleich,
in wild zerklüfteten Massen bis in den Grund des Kienthals hinunter
reicht und die Kiene seinem finsteren Schooße entströmen läßt. Weniger tief, vielleicht keine 200 Fuß unter dem Rand der Krinne, ist auf
der Südseite der schöne flache Tschingelgletscher gleich einer atlasnen
Decke in seinem weiten Becken ausgebreitet.

Der Firnschründe und Steilheit des Berges wegen ist die Erklimmung der Gamchillücke aus dem Kienthal herauf nicht ohne Gefahr.
Leichter gelangt man auf der Seite des Tschingelgletschers dahin, und
kein Reisender, der die Wanderung über jene schönen Firnhöhen unternimmt, sollte es unterlassen, im Vorbeigehen die Gamchillücke zu betreten, die gleich einer Fensterbrüstung in diesem Felsenbau einen ent-
zückenden Blick nach den fernen sonnigen Menschenländern gestattet,
während gegen Süden gewendet dem Schauenden aus dem Innern eines
meilenweiten Eissaales die ernste Majestät eines ewigen Winters ent-
gegenstarrt, indem zu seinen Füßen, glänzend wie ein Krystallmeer, der
prächtige Tschingelgletscher ausgedehnt ist, und von dem Tschingelhorn
bis zur Jungfrau die Reihe der stolzen Gebirgshörner in ihrem reichen
Gletscherschmuck ihn umkränzt.

In der Gamchillücke ist ein mehrere Klafter mächtiges, an der
Außenseite zum Theil okerrothes Lager von Kalkschiefer ganz angefüllt
mit Säulenstücken des Pentacrinites und mit andern Trümmern desselben Geschöpfs. Auch bemerkt man Ueberreste von Echinitenstacheln
und Schaltrümmer von Bivalven, vielleicht auch Austern *).

An Pflanzen fanden sich hier: Geum montanum L. Artemisia spicata Jacq. Campanula cenisia L.

---

*) Geologie der westlichen Schweizeralpen, von B. Studer.

Nr. 87. Golderenhorn.

Siehe dessen Schilderung bei Nr. 83.

Nr. 88. Wilde Frau.

Ein nördlich vorstehender, mit Firn bedeckter Felsgipfel der Blümlisalp; siehe Nr. 107 und 108.

Nr. 89. Oeschinengrat.

Politische Lage. Bern, A. Frutigen.
Höhe. 8000' (?).
Gebirgsart. Hochgebirgskalk, von Kreidegesteinen bedeckt.
Entfernung. 11½ Stunden.

Der Oeschinengrat oder Dünbengrat spannt sich als ein schmaler, ziemlich gerade fortlaufender Gebirgsrücken zwischen der Wilden Frau und dem Dünbenstock aus und umfaßt den hintersten Theil der hohen, rauhen Bergkette, die sich von der Blümlisalp in nordwestlicher Richtung bis auf das Gehrihorn ausdehnt und das große Kienthal von dem Thal der Kander scheidet. Der Oeschinengrat trägt auch den Namen Hochthürligrat, und diese Benennung bezieht sich auf seine Beschaffenheit als hoher Alpenübergang *).

In seiner Längenausdehnung von ungefähr einer halben Stunde zeigt der Oeschinengrat noch zwei erhöhtere Felsenkuppen, welche den Namen Schwarzefluh (9230'?) und Wermuthsfluh, tragen. Die beidseitigen Gehänge sind in ihren oberen Theilen sehr steil und bestehen in weit ausgebreiteten Trümmerhalden, welche auf der Kienthalseite selbst noch im höchsten Sommer mit Schnee belastet bleiben. Hier grenzt der untere Saum der Trümmethänge an die baumlosen Triften der weitläufigen Bundalp, welche 140 Kuhrechte und Weidrecht für 200 Schafe hält, und näher gegen die Blümlisalp an den Gamchischafberg. Weniger tief, allein an ihrem Fuß theils

---

*) Thor, Thür vom goth. Daur, Fr.

von den gebrochenen Massen des Blümlisalpgletschers umklam=
mert, theils von kahlen, schroff abgerissenen Felsbändern umgürtet, sen=
ken sich die jenseitigen Abhänge in den Schooß des Oeschinen=
thals mit seinem malerischen Alpensee (4907' B. B. St.) und den
grünen Terrassen des Oeschinenberges.

Die Wanderung über diesen Grat gewährt dem rüstigen Natur=
freunde einen reichen Blick in das Innere einer majestätischen Alpen=
welt. Freilich ist das Steigen rauh und mühsam, jedoch ganz gefahr=
los, wenn man sich eines kundigen Führers bedient. Ein solcher ist
aber selbst bei der günstigsten Witterung beinahe unentbehrlich.

Von der Alp Steinen, im Grunde des Kienthals, 3½ Stunden
von dem Dorfe Reichenbach oder 12½ von Bern entfernt, erreicht man
in etwa 3 Stunden die Grathöhe, indem man über die Triften der
Bundalp hinaufsteigt. Büttlosa, Gspaltenhorn und Blümlisalp ent=
wickeln ihre erhabenen Formen, sobald man auf die freier gelegenen
Alpenhöhen gelangt. Auf der Höhe enthüllt sich dem Blick eine neue,
großartige Welt. Da liegt tief unten im engen Schooße steiler und
wilder Gebirge ein kleiner, hellfarbiger Alpensee. Es ist der See von
Oeschinen. Durch die schmale Oeffnung des Thalbeckens schimmert die
sonnige Wiesenfläche von Kandersteg, umstellt von felsigen Gebirgen,
deren kahle Firsten von den Schneegipfeln des Strubels, des Wild=
horns und der Diablerets überragt werden. Näher schon leuchten die
Eiskuppen des Rinderhorns und der Altels. — Aber nur flüchtig schweift
der Blick über diese Gestalten hin, um sich desto aufmerksamer an der
prachtvollen Scenerie zu weiden, die ihm am südlichen Horizonte in
dem hehren Anblick des Doldenhorns und der Blümlisalp bereitet ist.
Man befindet sich diesen kolossalen Gebilden dicht gegenüber und staunt
bewundernd ihre Riesenmasse an, die bis auf den Felsenfuß in einem
Eispanzer von blendender Weiße strahlt. — Auf der Westseite windet
sich der Pfad dicht am nördlichen Rande des Blümlisalpgletschers nie=
derwärts, und führt bei mehreren Felsbalmen vorüber, die den Scha=
fen zur Zufluchtsstätte dienen, nach dem obersten Läger des Oeschinen=
berges. Ein treppenartiger Steinpfad, die Stiege geheißen, schlän=
gelt sich hinunter nach dem tieferen Läger. Hier und längs dem Ge=
stade des Sees, an welchem, wenige Fuß oberhalb der Wasserfläche,
der Weg hinausführt, umgibt den Wanderer eine in hohem Grade

pittoreske Natur, die in diesem wenig entlegenen Thale zu selten auf=
gesucht wird. Man vergegenwärtige sich die grünfarbige Fläche eines
etwa eine Stunde im Umfange haltenden Alpensees, welcher auf der
einen Seite von zahmen, waldgekrönten Ufern eingedämmt ist, oberhalb
denen rauhe Gebirgshänge, theilweise mit fetten Weiden geziert, die
Abstürze eines seltsam gezackten Felskammes bilden, während auf der
andern Seite oder am jenseitigen Halbrund unmittelbar aus dem Was=
serspiegel kahle Felswände emportauchen, über die sich aus bedeuten=
der Höhe zahlreiche Wasserfälle, oft auch zerstäubende Schneelawinen
herunterstürzen. Diese Felsenwände dienen aber nur dem riesigen Ge=
birge zum Fundamente, welches, aus Felsen und Gletschern darauf hin=
gebaut, sein Haupt im Firnglanze himmelhoch erhebt und sein Bild
auf der Scheibe des Sees wiederstrahlen läßt. Diese gewaltigen Mas=
sen, die edeln Gebirgsformen, die Staubbäche, die von allen Seiten
herunterflattern und gleich demantnen Ordenszeichen das dunkle Felsen=
kleid schmücken; die feierliche Stille in der Höhe, das Murmeln und
Plätschern der Kaskaden in der Tiefe; das bunte Farbenspiel, wie es
im Grün der Alpen und der Seesfluth, im Schwarz der Klüfte und
des Tannendickichts, im hellen Braun und Grau der Flühe, in der
Gletscher Silberschein, im reinen Weiß der Firne, in des Firmamen=
tes tiefem Blau, mit mancherlei Schattirungen und in tausend Kon=
trasten, seine Reize im Glanz der Sonne schimmern läßt, all dieses
verleiht der Scenerie eine wild romantische Sublimität, welche den
Naturfreund, den Dichter, den Maler mit Bewunderung erfüllen wird.
— Hat der Wanderer seinen Standpunkt noch auf der Oeschinen=
alp, so wird ihn besonders die wunderschöne Ansicht des Dolden=
horns fesseln, welches hier, in seiner äußern Form und Gletscher=
pracht der Jungfrau ähnlich, als eine Wand von beiläufig 7000 Fuß
Höhe aus dem Becken des Sees emporsteigt. Gelangt der Wanderer
an das westliche Ende des Oeschinensees, wo der sammtene Rasentep=
pich am Gestade, von dickstämmigen Fichten beschattet, zur freundlichen
Lagerstätte einladt, so ist daselbst die felsenreiche Parthie des Roth=
horns und Freundhorns mit dem Firngipfel der Frau, der auf
mächtigen Gletschern thronend zwischen ihnen sich emporschwingt, vor=
zugsweise entwickelt.

Von der Grathöhe bis zur Oeschinenalp werden 1½ Stunden

gerechnet. Nach weiteren anderthalb Stunden betritt man die grüne Ebene des Kanderthals und klopft an die Pforte des Wirthshauses im Kandersteg (3543') an der vielbesuchten Gemmistraße, 13 Wegstunden von Bern entfernt.

Nr. 90. Blümlisalpstock. Nr. 91. Rothhorn.

Zwei von der Hauptmasse abgetrennte Gipfel, welche dem nörd= lichen Gehänge der Blümlisalp entsteigen. Siehe die Nr. 107 und 108.

Nr. 92. Niesen.

Politische Lage. Bern, Grenze zwischen dem Amt Niedersim= menthal und Frutigen.

Höhe. 7280' T. Eschmann. 7340 T. Tralles.

Gebirgsart. Niesen=Sandstein und =Schiefer.

Entfernung. 7¾ Stunden.

Wer hat je die paradiesische Gegend von Thun besucht, wer auf den blauen Fluthen des See's sich wiegen lassen, ohne sich an dem Anblick der Niesenpyramide des schönen Niesens zu ergötzen? Selbst demjenigen, der aus der Ferne die lange Kette der Bernergebirge betrachtet, wird stets das regelmäßige Profil angenehm in die Augen fallen, durch welches sich dieser Berg in der Reihe der Mittelalpen überall vortheilhaft und kenntlich auszeichnet.

Als äußerstes Glied einer Gebirgsverzweigung, die sich am begletscherten Strubel von dem Hauptkamme ablöst und in einer Stufenfolge felsiger oder begraster Alpenfirsten und Hochgipfel in nordwestlicher Richtung hinstreift, thront der Niesen stolz und frei über dem flachen, offenen Gelände, in welches die Thäler der Kander und Simme ausmünden. Seine hohe Gestalt spiegelt sich in ihrer ganzen Größe buntfarbig auf der breiten Wasserscheibe des Thunersee's ab.

Die Spitze und die oberen Gehänge des Niesens sind großentheils mit Rasen bekleidet. Tiefe Lauezüge durchfurchen den nördlichen

10

ſchroffen Abſturz von oben bis unten. Auf einem platten Eckvorſprunge liegt die kleine Alp Ahorni. An der Nordweſtſeite bilden Felſen= bänder und Trümmerhalden einen kraterförmigen Keſſel von beträcht= lichem Umfange, in dem der Schnee am längſten haftet und oft erſt zu Anfang Auguſts vollends wegſchmilzt. Die ſüdweſtlichen Abhänge umfaſſen die ſteilen Raſenhalden der Staldenalp, die öſtlichen ſind mit den grünen Triften der Nieſen= und Hegernalp geziert. Der maſſive, aber ſteil aufgerichtete Fuß des Berges iſt bis an den Saum der Alpenregion theils mit Tannwaldung, theils mit grasreichen Vorweiden bekleidet. Am nördlichen Abhang wird der breite Wald= gürtel von dem begraſten Vorſprung der Huttenalp unterbrochen. Bäche, die in Regenzeiten verderbendrohend ſind, durchziehen die Verklüftungen des Berges und ſtrömen nach kurzem Laufe aus tiefen wilden Tobeln hervor. So bricht weſtlich der Staldenbach heraus, der in den Gründen an der Bettfluh entſpringt, öſtlich ſtrömt der Lauebach in die Kander. — Die Spitze des Nieſen bietet Raum für ein halbes Hundert Perſonen dar. Mehrere gleichförmige Firſten oder Rippen gehen von ihm aus, als eben ſo viele Kanten, welche die dazwiſchen liegenden Flächen oder Buchten begrenzen und die Pyrami= denform des Berges bedingen. Eine dieſer Kanten ſcheidet jenen Kra= ter von dem dachförmigen Abſturz der Staldenalp; ihre verſchie= denen Stufen werden mit dem Namen oberer, mittlerer und unterer Stand bezeichnet; am oberen Rande der Waldregion bildet ſie die kahle Felſenzacke des Stufenſteins. Südwärts verbindet ein ſcharfkantiger Felsgrat den Nieſen mit dem Hinternieſen (oder Bettfluh).

Dicht am nordöſtlichen Fuß des Berges liegt das ſtattliche Dorf Wimmis. Kirche und Burg, erhöht an dem Kalkfelſen der Burgfluh (3690') angelehnt, ſind weithin ſichtbar, und verleihen der Gegend ei= nen maleriſchen Reiz. Ein angenehmer Weg führt von hier um den nördlichen Fuß des Nieſens, bei dem ländlichen Heuſtrichbade vor= bei, in anderthalb Stunden nach Mühlenen.

Der Name Nieſen kommt auch anderwärts als Bergbenennung vor, wie in Hinternieſen, Hochnieſen, Nieſenhorn u. ſ. w. Des Namens Urſprung oder Bedeutung iſt unklar. In älterer Zeit;

soll der Riesen Defen geheißen haben; so wird er auch in einer Marchbeschreibung von Frutigen vom Jahr 1785 genannt.

Der Riesen ist in geologischer Beziehung das östliche Ende einer Gebirgsgruppe, welche mit der Becca de Tzeuchy bei Sepey beginnt und durchschnittlich eine Breite von 1½ Stunden inne hält. Das herrschende Gestein derselben ist thoniger Mergelschiefer und ein meist grober, bis zum Konglomerat anwachsender, kalkreicher Sand= stein. Der Schiefer bildet vorzugsweise die tiefere Masse, die obere besteht aus Sandsteinkonglomerat. Der Riesenschiefer scheint außer wenigen Fucoiden fast keine Spuren von organischen Ueberresten zu enthalten, eben so wenig der Riesensandstein. *) Ersterer wird an einigen Orten als Dachschiefer benutzt und zu diesem Zweck in meh= reren Gruben ausgebeutet. Die bedeutendsten Gruben befinden sich gegenüber Mühlenen an der südöstlichen Ecke des Riesens und sie be= schäftigen gegen 60 Arbeiter. Der Betrieb geschieht auf Rechnung des Staats. Durch einen erlittenen Verlust von beiläufig Fr. 17,000 ließ sich die Regierung nicht abschrecken, die Gewinnung und Ver= breitung dieser Dachbedeckungen am Platz der waldverwüstenden Zie= gelbrennereien zu betreiben. Schon im Jahr 1830 deckte die Anstalt ungefähr die Zinse ihres Kapitals, welches Ende 1829 Fr. 19,413. 28 betrug**). Im Jahr 1844 lieferte die Dachschieferausbeutung im Gan= zen 944,383 Stück besonders gutes Dachmaterial für Fr. 7370 und die Anstalt machte nach Abzug aller Unkosten einen Reinertrag von Fr. 1417. 85 ***).

Die Riesenkette, durch keine ausgedehnte Flora berühmt, bietet die gewöhnliche Alpenflora (vergl. Nr. 49). Der Riesen selbst weist außerdem noch eine ziemliche Anzahl ihm mehr und we= niger eigenthümlicher und seltener Pflanzen auf: **Anemone vernalis L. Aquilegia alpina L. Delphinium elatum L. Aconitum inter= medium DC. Ac. rostratum Bernh. Draba stellata Jacq. Dentaria digitata Lam. Geranium phæum L. Phaca frigida L. Ph. australis L.**

*) Vergl. B. Studer Geologie der westl. Schweizeralpen.

**) Bericht über die Staatsverwaltung des Kantons Bern von 1814—1830.

***) Berner Staatsverwaltungsbericht von 1844.

Circæa alpina L. Eryngium alpinum L. Gnaphalium Leontopodium Scop. Gnaph. alpinum L. Senecio Fuchsii Gmel. Artemisia mutellina Vill. Achillea tanacetifolia Ail. Phyteuma hemisphæricum L. Campanula alpina Jacq. Pyrola minor L. Gentiana nivalis L. Androsace helvetica Gaud. A. alpina Lam. Gagea lutea Gawl. Allium Victorialis L. Carex atrata L. C. frigida All. C. capillaris L. Elyna spicata Schr. Avena versicolor Vill. Festuca Scheuchzeri Gaud. F. violacea Gaud.

Die Besteigung des Riesen läßt sich von Wimmis, Mühlenen und Frutigen, auch von Erlenbach und Diemtigen aus in 4 bis 5 Stunden vollbringen. Zwar nicht ohne Mühe, aber bequem und gefahrlos ist der Weg, wenn man nicht absichtlich die schlimmern Pfade wählt. Die geübtesten Wege sind diejenigen, die von Wimmis über die Stalbenalp oder von Mühlenen über die Riesenalp hinauf führen. Wimmis ist von Thun 2½ Stunden, Mühlenen 3½ Stunden entfernt. Wählt man den erstern Pfad, so durchschreitet man Anfangs ein kleines ebenes Thälchen, die Spitzen genannt. Wenn man den Stalbenbach, der aus waldiger Schlucht hervorbricht, überschritten hat, so beginnt das Steigen. Ein Zickzackpfad windet sich an den gähen, gebüschigen Halden empor. Nach anhaltendem Steigen erreicht man den oberen Rand der sogenannten Bleike, einer steil abgerissenen, von Ferne sichtbaren Schutthalde, an der linken Uferwandung des Stalbenbachs. Man umgeht auf diesem Wege den Riesen auf seiner nordwestlichen Seite und scheint in gerader Richtung gegen die Bettfluh vorzubringen. Allgemach wird die Waldung, die den Wanderer aufgenommen hat, lichter; man betritt das Alpenrevier und kommt bei den Sennhütten des Steinbergli vorüber. Weiter oben gelangt man in den Grund einer schmalen Bergschlucht, die sich an den Fuß der Bettfluh ausdehnt. Der Stalbenbach, der diese Schlucht durchströmt, wird auf schmalem Steige überschritten, und jenseits windet sich der Weg an den langgedehnten steilen Rasenhalden der Stalbenalp empor auf eine schmale Stufe, auf welcher die Alphütten gelagert sind. Hier findet man Milchspeisen, Wein und ein erträgliches Nachtquartier. Von Wimmis bis auf die Stalbenalp sind 3 Stunden zu rechnen. Aber noch gilt es eine Strecke von 1½ Stunden an den steilen Grashalden hinanzuklettern, bevor man den Gipfel erreicht. — Vorzugsweise wird der bequemere Weg auserkoren, der von Mühlenen meistens über Weide und Alpen in 3½ Stunden auf die Spitze führt. — Ein noch kürzerer, aber äußerst jäher und rauher Pfad giebt die Möglichkeit, von Wimmis fast gerade empor über das Ahorn in 3 starken Stunden den Gipfel zu erreichen. — Streckenweise ist das Gehänge des Berges durchaus unwegsam, und wer nicht wohl vertraut ist mit dessen Beschaffenheit, der lasse sich, besonders zur Nachtzeit, nicht verlocken, den Weg ohne Führer auffinden zu wollen, deren es in Wimmis und Mühlenen um billigen Lohn zur Genüge giebt. Mehrere Personen sind schon das Opfer ihres Leichtsinnes oder ihrer Unvorsichtigkeit geworden. So fand man im Jahr 1836 am Fuß einer steilen Felswand im sogenannten Spycherfluhgraben den Leichnam eines jungen Menschen, der den Niesen von Wimmis aus allein zu besteigen gedachte, dann von dem Pfade abirrte und durch einen Sturz über jenen Felsen sein Leben elendiglich verlor. Es war ein Apotheker aus Nassau, Namens Pfeiffer. Vor einigen Jahren fiel ein Schafhirte am Niesen zu Tode, indem er an einer mißlichen Stelle auf dem frisch gefallenen Schnee ausglitt. Als die Berner-Turner im Jahr 1840 sich den Niesen zum Ziel ihrer Turnfahrt erkoren hatten, sank einer dieser Jünglinge mitten am Berge aus allzugroßer Erschöpfung zusammen und hauchte sein Leben aus, bevor man ihm Hülfe zu leisten vermochte. Da ward der laute Jubel schnell in Trauer und Klage verwandelt, und in düsterer Stimmung der Rückzug mit der Leiche des geliebten Freundes angetreten.

Die hohe und freie Lage des Niesengipfels, welche im Jahr 1788 nebst Morgenberghorn, Hohgant und Stockhorn von Professor Tralles zum Signalpunkte für die Messung der Höhen der Benerallpen ausgewählt ward, verspricht mit Recht dem muthigen Besteiger den Genuß der herrlichsten Naturanschauungen. Auch wallfahren an schönen Sommertagen zahlreiche Schaaren von munteren Landleuten hinauf, um das erhabene Schauspiel des Sonnenaufgangs auf diesem weitschauenden Hochaltare zu feiern. Die Aussicht darf in den Rang der Faulhorn-, Brienzer-Rothhorn- und Suleckaussichten gestellt werden. Sie trägt das Gepräge des Erhabenen, wenn man den Blick nach dem Kranz der kolossalen Hochgebirge wendet, die da in dichten Massen, ihre Häupter in das weiße Schneegewand gehüllt, vom Tit-

lis bis zu den Glöfirsten des Simmenthals, vor dem Beschauer aufge=
rollt sind; eben recht nahe, um durch ihre riesenhaften Verhältnisse
Staunen und Ehrfurcht zu erregen, und doch wieder entfernt genug,
um nicht durch ihre Nacktheit und ihre schreckhafte Zerklüftung und
Zertrümmerung die schöne Harmonie des Gemäldes zu stören. Gegen
Norden werden noch als entferntere Gipfel, die dem freien Auge sicht=
bar sind, erkennt: Pilatus, Rigi, Mythen, Hohbrisen und die Wal=
lenstöcke. Im Süden beschränkt die finstere Masse der Bettfluh den
Horizont, und nur mit Hülfe des Fernglases entdeckt man in dieser
Richtung, hinter dem grauen Rawyl den obersten Saum des Mont=
blancgipfels und die große Joraffe. Einen malerischen und geogra=
phischen Vorzug der Riesenaussicht bildet die Gruppirung der Gebirge,
welche den Blick in das Innere ihrer Hochthäler dringen läßt. Man
befindet sich gleichsam in einem Centralpunkt, gegen den die umlie=
genden Gebirgsthäler gleich Radien auslaufen und in ihrer Längen=
ausdehnung überschaut werden können. Da ist im Schooße der Alpen
das Aarthal geöffnet, mit den Gewässern des Thuner= und Brien=
zersees, die der Dichter so sinnig bezeichnet, wenn er mit Begei=
sterung singt:

> „Hoch von Riesens Riesenpyramide,
> Die nicht gleich der künstlichen Memphide
> Grüfte deckt, nein — tausend Leben nährt,
> Sah ich herrlich sie, des Hochlands Augen, glänzen." *)

Jenseits des Thunersees ist das Justisthal, diesseits desselben
sind, als eben so viele Verzweigungen des Thales der Kander, das
Suldthal, das Kienthal, das Frutigthal und das Engstli=
genthal, westwärts endlich das Niedersimmenthal und das
Diemtigthal offen vor Augen gestellt.

In anmuthigem Kontraste mit den ernsten und erhabenen Bil=
dern des Panoramas steht das freundliche Gemälde der üppigen Land=
schaft, die zu den Füßen des Schauenden hingestreckt ist. Ein weites,
offenes Flächenland, von reichbebauten oder waldbewachsenen Hügeln
durchschnitten, mit den Spiegelflächen reizender Seen geziert, von der
Aare, einem silbernen Bande gleich, durchschlängelt, dehnt sich das=

---

*) J. R. Wyß, siehe Alpenrosen von 1811.

selbe bis an den blauen Gürtel ferner Berge aus. Die Städte Thun, Bern, Burgdorf, Biel, Neuchâtel und andere größere oder kleinere Städtchen, eine unzählbare Menge von Dörfern, Kirchen, Schlössern, einzelnen Landsitzen und Bauernhöfen schmücken das schöne Gelände.

Eine Wanderung des Verfassers auf den Niesen im Jahr 1837 war von eigenthümlichen athmosphärischen Erscheinungen begleitet. Am 24. August des Vormittags 8 Uhr betrat die kleine Reisegesellschaft den Gipfel. Dicht zu ihren Füßen war ein unabsehbares Nebelmeer ausgespannt, unter dem das ganze bewohnte Land tief begraben lag, und dessen Fluth weit in die Gebirgsthäler hinauf drang. Kaum vermochte der Gipfelrand des Stockhorns daraus hervorzutauchen. Im Simmenthal konnte man die untere Grenze dieses Nebelmeers wahrnehmen; sie schien noch den Diemtigberg zu berühren und die Masse füllte somit einen Höhenraum von beiläufig 3700 Fuß aus. Rein und klar stiegen die Hochalpen mit ihrer Gletscherpracht aus dieser Meeresfläche empor und prangten in stiller Majestät. Wolkenlos war der dunkelblaue Himmelsdom darüber gewölbt. Die Luft war still, man erfreute sich einer erquickenden Wärme. Buntfarbig wurde die ungeheure Nebeldecke von der hellstrahlenden Sonne beschienen und ein seltsames Wogen und Fluthen fand in dieser schimmernden Masse statt. Unweit der Sonne leuchtete noch die Mondsichel am Morgenhimmel. Eigenthümliche Empfindungen hoben die Brust. Die Gesellschaft wähnte sich in eine neue, lichtere Welt entrückt; sonderbar aber tönte, gleich wie aus der Tiefe des Meeres, Glockengeläute und der Schall des Dreschens in einer Tenne an unser Ohr, und diese Klänge gaben uns Kunde von dem Dasein der unsichtbaren verlassenen Erde. — Später ergab es sich, daß im ganzen Lande der Morgen kalt, trübe und regnerisch gewesen war und ein starker Nordwind geherrscht hatte.

Noch hat sich leider! keine Keller'sche Hand die Herausgabe des Niesenpanoramas zur Aufgabe gemacht, obwohl dasselbe würdig wäre, neben den Blättern des Rigi aufgestellt zu werden. Freilich hat F. Schmid vor längerer Zeit schon auf Antrieb des damaligen Buchdruckers Haller, der für die bernische Topographie eifrig bemüht war, ein Rundgemälde des Niesens bearbeitet, auf welchem die Umrisse

ziemlich getreu wieder gegeben sind. Allein die Kreisform, in wel=
cher die Zeichnung aufgenommen ist, erschwert die deutliche Uebersicht
und die Nomenklatur fehlt. Der Verfasser besitzt die Handzeichnung
einer beinahe vollständigen Riesenausicht von seinem sel. Vater, wel=
cher diesen Gipfel von seiner väterlichen Wohnung in Thierachern
aus oft und viel bestiegen hat. Ein Theil dieser Arbeit, nämlich die
Uebersicht auf den Thuner= und Brienzersee, ist seiner Zeit in einem
von Dunker radirten Blatte im Publikum erschienen.

Die erste, im Jahr 1561 lateinisch gedruckte Beschreibung des
Niesen war verfaßt von *Benedict. Aretius* (Bendicht Marti von Bät=
terkinden), gewes. Professor zu Bern. Später hat uns Escher die
Schilderung einer Bergreise auf den Niesen in der Alpina hinterlas=
sen [*]. Aber nicht nur Künstler und Gelehrte, sondern auch Poeten
haben den Niesen zum Gegenstande ihrer Produktionen gewählt. Wer
kennt nicht jene launige Dichtung des 17. Jahrhunderts, welche den
Hrn. Rud. Rebmann, damaligen Pfarrer zu Muri, zum Verfas=
ser hat. In der Form eines Gastmahls, welches der Niesen seinen
Nachbarn zu Ehren giebt, läßt der vielkundige Dichter diese beiden
alten Freunde und Zeugen der Welterschaffung in einer Reihe von
kräftig zugeschnittenen Versen sich über himmlische und irdische Dinge
unterhalten [**].

Der Niesen dient den Leuten in der Umgegend, besonders den
Schiffleuten am Thunersee, zum Wetterpropheten und wir schließen
diese Monographie mit den sprichwörtlich gewordenen Versen:

> Hat der Niesen einen Hut,
> So wird das Wetter gut;
> Legt er an den weißen Kragen,
> So magst hinaus dich auch noch wagen;
> Schraubt er aber an den Degen,
> So bleib zu Haus — es giebt heut Regen.

---

[*] Alpina Bd. 3. Winterthur 1808.

[**] Ein neu, lustig, ernsthaft, poetisch Gastmal und Gespräch zweier Bergen in der
löbl. Eidgenossenschaft rc. durch H. R. Rebmann, Bern 1606.

Nr. 93. Hinterniesen.

Politische Lage. Bern, Grenze zwischen dem U. Niederfim-
menthal und Frutigen.

Höhe. 7430'.

Gebirgsart. Riesensandstein und -Schiefer.

Entfernung. 8 Stunden.

Bettfluh, Hinterniesen oder auch Fromberghorn heißt
der Gipfel der Riesenkette, der sich südwestlich vom Niesen, zwischen
diesem und dem Drunengalm erhebt. Der Name Bettfluh kommt zunächst dem felsigen Absturz zu, in welchem dieses Horn auf der Westseite abgerissen ist. Auf den schmalen Grasbändern, welche diese Felsenwand durchziehen, können die Gemsen mit Sicherheit ihrer Weide
nachgehen. Aus den tausend Verklüftungen klingt ein vielfaches Echo
wieder, wenn der Aelpler vor dem Staldenstafel jauchzend den schönen Morgen begrüßt oder am stillen Abend dem Waldhorn seine me-
lodischen Töne entlockt. Am nördlichen Fuß der Bettfluh bilden weite
Trümmerhalden den Rand einer einsamen Thalkessels, dessen Schooß
der Staldenbach entfließt. Nordwestlich sind die Triften der Bruch-
geretalpen ausgebreitet, deren waldumgürtete Gehänge sich in den
Grund des Diemtigthales niederziehn.

Der östliche Absturz des Hinterniesens ist bis obenaus mit Rasen bewachsen, jedoch so entsetzlich schroff, daß die obere Gipfelmasse
selbst den Schafen unzugänglich ist. Tiefer bekleiden Alpweiden und
Waldung den Berg, der im Thale der Kander fußet.

Ueber die Flora der Riesenkette siehe den Artikel Niesen, Nr. 92.

———————

Nr. 94. Gaulisthal (auch Guli- und Uhlisthal).

Einige Höfe in der Kirchgemeinde Belp. Sie befinden sich in
einem freundlichen, von bewaldeten Hängen eingefaßten Thälchen
oberhalb Kehrsatz an der Wegscheide von Zimmerwald und Rüggisberg.
1 St. 15 M. von Bern und 30 M. vom Amtsitz Belp.

———————

Nr. 95. Kehrsatz.

Dorf und Landhäuser mit Wirthshaus und Schule, am östlichen Ende des Gurten gelegen, 1 St. von Bern, 30 M. vom Amtssitz Belp entfernt. Die Einwohnergemeinde Kehrsatz bildet einen Bestandtheil der Kirchgemeinde Belp.

Nr. 96. Klein-Wabern (äußer).

Ein Dörfchen in der Kirchgemeinde Köniz an der Straße nach Belp und Blumenstein, am nördlichen Fuß des Gurten, ¾ St. von Bern, 1 St. 15. M. von der Kirche entfernt.

Nr. 97. Bächtelen *).

Ein Hof, hart am nördlichen Fuß des Gurtens zwischen den Ortschaften Groß- und Klein-Wabern gelegen, in die Kirchgemeinde Köniz gehörend, 1 St. von der Kirche, 40 M. von Bern entfernt. Im Jahr 1822 wurde hier durch einige bernerische Menschenfreunde eine Taubstummenanstalt für Knaben, als Privatanstalt, errichtet. Anfänglich von der Regierung begünstigt, ward diese Anstalt im Jahr 1834 vom Staat übernommen und nach Frienisberg verlegt. Jetzt befindet sich in der Bächtelen die im Jahr 1840 von der schweizerischen gemeinnützigen Gesellschaft gestiftete Rettungsanstalt für verwahrloste Knaben.

---

*) In dem Wort Bächtelen liegt ohne Zweifel das alte Nebenwort dal, welches nieder bedeutet, woher Dole, Vertiefung.

Nr. 98. Groß-Wabern (inner).

Ein Dorf mit einer Schule, in die Kirchgemeinde Köniz gehörend, am nördlichen Fuß des Gurten und an der Straße von Bern nach Kehrsatz gelagert; 1 St. von der Kirche und 35 M. von Bern entfernt. Mehrere hübsche Landhäuser zieren den Ort, der, gegenüber der Hauptstadt gelegen, einer reizenden und fruchtbaren Lage sich erfreut.

Nr. 99. Nüschleten.

Politische Lage. Bern, A. Niedersimmenthal.

Höhe. 6176′. T. Frei.

Gebirgsart. Stockhornkalk; dem ältern und mittlern Jura angehörig.

Entfernung. 6½ Stunden.

Die Nüschleten bildet den äußersten östlichen Gipfel der Stockhornkette, wenn man die niedrige Verzweigung des Heitlberges und der Hürleni nicht in Anschlag bringt. Die zur scharfen Schneide aufgedämmte First ist in verschiedene, dicht an einander gereihte, Spitzen gespalten, welche auch den Namen Kühlhörner tragen. Nordwärts ist die Nüschleten, zwar nicht als eine glatte Felswand, aber gleichwohl furchtbar steil und felsig bis in den Grund eines wilden, u · wohnten Tobels abgerissen, welcher in das freundliche Stockenthal ausmündet. Hier trägt die Nüschleten auch den Namen Rauhe- und Rosenfluh. Die südlichen Abstürze sind zwar bis oben aus mit Rasen bewachsen und nur sparsam kömmt die nackte Fluh zu Tage; dennoch wagt sich nur der entschlossene Wildheuer hin, um dort das kräftige Futter zu sammeln. Dem südlichen Fuß entlang zieht sich das Hochthälchen des Obernalfberges, der dem Burgerspital von Bern angehört. Ostwärts fällt der schmale Gebirgskamm rasch und jäh über den Mattenstand und die gewaltige Moosfluh in das Thal. Südostwärts lehnt sich der Bergzug der Matten-, Heitl- und Glazenenalpen einige hundert Fuß unterhalb des Gipfels an die Nüschleten, und ein schlechter Schafweg schlängelt sich von da ihren mittäglichen Abstürzen entlang empor auf das schmale Joch, welches die

Müschleten westwärts von dem Gipfel des Lasenberges trennt. Dem
schwindelfreien Gänger gewährt dieser Pfad die Möglichkeit, von Reu=
tigen weg auf luftiger Gemsenbahn bis nach dem Stockhorn vorzu=
dringen, wozu es etwa 5 Stunden bedarf. Die Felsenrippe, welche
man zu übersteigen hat, um den Lasenberg zu erreichen, heißt der
Kleine Sattel.

Die Aussicht von der Müschleten muß von seltener Schönheit sein
und wegen ihrer gegen das weite Becken des Thunersees frei vor=
stehenden Lage diejenige des Stockhorns in gewisser Beziehung noch
übertreffen. Schon auf dem Mattenstand und auf der Oberhettlalp
sind unvergleichlich schöne Fernsichten nach dem Hochgebirge, dem
See, dem anmuthigen Gelände von Thun, und nach den weiten Lan=
desflächen geöffnet.

Ueber die F l o r a der Stockhornkette vergleiche den Artikel Stock=
horn (Nr. 100).

Nr. 100. Stockhorn.

P o l i t i s c h e L a g e. Bern, A. Niedersimmenthal.
H ö h e. 6767' T. Tralles.
**G e b i r g s a r t. Stockhornkalk; dem ältern und mittlern Jura an=
gehörig.**
E n t f e r n u n g. 6 Stunden.

Ausgezeichnet durch seine Gestalt, berühmt wegen seines Pflan=
zenreichthums, seiner herrlichen Fernsicht wegen viel bestiegen von
Einheimischen und Fremden, ragt das Felsenhaupt des S t o c k h o r n s,
Thun gegenüber, kühn und stolz aus dem Thale von Stocken empor.
Die Gebirgskette, die von ihm ihre Bezeichnung erhalten hat, ist als
äußerstes nördliches Bollwerk der hinter ihr liegenden Alpenwelt zwi=
schen dem Berner= und Freiburgerhügellande einerseits, dem Thal der
Simme und dem Jaunthal andererseits aufgerichtet. Sie erstreckt sich
in ihrer g e o g r a p h i s c h e n Begrenzung vom Kapf bei Reutigen in
einem gegen Norden gekrümmten Bogen acht Stunden weit bis an
ihr westliches Ende bei Charmey. Eine weit beträchtlichere Län=
genausdehnung hat die Stockhornkette in g e o g n o s t i s c h e r Beziehung.

Sie umfaßt ein engverbundenes System mehrerer, sowohl topogra=
phisch als nach ihrer Steinart zu unterscheidbender Gebirgsglieder. Die
Centralmasse beginnt bei der Moosfluh als ihrem östlichen Ende
und erstreckt sich über die Kette der Dent de Brenleyre und den Plan
à Chaud bis nach dem Rhonethal, während andere Kettenstücke sich
in den Jaunflühen, dem Molézon und den Nayealpen ausbreiten. Das
herrschende Gestein aller dieser Ketten ist Kalk, und nebst ihm kom=
men nur Gips und Rauchwacke, selten Mergelschiefer vor. Der Fuß
und die tieferen Gehänge dieser Gebirgsmasse sind auf der Mittag=
seite mit den Moosausgesteinen bedeckt. Einzelne Glieder dieses Ge=
birgsystems enthalten, wiewohl spärlich, Petrefakten und zwar bei=
nahe ausschließlich Ammoniten und Postbonien. Dem Stockhornkalk
ähnliche Bildungen treten erst wieder im Gebirgsstock des Sentis und
Kamor und in den vorarlbergischen Kalkgebirgen auf, indem diese
Gebirgsmasse durch das Querthal des Thunersees gegen Osten zu
gänzlich abgeschnitten ist. Wahrscheinlich hingegen setzt sich das Sy=
stem gegen Westen bis tief in Savoyen hinein fort und scheint sich
mit dem Jura zu verbinden *).

Der oder nach der Landessprache richtiger das Stockhorn erhebt
sich nahe am östlichen Ende der Stockhornkette. Es ist dieser Berg=
gipfel kennbar durch seine hutförmige Gestalt. Sein nördlicher Ab=
sturz bildet eine fast senkrechte Felsenwand von wohl tausend Fuß
Höhe. Auch der südliche Absturz, das Stockenfeld genannt, ist
sehr steil, jedoch mit Rasen bekleidet. Nur um die höchste Zinne
windet sich ein Felsenband, dessen Zerspaltungen an der südöstlichen
Ecke die Erklimmung des Gipfels möglich machen. Das Stockerfeld
versenkt sich in ein tiefes Becken, in welchem der kleine Kluserfee
oder Hinter=Stockensee liegt **). In einem zweiten Becken west=
lich davon liegt der Vorder=Stockensee. Gegen Osten und We=
sten gestaltet sich die schmale Kante des Stockhorngipfels ebenfalls zu
einem schroffen Felsabsturze; ostwärts verbindet ein vertieftes Dop=
peljoch denselben mit dem Sohlhorn; gegen Südwesten dehnt sich ein

---

*) Vergl. Studers Geologie der westl. Schweizeralpen.

**) Klus (Schleuse, enger Durchpaß) ist das Urwort, dem das franz. eeclus, das
belg. Juis, das hochd. Schleuse entstammen. Studers Jdist.

Felsgrat über das Sträußli nach dem Laucherhorn aus; westwärts endlich lehnt sich eine äußerst gähe Rasenwand an die Felsenkrone an, welche dem sattelförmigen Einschnitt des Gebirgskammes entsteigt, der zwischen dem Stockhorngipfel und dem Wahlalpgrat ausgespannt ist. Die Oberfläche des Gipfels besteht aus einem unebenen, etwa 100 Schritte langen, durchschnittlich kaum anderthalb Schritte breiten Grat, in dessen Mitte ungefähr sich die höchste Stelle befindet, die genugsam Raum darbietet, daß sich mehrere Personen daselbst bequem lagern können.

Diese Beschaffenheit des Stockhorngipfels bedingt die auffallende Gestaltveränderung, welcher derselbe unterworfen ist, je nachdem der Beobachter eine Stellung gegen ihn einnimmt. Von Osten oder Westen her gesehen, erscheint der Stockhorn z. B. als ein dünnes, spitz zulaufendes Felshorn.

Wir wollen nun aber der Schilderung des Stockhorngipfels eine kurze Beschreibung des Berges selbst folgen lassen. In steilen von Lauezügen durchfurchten, bewaldeten Hängen steigt der nördliche Fuß des Stockhorns aus dem wiesenreichen Stockenthale empor. Da wo die obersten Tannen den Abhang umgürten, gestaltet sich diese Bergmasse zu einer schmalen Alpenfirst. Die Sennhütte des Aelpithalbergs, einer Alp von 14 Kühen, liegt auf einer vorspringenden Ecke derselben und bezeichnet den Standpunkt zu einer herrlichen Fernsicht. Jene First schließt sich an das Gehänge des Wahlalpgrates an. Das riesenhafte Felsenhaupt des Stockhorns ist von dem Aelpithalgrat durch eine grause Trümmerschlucht geschieden, welche gegen das Hochthälchen der Bachalp ausmündet. Der Fallbach durchfließt dasselbe. Nahe bei seinem Ausbruch in das Stockenthal bildet er einen Wasserfall; oberhalb demselben wird eine Stelle der engen Waldkluft das Hölleloch genannt. Am 6. Juni 1849 brauste dieser Bach in Folge eines Gewitters mit solcher Gewalt heran, daß er mächtige Tannen und gewaltige Steinblöcke fortriß und ins Thal stürzte. Das Dörfchen Niederstocken wurde zur Wüste, viele Jucharten des fruchtbaren Pflanz- und Wiesenbodens wurden zu Grunde gerichtet; keine menschliche Macht vermochte dem Ausbruche des Stromes zu wehren. Am westlichen Fuß des Stockhorngipfels liegt die obere Wahlalp mit 54 Kuhrechten, eine halbe Stunde tiefer die

untere mit 126 Kuhrechten, und das im Schooß dieser Alpen sich
bildende Bergthal erzwingt sich dort, wo in unheimlicher Felskluft
das Weißenburgbad seine Heilquelle strudeln läßt, einen Aus=
weg in das Thal der Simme. Mittagwärts sind die Becken der
Stockhornseen von einem Gürtel kahler Felsen umzogen, welche
dem Thalbewohner die Ansicht des Stockhorngipfels fast durchweg ent=
ziehen. Diese nach der Thalseite lothrecht abfallenden Felsgebilde
tragen, von Westen nach Osten gezählt, die Namen Laucherhorn
(5735'), Stockenfluh (6048'), Miescfluh, Walpersberg=
fluh und Brämenfluh. Zwischen dem Kluser= und Stockensee er=
hebt sich noch das grüne Keibhorn, um des Reichthums der darauf
wachsenden Bergrosen willen von Freunden einer ästhetischen Nomen=
flatur mit dem Namen Rosenhorn belegt. Der Klusersee hält
kaum eine halbe Stunde im Umfang. Er beherbergt schmackhafte
Forellen. An seinem nordwestlichen Ufer befinden sich die Hütten von
Hinterstocken, einer Alp von 96 Kuhrechten. Zunächst am See (er=
zählt uns Wyß *), fand ein Mann aus der Gegend wenigstens 9—10
Schuh tief im Boden zwei römische Münzen von Groß= und eine
von Mittelerz, jene von Hadrianus und Mariminus Thrax, diese von
Markus Aurelius. — Der See hat keinen sichtbaren Abfluß. Der
Erlenbach, der eine halbe Stunde tiefer am Fuße der Miescfluh
in einem engen Trichter entspringt und dann in brausendem Ungestüm
Fall über Fall dem Thale zueilt, soll der unsichtbare Ausfluß jenes
Sees sein. An der Westseite des Keibhorns sind die Triften der
Stockenalpen, welche zusammen 218 Kuhrechte halten, ausgebrei=
tet. Unterhalb jenes Felsengürtels senkt sich das Gebirge schroff her=
ab. Die Haus= und Sulzigallment und die Alpen Unter=
fluft, Walpersberg und Raft besselben den oberen Theil des
Gehänges; der untere ist von einem breiten Mantel finsterer Tann=
walbung umzogen; auf den tiefsten Wiesenterrassen sind freundliche
Ortschaften, zerstreute Wohnungen und die stattlichen Dörfer Latter=
bach und Erlenbach (2279') gelagert.

In botanischer Hinsicht unterscheidet sich die Stockhorn=
fette, die von den Botanikern wohl am gründlichsten durchsucht

---

*) Reise in das Berner-Oberland.

worden ift, von den anderen Gebirgen unferes Kantons wefentlich ba=
durch, daß fie ausfchließliche Kalfpflanzen ernährt, und fie würde fich in
diefer Beziehung beinahe dem Jura an die Seite ftellen, wenn nicht die
Höhe, die Nähe der Alpen, das alpinifche Klima und Temperatur
eine große Zahl von Alpenbewohnern hieher führte, deren gleichzeitiges
Vorkommen auf Kalf, auf Schiefer, ja felbft auf Sandfteingebirg
den eigenthümlichen Charakter der Stockhornflora einigermaßen ver=
wifchen. Am Stockhorn felbft (vom Fuß bis zum Gipfel), welcher
nebft dem Gantrifch der reichfte Punkt der Kette ift, finden fich neben den
gewöhnlichen Alpenpflanzen (fiehe Nr. 49): Anemone vernalis L.
Aquilegia alpina D. Aconitum rostratum Bernh. Draba incana
L. (Gantrifch, fehr felten). Dr. frigida Saut. Dr. tomentosa Wahl.
Petrocallis pyrenaica Br. Viola mirabilis L. Cherleria sedoides
L. Linum montanum Schl. Rhamnus pumilus L. Phaca australis L. Ph. frigida L. Ph. astragalina DC. Ph. uralensis DC.
Cotoneaster vulgaris Lindl. C. tomentosa Lindl. Saxifraga op-
positifolia L. S. moschata Willd. Bupleurum ranunculoides L.
Lonizera alpigena L. Achillea atrata L. Ach. macrophylla DC.
Senecio aurantiacus DC. Hieracium aurantiacum DC. H. prenan-
thoides Vill. H. Jacquini Vill. H. cydonifefolium Ser. Petasites
niveus Baumg. Cirsium eriophorum Scop. C. tricephalodes Lam.
Gnaphalium Leontopodium Scop. Campanula thyrsoidea L. C.
valdensis All. Phyteuma betonicæfolium Vill. Arbutus alpina L.
Azalea procumbens L. Rhododendron hirsutum L. Pyrola minor
L. P. chlorantha Ser. Gentiana nivalis L. Swertia perennis L.
Cerinthe major L. C. alpina Kit. Linaria alpina DC. Corydalis
fabacea Rotz. Tozzia alpina L. Calaminthe grandiflora Mönch.
Epipogium Gmelini Rich. Androsace helvetica Gaud. A. lactea
L. Plantago maritima L. Empetrum nigrum L. Salix arbuscula
L. S. hastata L. S. herbacea L. Juniperus nana Willd.
Chamorchis alpina Rich. Streptopus amplexifolius DC. Conval-
laria Polygonatum L. Anthericum serotinum L. Allium Victoria-
lis L. All. Schoenoprasum L. Juncus triglumis L. Luzula spi-
cata DC. Eriophorum Scheuchzeri Hoppe. Carex frigida All.
C. atrata L. C. firma Host. C. brachystachys Schr. Avena

distychophylla Gaud. Poa distychophylla Gaud. P. aspera Gaud.
Festuca Scheuchzeri Gaud. Phleum Michelii All.

Die so häufig als gefährlich geschilderte Besteigung des Stockhorns bietet an der Südseite bei sorgfältiger Wahl des Weges, selbst
für rüstige Frauenzimmer, nicht die mindeste Gefahr dar. Rauh und
mühsam, und nur dem Schwindelfreien anzuempfehlen sind die Pfade,
die an der Nord = und Westseite emporführten. — Von Erlenbach
(9 Wegstunden von Bern entfernt) gelangt man auf dem kürzesten
Wege in 3 Stunden auf den Gipfel. Man folgt anfangs dem Laufe
des schäumenden Erlenbachs und wandert auf romantischem Pfade
durch die schattige Thalschlucht hinan. Der Weg führt bei der einsamen Wildenbachmühle vorbei. Nach einer Stunde Wegs erreicht
man die Hütten der Alp Klusi. Hier nimmt die Gegend einen wilderen Charakter an. Kahle Fluhe, die den Alpenkessel drohend umschließen, scheinen jedem Fortkommen hindernd entgegen zu stehen.
An abschüssigen Steinhalden vorüber windet sich der schmale Geißweg
nach jener Felsregion empor. Zuletzt erklimmt man auf treppenartigem Felsensteige den Rand der schmalen Einsattelung zwischen der
Mieschfluh und der Walpersbergfluh, das Krinni genannt, und erreicht nach einem Marsche von einer starken halben Stunde das jenseitige Becken, in welchem der einsame Klusersee geborgen ist. Hier
zeigt sich das Riesenhaupt des Stockhorns auf einmal dem Wanderer
in solcher Nähe, daß er in wenigen Augenblicken dessen kahlen Scheitel erfassen zu können wähnt. Er jauchzt in freudiger Erwartung,
und vielstimmige Echo erwiedern den hellen Ruf volltönend aus den
Klüften der Bergwände. Die feuchten Alpweiden überschreitend, die
sich vom östlichen Seeufer gegen die Wände des Thalbeckens emporziehen, betritt er in einer halben Stunde das begraste schmale Joch
zwischen dem Stockhorn und dem Sohlhorn, und wirft hier einen
freudetrunkenen Blick auf die unübersehbaren Landesweiten in der
Tiefe, die sich dem Auge unversehens erschließen. Es gilt aber noch
ein Stück mühevoller Arbeit abzuthun. Eine Rasenkrist, nicht vergebens die Schneide geheißen, steigt von jenem Joche äußerst gäh
und schmal zwischen offenen Abgründen stufenförmig empor und lehnt
sich oben an das breite Stockenfeld. Bei einiger Vorsicht ist zwar
dieser Gang gefahrlos, indem man sich an den jähesten Stellen an

11

dem langen Gras und zähem Gesträuche festhalten kann; für den Un=
gewohnten aber ist es eine bange Viertelstunde. Einmal auf dem
Stockenfelde angelangt, klettert man in aller Sicherheit nach der Fel=
senkrone des Gipfels hinan und erreicht diesen nach Verlauf der drit=
ten Stunde. — Wer sich nicht getrauen sollte, den Uebergang über die
Schneide zu unternehmen, der kann dieselbe umgehn, indem er sich un=
ter am Seeufer westwärts nach den Alphütten wendet, von diesen ge=
gen das Spätbergli am Stockensee emporsteigt und von da das
Stockenfeld gewinnt. — Will man auch den rauhen Gang über das
Krinni ausweichen, so kann man von Erlenbach den Alpweg wählen,
der nach der Alp Vorderstocken und von da nach dem Spätbergli
führt, und in dieser Richtung bequem, jedoch auf etwas längerem Wege,
das Ziel erreichen.

Auf der Nordseite ersteigt man von Amsoldingen (1 Stunde von
Thun und 6 von Bern entfernt) in 4½ Stunden den Gipfel des
Stockhorns. Eine kleine Stunde Weges hat man nach dem Dörflein
Oberstocken. Hier beginnt das Steigen vorerst über die Stockenallment.
In einem Wäldchen, welches dieselbe begrenzt, soll zuweilen ein Spuck=
geist in der Gestalt eines alten Mannes mit einem sogenannten Drei=
röhrenhut erscheinen, der sich geberdet, als wolle er sein Vieh der Hütte
zu treiben. — Nachdem man eine kurze Strecke durch Waldung em=
porgestiegen, betritt man einen steilen begrasten Abhang, Schwand ge=
nannt. Dann nimmt wiederum Waldung den Reisenden auf. Einzelne
Stellen heißen der Nesselboden und der lange Kehr. Schon in
ansehnlicher Höhe, da wo der Weg nach der Bachalp zur Linken ab=
geht, befindet sich das hochaufgerichtete Felsenstück des Speicher=
steins, unter dessen vorspringenden Wänden mancher Wanderer schon
Schutz vor Ungewitter gefunden hat. Bald lichtet sich die Waldung;
man tritt hinaus auf den freien Alpenrücken der Bacheck, und nach
einer anhaltenden Steigung von anderthalb bis zwei Stunden klopft
man an die Hütte der Aelpithalalp, wo man Milchspeise und, wenn
die Gesellschaft nicht zu groß ist, ein Nachtlager findet. Die Aussicht,
die man von hier genießt, ist bereits so erhaben und reichhaltig, daß
einiges Verweilen nur lohnend sein kann. Den schreckbar kahlen Fel=
sengipfel des Stockhorns im Angesichte, nähert man sich demselben auf
der schmalen First des Aelpithalgrats. Längs den steilen, von Laue=

zigen durchschnittenen Hängen, die vom Wahlalpgrat niedersteigen, gelangt man auf den Sattel, der das Aelpithal und das Tobel der Bachalp von dem Thale der Wahlalp trennt. Hier befindet man sich am nordwestlichen Fuße des Horns. Eine gähe Rasenhalde, allmälig zur schmalen First sich gestaltend, zieht sich gegen die Felsenwand des Gipfels empor. An dieser steilen Rasenwand verunglückte im Jahr 1791 der junge Dezi von Thun, welcher im Hinuntersteigen, trotz der Warnung seiner Begleiter, zu rasch voraneilen wollte, dann unwillkührlich in Lauf gerieth und in den Abgrund stürzte. Hat man die Felsen des Horns erreicht, so windet sich ein schmaler, steiniger Pfad dicht am Felsen und am Rand schwindelerregender Abstürze um die Westseite des Gipfels nach der scharfen Kante, welche das Stockenfeld begrenzt. Diese paar Schritte erfordern einigen Muth und große Vorsicht. Hat man das Stockenfeld erreicht, so überschreitet man längs dem Felsengürtel, der auch auf der Mittagseite die Zinne des Horns umkränzt, die obersten, blumenreichen Gehänge in schief aufgehender Richtung. Der Blick auf die neue, wunderbare Welt, die sich auf einmal gegen Süden aufgeschlossen hat, der reine Aether, in dem man athmet, das nahe Ziel, die liebliche Alpenflora, die in seltener Fülle und Schönheit den Boden schmückt, verkürzen den Weg, und bald gewinnt man jene begraste Stelle an der südöstlichen Ecke des Gipfels, welche dessen Erklimmung gestattet. Vom Aelpithal bis dahin sind ⁵⁄₄ bis 1½ Stunden zu rechnen.

Wer von Blumenstein aus das Stockhorn besteigen will, bedarf dazu 4 bis 5 Stunden. Blumenstein liegt 5½ Wegstunden von Bern entfernt. Von da geht der Weg bei der Kirche vorbei, welche malerisch am Fuße des mächtigen Wassersturzes des Fallbaches den Wiesenteppich schmückt. Von der Spitalweid schlängelt sich der Pfad durch Waldung und an grasreichen Berghängen nach der hohen Wasserscheide empor, welche den Wahlalpgrat mit der Stierenfluh verbindet. Nicht vergebens heißt man diesen Gang die Krümmelwege. Von jener Wasserscheide umgeht man die mittäglichen Hänge des Wahlalpgrats, nimmt in der obern Wahlalphütte gern eine stärkende Erfrischung oder selbst ein Nachtlager auf duftendem Heubette an, und vereinigt sich sodann auf dem Sattel mit jenem Weg, der von Stocken über das Aelpithal bahinführt.

Wer vom Weißenburgbade aus das Stockhorn zu besteigen gedenkt, der kann die Wanderung in 3½ bis 4 Stunden vollbringen, indem er durch das Bergthal des Buntschibachs nach den Wahlalphütten vorbringt.

Von der Wahlalp ist es auch thunlich, auf der Seite der Löwenflühe nach dem Stockensee emporzusteigen und von dort den Weg über das Spätbergli und das Stockenfeld einzuschlagen. Ebenso läßt sich von Reutigen her die Besteigung des Stockhorns in 4½ bis 5 Stunden unternehmen, indem man über die Alpen Matten und Naßi nach dem Walpersberge hinansteigt und längs dem Sohlhorn sich gegen den Grat der Schneide wendet. Von Bern nach Reutigen rechnet man 7½ Wegstunden.

Verwegene Jäger wagen es endlich, von der Seite der Bachalp längs den schmalen Grasbändern, welche das Felsgehänge durchziehn, den nördlichen Sattel zwischen dem Sohlhorn und Stockhorn zu erklimmen und von da mit Lebensgefahr an den schroffen Wänden des östlichen Gipfelabsturzes hinaufzuklettern. Es ist dieses aber ein seltenes und tollkühnes Beginnen.

Jetzt noch ein Wort über die vielgepriesene Aussicht vom Stockhorn. Nicht sowohl wegen des erhabenen Gemäldes der Hochalpen, als wegen des Reichthums der Gegenstände, der ungeheuern Ausdehnung und des freien, durchaus ungehemmten Ueberblicks, hält sie die Vergleichung mit der Aussicht des benachbarten, höheren Niesens aus. Auf luftiger Felsenzinne, durch ungeheure Abgründe von dem Schauplatz menschlichen Treibens getrennt, erblickt man ein weites Gebiet der Schöpfung unter sich und um sich aufgerollt. Den südlichen Horizont bekränzt, hinter einem wahren Chaos mannigfaltig in einander geschlungener Gebirgsreihen, die zackige Riesenmauer der Hochalpen von den Schneegipfeln des Glärnisch und Titlis über die Pyramiden der Berneralpen bis zu den beeisten Felshörnern der Dent du Midi. Einzelne Spitzen der Penninenkette, so das Weißhorn im Turtmannthal, der Combin und Montblanc, zeigen noch ihre leuchtenden Häupter am fernen Horizonte. Westwärts sind die zahllosen Gipfel der Stockhornkette in mancherlei eigenthümlichen Formen über einander und hinter einander gruppirt, und zwischen hellen Flühen sieht man auf dunkelgrünem Teppich der Alpentrist die freundlichen Sennhütten

schimmern, In weiter Ferne gewahrt man die Marksäulen des Saa-
nenlandes, die **Tours d'Ay** und Mayen, die scharfgezeichneten Firsten
der Brenleyrekette, den Moleffon, die Berra und viel andere befreun-
dete Gipfel. Hinter den zahmen Anhöhen des Gurnigels blinken die
drei Seen im Nebenlande dem forschenden Auge entgegen. Nordwärts
schweift der Blick über die, ach! von ferne so paradiesisch schönen,
Hügel- und Flächengefilde bis an den Grenzdamm des Jura und der
Vogesen. Da spiegelt sich der Wiesen Grün und das Schattenbild
dunkler Tannenwälder in dem Becken klarer Seegewässer. Dort schlän-
geln sich weiße Straßen oder silbergraue Gewässer um den Fuß sanfter Anhöhen und durchschneiden die reichen Matten und die üppigen
Fruchtfelder. Wie auf einer Karte liegt das Land mit seinen Wohn-
stätten da unten in unabsehbarer Weite ausgespannt.. Den schönsten
Theil dieses reichen Panoramas bildet aber das reizende Gelände von
Thun mit der Spiegelfläche seines blauen Sees und den dorfbekränzten
Ufern, umgürtet von den erhabenen Gerüsten der Alpenwelt. Unstät
fliegen die Blicke des Glücklichen hierhin und dorthin; immer neue Gestalten, neue Anhaltspunkte fesseln das Auge und machen den Genuß
unerschöpflich.

In älterer und neuerer Zeit haben Dichter und Gelehrte das Stockhorn besungen und beschrieben. Im Jahr 1536 ward es von dem Zürcher Joh. Müller, von seinem Geburtsort Rhellikon **Rhellika-**
nus genannt, Pfarrer zu Biel, bestiegen, und die Reise von ihm in
130 lateinischen Versen besungen. Es war dieses eine der ersten ge-
druckten Alpenreisen *). Ein und zwanzig Jahre später machte **Be-**
nediktus Aretius (Benedicht Marti von Bätterkinden), Professor
zu Bern, eine Wanderung auf Stockhorn und Niesen, die lateinisch ab-
gefaßt und später gedruckt worden ist. Am ergötzlichsten ist **Hans**
Rudolf Rebmanns neuw, lustig, ernsthaft, poetisch Gastmal und
Gespräch zweier Berge in der löblichen Eidgenossenschaft und im Ber-
ner-Gebiet gelegen, nämlich des Niesens und Stockhorns, als zweier
alter Nachbaren. 1606. Eine naive, jedoch die Gefahren des Weges
höchst übertreibende Schilderung einer Stockhornreise hat uns Professor

---

*) Voyage de Rhellicanus au Stockhorn, Etrennes Helvetiennes 1797.

Karl Spazier hinterlassen *). Endlich verdanken wir der gewandten Feder des verstorbenen Professor F. Meisner einen belehrenden Aufsatz über eine um das Jahr 1820 unternommene Wanderung auf das Stockhorn **). Leider! fehlt uns noch eine getreue Panoramazeichnung, welche den vielen einheimischen und fremden Naturfreunden, die man jährlich nach der hohen Zinne des Stockhorns wallen sieht, als Kommentar zu dem ungeheuern Bilderwerke dienen könnte, das daselbst dem Blicken erschlossen ist.

Nr. 101. Sohlhorn.

Politische Lage. Bern, A. Niedersimmenthal.
Höhe. 6280′ T. Frei.
Gebirgsart. Stockhornkalk, dem ältern und mittlern Jura angehörig.
Entfernung. 6¼ Stunden.

So heißt die felsige, schroffe Spitze, die sich östlich vom Stockhorn, jedoch einige hundert Fuß niedriger als dieser, erhebt. Ihr östlicher Nachbar ist der Lasenberg, dem hier ebenfalls eine kurze Schilderung gewidmet sein mag, weil sein Gipfel auf unserem Panorama zwischen dem Sohlhorn und der Nüschleten sichtbar, aber wegen der Enge des Raumes mit keiner besonderen Nummer bezeichnet ist. Der Lasenberg bildet, im Gegensatz mit den meisten übrigen Gipfelerhebungen der Stockhornkette, eine flache, begraste Kuppe, auf welcher sich an den schönen Tagen der Alpzeit das Vieh von Hinterstocken munter herumtummelt. Die breite Masse des nordwärts in scharfem Rande ausgeprägten Gipfels wird der „Große Sattel" genannt. Westwärts senkt sich das Gehänge nach dem Ufer des Amsenfeesees hinunter, ostwärts in den Trichter des Obernackberges, in dem sich zeitenweise ebenfalls ein kleiner Teich befindet. Der südliche Abhang fällt auf die Hochalp des Walpersberges. Die nördlichen Abstürze, die sich längs dem Sohlhorn und Lasenberg bis an die Nüschleten hinziehn und eine schroff abgerissene Gebirgswand bilden, werden

---

*) Wanderungen durch die Schweiz. Gotha 1790.
**) Alpenrosen vom Jahr 1822.

insgemein mit dem Namen „In den Läubern" belegt. Sie entsteigen einer wilden, unbewohnten Bergschlucht, welche zwischen der Niederstockenfluh und der Moosfluh in das Stockenthal ausmündet.

Die Aussicht, die man auf dem Lasenberg genießt, läßt sich zwar nicht mit derjenigen des Stockhorns vergleichen; sie ist aber dennoch in hohem Grade lohnend, und die Leichtigkeit, mit welcher man diesen Alpengipfel auf der Simmenthalseite besteigen kann, so wie das Wohlbehagen, sich auf dem breiten Rasenteppich hinlagern und in sicherer Ruhe, von Abgründen umgeben, die mannigfaltigen Bilder des weiten Gesichtskreises betrachten zu können, machen einen Aufenthalt daselbst äußerst genußreich.

Ueber die Flora der Stockhornkette siehe den Artikel Stockhorn, Nr. 100.

Nr. 102. Altels.

Politische Lage. Bern. A. Frutigen.
Höhe. 11,187'. T. eidg. Verm. 11,432'. T. Tralles.
Gebirgsart. Hochgebirgskalk; wohl größtentheils Jura.
Entfernung. 12¾ Stunden.

Der Gipfel der Altels bildet, von Norden und Westen gesehen, die Spitze eines riesenhaften Dreiecks, dessen Basis auf mächtigen Felsenpfeilern ruht, und dessen scharfbegrenzte Fläche aus einem einzigen, weithin leuchtenden, steil abschüssigen Firnfelde besteht. Dieses Firnfeld umfaßt den ganzen westlichen Abfall des Berges, und das unterste, mit lichtem Gehölz und Schafweide bekleidete Felsengehänge fußet in dem Hochthal der Spitalmatte (5845'), durch welches sich der Gemmiweg von der Wintereck nach dem Schwarrenbach hinzieht. Vermittelst eines uneben fortlaufenden Eiskammes ist die Spitze der Altels mit dem einige Fuß höheren Gipfel des Balmhorns (Nr. 103) verbunden. Beide Bergspitzen gehören daher dem nämlichen Gebirgsstocke an. Das Profil seiner Gipfelmasse entspricht demjenigen eines kolossalen Hausdaches, dessen nordwestlicher Eckpunkt in der Spitze der Altels, der südöstliche aber in der Spitze des Balmhorns zu finden ist. Die nördliche Kante jenes Riesenschildes der Altels verlängert sich in dem Felsenrücken des Daatelenhorns (7651'), dessen Fuß steil und

kahl in den tiefen Grund des Gasterenthals sich versenkt. Entsetzlich
gähe Firnwände bedecken den nordwestlichen Absturz derselben. Eben
so steil senkt sich der mittägliche, an dessen glatten Wandungen der
ewige Schnee nur sparsam zu haften vermag, in die Tiefe eines Thalbeckens, welches von dem Grate umschlossen wird, der sich vom Balmhorn nach dem Rinderhorn erstreckt. Diese wilde Thalbucht wird von
dem Sagegletscher angefüllt, der sich bis an die enge Mündung
zwischen der Altels und dem Kleinen Rinderhorn hervordrängt und dessen Abfluß unter dem Namen Lochbach oder Sagebach die Thal-
fläche der Spitalmatte durchfließt.

Ob in dem Worte Altels der weibliche Taufname „Elisa-
beth“ (Else, die alte Else) enthalten sei, oder ob Els in der dortigen
Gebirgsgegend eine lokale Bedeutung habe, da man es auch in den
Bergnamen Wild-Elsigen, Elsigen, Elsighorn u. s. w. wiederfindet, ist
nicht ausgemittelt. Die Anwohner nennen den Berg „der“ Altels.

Der Gebirgsstock der Altels und des Balmhorns besteht aus den
nämlichen, wohl größtentheils jurassischen Kalkgesteinen, wie die durch
das tiefe Gasternthal davon abgerissene Kette des Doldenhorns und der
Blümlisalp, und ruht wie diese mit seinem südlichen Fuß auf Granit
und Gneis, welche nach Süden zu die mächtige Kette des Nesthorns
bilden.

Drei Besteigungen der Altels haben, so viel bekannt, bereits stattgefunden. Die erste wurde um das Jahr 1834 zum Zweck der Auf-
stellung eines Signales für die trigonometrischen Vermessungen von
mehreren Landleuten aus Frutigen ausgeführt. Zwei Fremde, in Begleit der Führer Gilgian Zahler, Jakob Schmid und David
Zürcher, bestiegen den Gipfel ein Jahr später. Ihre Reise soll mit
nicht geringen Mühseligkeiten und Gefahren verbunden gewesen sein.
Die dritte Besteigung geschah am 7. Sept. 1843 durch den Verfasser und die zwei Führer Gilgian Zahler und Christian Stucki
im Kandersteg. Zur Aufmunterung für Naturfreunde mag hier eine
gedrängte Skizze dieser letzten Wanderung folgen: Die Gesellschaft begab sich Abends vorher zum Wirthshause vom Schwarrenbach (6295'),
3 Stunden oberhalb Kandersteg. Um 4½ Uhr Morgens geschah der
Aufbruch. Man stieg zuerst abwärts auf die Thalebene der Spitalmatte und überschritt hier, fortan jeden sichtbaren Pfad missend, das

tief eingefreſſene Bett des Lochbaches, da wo er ſich zwiſchen der Altels und dem Kleinen Rinderhorn, heftig fluthend, hervordringt. Jenſeits begann das gähe, jedoch nicht unbequeme Auſteigen über Schafweide. Allgemach aber wurden die bewachſenen Stellen ſeltener, und
rauhe, verwitterte Felsplatten und gangige Abſtürze nahmen ihren Platz
ein. Das Gehänge geſtaltete ſich zu einem ſchmalen, langgedehnten
Felsrücken. Nach einem dreiſtündigen Marſche hatte man das oberſte
Geſtein erreicht und betrat nun, hart am ſchauerlichen Abgrunde, die
ſüdweſtliche Kante jenes Rieſendachs verfolgend, den ewigen Schnee
oder Firn. Iſt dieſer nicht gar zu hart, ſo iſt die Reiſe mit keiner
ſonderlichen Gefahr verbunden. So wie die Bergkante ſteiler gegen
den Gipfel anſtieg, mußten mit der Art Stufen in die feſte Firnmaſſe
gehackt werden. Langſam ſchritt man dem Ziele näher. Schon konnte
man die im Glanz der Sonne ſchimmernde Signalſtange deutlich un-
terſcheiden. Das weite, unermeßliche Rund erſchloß ſich mit jedem
Schritte mehr. Um halb 12 Uhr, nach einem ſiebenſtündigen
Marſche, ſetzten die Reiſenden den Fuß auf den Gipfel, ohne weſent-
lich ermüdet oder angegriffen zu ſein. Dieſer war etwa fünf Schritte
lang und zwei Schritte breit. Durch eine unbedeutende Niederung unterbrochen, erſtreckt ſich von ihm aus ſüdoſtwärts ein blendend weißer
Firnkamm, theils ſcharf wie ein Meſſerrücken, theils zu überhängenden
Schneewächten aufgeblaſen, unüberſchreitbar, auf die nahe Zinne des
Balmhorns. Aus dem feſten Firn, der den Altelsgipfel bedeckte, ragte
die hölzerne Signalſtange mit ihren eiſernen Armen hervor. Der Tag
war herrlich, die Luft rein und ſtill, die Ausſicht ſo klar, daß die
Stadt Neuenburg mit freiem Auge erkannt werden konnte; die Temperatur ſo mild, daß einer der Führer ſich mit ausgezogenem Rocke
auf den funkelnden Firnteppich hinlagerte. Nach einem äußerſt genußreichen Aufenthalte von zwei Stunden trat die Geſellſchaft die Rückreiſe an. Sie ward durch die weicher gewordene Beſchaffenheit des
Firns erleichtert. Freilich war das oberſte Gehänge zu ſteil abgedacht,
als daß man es hätte wagen dürfen, ohne Benutzung der eingehauenen Stufen hinabzuſchreiten. Nachdem man aber die erſte halbe Stunde
Wegs zurückgelegt hatte, verließen die Reiſenden die im Hinaufſteigen
innegehaltene Bahn und glitten, auf den Alpenſtock geſtemmt, raſch,
aber vorſichtig, über die ſchöne Firnfläche hinunter, welche jenes Rieſen-

bach ber Altels bildet, ben Schnee nicht eher verlaffenb, bis fie ben
Fuß auf ben weichen, blumigen Rafen ber Schaftrift fetzen tonnten,
welche ben unterften Hang bes Berges befäumt. Auf folche Weife
hatte die Gefellſchaft in Zeit von drei Viertelftunben eine Strecke zu=
rückgelegt, welche im Hinanfteigen eine Zeit von wenigftens 4 Stun=
ben erforbert hatte. Um 5 Uhr Abenbs langte man im Schwarren=
bachwirthshaufe an.

Das Panorama ber Altels ift außerorbentlich reich unb großartig.
Im Süben ſieht man bem Horizont bie taufenb Zacken unb Hörner
bes begletſcherten Alpengürtels entfteigen, ber in breiter Zone bas
Rhonethal von bem Savoyer= unb Piemonteferlanbe ſcheibet. Buet,
Montblanc, Combin, Matterhorn, Weißhorn, Rofa unb Miſchabelhör=
ner zeichnen ſich vor allen aus. In ber Richtung ber Simplongebirge
wird ber entferntere Geſichtskreis burch ben nahen Gipfel bes Balm=
horns unterbrochen, ber aber ſelbſt in ſeinem blenbenb weißen Atlas=
kleibe eine Zierbe bes prachtvollen Gemälbes ift. Am öftlichen Hori=
zonte erſcheint bie gletſcherreiche Kette bes Lötſchthals unb ber Kranz
ber Berner Hochalpen vom Finfteraarhorn über bie Jungfrau bis zum
Wetterhorn. Im Vorbergrunbe breitet ſich bie Hochfläche bes nach bem
Gafternthale nieberhängenben Tſchingelgletſchers aus, nörblich begrenzt
von ber Blümlisalp unb bem Dolbenhorn, bie, in ihrem Felſengewanbe
kaum mehr erkennbar, ihre ſchlanken Spitzen in ſchreckbarer Nähe em=
porthürmen. Ueber bie Gebirgswelt bes Kienthals, bie zahllofen Hör=
ner, bie ben Thälern von Lauterbrunnen unb Grinbelwalb, bem Becken
bes Brienzerfees unb bem fernen Unterwalbnerlanbe entragen, ſchweift
ber Blick bis an bie Nebelgrenze unbekannter Berggeftalten. — Norb=
wärts ruht bas Auge auf bem bunkeln Grün ber Matten von Kanber=
fteg; es verfolgt ben Lauf bes Bergftroms, ber bas Frutigthal burch=
zieht, begrüßt bie blaue Scheibe bes Thunerfees unb überfliegt ſobann
bie fruchtbaren Lanbesweiten bis an ben fernen Gürtel bes Jura, ber
Bogefen unb bes Schwarzwalbes. — Richtet ſich ber Blick nach Weften,
fo find ba bie langgebehnten Alpenzüge ber Simme= unb Saanethäler,
Reihe hinter Reihe hingeftreckt, ftufenweife höher unb mächtiger ſich
geftaltenb, bis ba wo bie Gletſchern ber Wallifer Grenzkette ben höch=
ften Rang behaupten. Als fernfte Punkte erkennt bas unbewaffnete
Auge noch bie Jurahöhen ber Döle unb bes Rocculet, bie Cornettes

und Dents d'Oche am Genferfee. Dicht zu den Füßen windet sich die Gemmiftraße gleichfam durch einen tiefen Abgrund über die grüne Fläche der Spitalmatte, und dort im wilden Klippenmeere winkt das wirthliche Haus im Schwarrenbach.

Diefes find die flüchtigen Umriffe einer Ausficht, die zu gewaltig ift, als daß der Griffel des fchwachen Sterblichen fie mit vollftändiger Wahrheit und Treue zu befchreiben vermöchte. Wem es aber an Muth und Luft nicht gebricht, der erklimme felbft einmal jenen Hochgipfel der Alpen, die weithin leuchtende Altels, und fchwelge in dem reichen Genuß, den dort die Natur ihren Lieblingen vorbehalten hat.

Nr. 103. Balmhorn.

Politifche Lage. Bern. A. Frutigen. Grenze gegen Wallis. Höhe. 11,353'. T. eidg. Berm. Gebirgsart. Hochgebirgskalk. Wohl größtentheils Jura. Entfernung. 13 Stunden.

Wie wir bei Nr. 102 gefehen haben, ift das Balmhorn mit der Altels zu einer Gebirgsmaffe verwachfen und bildet den füdöftlichen Eckpunkt jenes beeisten Kammes, der in dem Riefenfchilde der Altels gegen Nordweften abfällt. Allem Anfchein nach ift die Spitze des Balmhorns unzugänglich. Seine glänzenden Firnwände ruhen nordwärts auf dem vorfpringenden Gefimfe eines kahlen Felfenpoftaments, welches in einer faft fenkrechten Höhe von einigen taufend Fuß dem tiefen Grunde des Gafternthals entfteigt. Diefes Felfenpoftament heißt Wild-Elfigen (8637'). Auf feinen luftigen Terraffen finden noch Schafe ihre Nahrung, die da längs den Zerklüftungen und verborgenen Gängen hinaufgetrieben werden. In dem weiten Becken zwifchen dem Wild-Elfig-Schafberg und dem von der Altels nördlich auslaufenden Felfenrücken des Daatelenhorns find die blaufchimmernden Maffen des Wild-Elfigengletfchers gelagert, und ihr Abfluß ftürzt fich in fchönen Kaskaden über nackte Felfen in das Gafternthal. Oftwärts ift das Balmhorn von der Spitze bis auf den flachen fchneeigen Gebirgrücken des Lötfchthalgrats in einer ungeheuern Felfenwand fo kahl und fteil abgeriffen, daß der ewige Schnee nur fpär-

181

ließ an diesem Absturze zu haften vermag. Ueber jenen Gebirgsrücken, der sich nordostwärts an den Gipfel des Schild- oder Hockehorns anlehnt, führt ein rauher, zerfallener Paß in 4 Stunden aus dem Gasternthale (4660') nach Kippel (4299') im Lötschthale. Die Paßhöhe liegt 8355' ü. b. M. Die Hochterrasse am Fuß des Balmhorns zunächst an der Paßhöhe wird von einem flachen Gletscher belastet, den man zu überschreiten hat, und der auf der Seite des Gasternthals herunterhängt. Hat man nach Uebersteigung des Passes auf der Lötschthalseite auf den sogenannten Platten den unteren Rand der Schneefelder erreicht, so eröffnet sich daselbst eine großartige Aussicht nach der riesenhaften Kette des Nesthorns, den Simplongebirgen, dem Rosa, den Mischabelhörnern und dem Weißhorn.

Mittagwärts ist das Balmhorn ebenfalls sehr steil und felsig abgerissen, und es läuft von ihm unter dem Namen Sagegrätli ein Gebirgskamm in westlicher Richtung hinter der Altels durch auf das Rinderhorn aus, während an das tiefere Gehänge sich die Gebirgsverzweigung anschließt, die sich zwischen der Schlucht der Lonza und dem Dalaschlunde nach dem Rhonethal verläuft.

Balm bedeutet in der Bergsprache eine Höhle oder einen überhängenden Felsen. Eine solche Höhle oder Balm befindet sich am östlichen Fuß des Balmhorns, daher auch des Namens Ursprung und Bedeutung leicht zu erklären ist. Vom Leukerbade weg ist die Spitze des Balmhorns sichtbar, diejenige der nördlich vorstehenden Altels nicht.

Gr. 104. Drunengalm.

Politische Lage. Bern. Grenze zwischen dem W. Niedersimmenthal und Frutigen.

Höhe. (Trieffhorn) 7950'. T. Frei.

Gebirgsart. Riesensandstein und -Schiefer.

Entfernung. 8¼ Stunden.

Als drittäußerstes Glied der Riesenkette erhebt sich der Gipfel des Drunengalms in einer horizontalen Alpenfirst von nahezu einer halben Stunde Ausdehnung. Nördlich hängt diese schmale First mit der Bettfluh, südlich mit dem Steinschlaghorn zusammen. Die beidseitigen

Abstürze sind äußerst steil, jedoch zum großen Theil begrast. Tiefer,
wo die Alpweiden beginnen, verliert sich die anfängliche Steilheit, und
das grüne Gehänge senkt sich, den Fuß mit lichter Waldung geziert,
auf der Ostseite in das Fruttgthal, auf der Westseite in das vom Chi-
relbach durchflossene Thal von Diemtigen. Auf der Seite des letztern
liegt die Alp Drunen mitt 71 Kuhrechten, auf der Seite von Frutigen Gong mit 80 Kuhrechten. Der Drunengalm wird im Simmenthal auch Drunengrat und Dorfgrat genannt. Galm ist gleichbedeutend mit Grat. Stalder leitet Galm aus dem celtischen Gall
(Felsen) her und gibt ihm die Bedeutung Gipfel oder Rücken eines
Berges. In den benachbarten Gegenden finden wir die Bergnamen:
Wibbergalm, Muntigalm, Thumigalm, Hochgalm, Galliten u. s. w.
Von den Fruttgern wird die nördliche Ecke des Drunengalms Triest-
horn, die südliche Gongtriesthorn geheißen.

Der Drunengalm läßt sich von Erlenbach, Latterbach, Diemtigen
und unstreitig auch aus dem Fruttgthale in etwa 4 Stunden ersteigen,
und soll eine wunderschöne, dem Panorama des Riesens ähnliche Fernsicht darbieten.

Ueber die Flora der Riesenkette vergleiche Nr. 92.

Nr. 105. Doldenhorn.

Politische Lage. Bern, A. Frutigen.
Höhe. 11,227'. T. eidg. Verm. 11,287'. T. Tralles.
Gebirgsart. Jurassische Kalke und Schiefer.
Entfernung. 12¼ Stunden.

Der Gipfel des Doldenhorns zeichnet sich sowohl durch das
regelmäßige Profil einer mittleren Spitze und zweier etwas niedrige-
rer Nebenstufen, als durch die Reinheit seiner schönen Firnbekleidung
aus. Der nördliche Abfall dieses Berges senkt sich in einem Gehänge
von Felsen und Gletschern steil in den Schooß des Oeschinenthales,
und sein massiver Fuß badet sich in dem Gewässer des einsamen Alpensees, in welchen die Gletscherabflüsse in malerischen Kaskaden herunterstürzen. Den prachtvollen Anblick, der das Doldenhorn von dieser
Seite darbietet, haben wir bei Nr. 89 geschildert. Der östliche Nach-

bar bes Dolbenhorns ist bas Freundhorn. Mittagwärts zeigt sich jenes von oben bis unten entsetzlich kahl und felsig abgerissen. Der obere Theil ist in wilden Horngestalten ausgezackt, der untere bildet mehr zusammenhängende, gewaltige Felsenwände, welche das Thälchen von Gastern einbämmen. Westwärts endlich senkt sich bas Dolbenhorn über die Felsenstufe des Fisistockes (8148') steil in die grüne Wiesenfläche des Kanderstegthals.

Die Benennung Dolbenhorn ist ausschließlich in Gastern einheimisch, wo die am Fuß des Berges liegende Alp Dolben bem Horn den Namen verliehen hat. Die Hirten im Oeschinenthale kennen jene ewig beeisten Spitzen nur unter bem Namen „bei ben weißen Hörnlein."

Die geognostischen Verhältnisse bes Dolbenhorns finden wir bei der Blümlisalp (Nr. 108) erörtert.

Nr. 106. Freundhorn.

Politische Lage. Bern, A. Frutigen.
Höhe. 10,800' (?).
Gebirgsart. Jurassische Kalke und Schiefer.
Entfernung. 12¼ Stunden.

Zwischen dem Dolbenhorn und der Blümlisalp steigt die Kegelgestalt des Freundhorns empor. Mittagwärts ist dasselbe gegen das Gasternthal in vertikaler Felswand abgeschnitten, in deren Spalten und Zerklüftungen der Lawinenschnee haften bleibt. Am Fuße, ba wo jetzt der Kandergletscher gegen das Thalbecken sich verläuft und wenige Schafe noch an ben begrasten Stellen ihr Futter finden, soll ehemals eine Kuhalp gelegen sein, und noch zur Stunde heißt dieser unwirthbare Bezirk „beim Altstafel." Man hört sogar aus bem Munde der Hirten in Gastern, die Kühe seien unter bem hohen Felsen, welcher mitten aus dem Eise bes Kandergletschers hervorragt, ba wo derselbe schrecklich zerklüftet seinen Absturz in bas Thal bilbet, zu Schatten gegangen. Auf der Nordseite ist bas Freundhorn mit Eis bepanzert und an den äußersten Gehängen befindet sich, umschlos-

fen von Felsklippen, deren Fuß vom Oeschinensee bespült wird, ein
weiter, zum Theil mit Gras bewachsener Raum, wo auf kaum zu-
gänglichem Pfade an den Abgründen einer Felsenwand vorbei, die
Schafheerden des Oeschinenberges hingetrieben werden. Dieser abge-
legene wilde Bezirk wird in Freunden genannt, woher denn auch
der Name Freundhorn oder Freundenhorn entstanden ist. Kaum wahrnehmbar sehen wir auf unserer Alpenansicht den obersten Saum des
Freundhorngipfels hinter dem Grate des Riesen hervorragen.

Nr. 107. und 108. Blümlisalp.

Politische Lage. Bern, A. Frutigen.

Höhe. (Mittlere Spitze) 11,271′. T. eidg. Verm. 11,393′ T. Trallet.

Gebirgsart. Dunkle Kalke und glänzende Schiefer, in den tiefern Schichten dem Jura (Hochgebirgskalk), in den höhern wohl
der Kreide beizuzählen.

Entfernung. 12 Stunden.

Die Blümlisalp gehört zu den schönsten und erhabensten Gebilden der Berner-Hochalpen, ja durch ihre Massenhaftigkeit übertrifft sie fast alle andern. In unserer Alpenansicht nimmt sie neben
der Jungfrau den ersten Rang ein, und bildet den vielbewunderten
Glanzpunkt in dem Alpengemälde, wie es sich von Thun aus den
Blicken offenbart. Sie fesselt zwar mehr durch ihre kolossale Form
und die Pracht und die Fülle ihres reinen Schneegewandes, welches
sie auf der Nordseite in ihrer ganzen Ausdehnung umhüllt, als durch
kühnen Aufschwung oder Zierlichkeit ihrer Gestalt. Ihr Höhenprofil
bildet eine an beiden Enden schroff abfallende First, welche sich als
schmaler Gebirgskamm in drei an einandergereihten, nicht sehr stark
gewölbten Hauptgipfeln aufwirft, von denen der westlich gelegene
der höchste ist und die schärfste Kante zu haben scheint. Der nördliche, in rauhen Felsmassen emporstrebende, reichbegletscherte Fuß der
Blümlisalp entsteigt zum kleinern Theile dem hintersten Grunde des
Kienthals, zum größern dem Oeschinenthale. Gleich der Jungfrau,
welche von den Silberhörnern umkränzt wird, ist ihre höhere Gipfelmasse nordwärts von einem Eiskamme umgürtet, welchem drei scharf-

ausgeprägte Spitzen entragen, als da sind: die Wilde Frau an
der östlichen Ecke (Nr. 88), die kahle Felsenzacke des Blümlisalp=
stocks in der Mitte (Nr. 90) und das Rothhorn (Nr. 91) an der
westlichen Ecke. An die Gehänge der wilden Frau lehnt sich jene
mächtige Gebirgsverzweigung, die das Kienthal von dem Oeschinen=
und Kanderthale scheidet. Einige Rasenplätze am östlichen Fuß der
wilden Frau werden mit dem Namen Zahme Frau belegt. Ein
von Felsen umschlossener Bezirk daselbst heißt die Gemschifrei=
heit. Tiefer liegen die Weiden der Gamchialp, begrenzt durch
den Gamchigletscher, der mit seiner ungeheuern Wucht vielge=
brochen von der Gamchilücke (Nr. 86) herabstarrt. — Westlich von
der Wilden Frau, zwischen dieser und dem Rothhorn, den Blümlis=
alpstock von beiden Seiten umklammernd, wälzt sich von jenem vor=
geschobenen Eiskamm ein vielgeborstener Gletscher hinab und flacht
sich gegen die Triften des Oeschinenthales aus. Dieser Gletscher
heißt Blümlisalpgletscher oder auch Oeschigletscher. Der=
selbe bedeckt eine jener fruchtbaren Blümlisalpen, welche nach der
Sage des Volkes einst durch den Fluch des Himmels in Gletscher
verwandelt worden sind. Ein übermüthiger Senn, so heißt es ge=
wöhnlich, habe mit den Gaben seiner reichen Alp Verschwendung ge=
trieben, den Weg zu dem Stafel mit einer Treppe von Käsen besetzt,
sich mit seiner Geliebten in strafbarer Kurzweil versündiget, seine
alte Mutter oder seinen blinden Vater aber der Noth und dem Hun=
ger preisgegeben, ja sogar sich an ihnen vergriffen, bis daß ob solchem
Frevel die Rache Gottes eingetreten sei. — Einer solchen Sage zu
lieb, scheint später die Benennung Blümlisalp oder Blüm=
lisalphorn auf den gesammten Gebirgsstock ausgedehnt wor=
den zu sein. Im Kienthal heißt dieses Gebirge die Frau und der
mittlere Gipfel vorzugsweise das Frauenhorn. — Das felsige Roth=
horn setzt seinen Fuß in den Schooß des Oeschinenthales. Zwischen
ihm und dem äußern westlichen Gipfel der Blümlisalp, welcher in
scharfer Stufe gegen das Freundhorn niedersteigt, hängt ein Gletscher,
der einem weißen Schleier gleich den verwitterten Leib des Berges
umwallt. Dieser hängende Gletscher mit der Zinne des Rothhorns
zur Linken und der schönen Firnpyramide des Blümlisalpgipfels zur
Rechten bildet jene malerische Gebirgsgruppe, die vom Kandersteg weg

durch die Spalte des Oeschinenthals gesehen, das Auge des Fremden auf sich zieht.

Mittagwärts fallen die kahlen Felsenwände der Blümlisalp beinahe lothrecht auf die Hochfläche des Tschingelgletschers, welcher hier das Gebirge in seiner ganzen Ausdehnung umlagert *). Ein schwach ausgeprägtes Firnjoch, das in dem Gipfel des ringsumgletscherten Mutthorns kulminirt, verbindet die Blümlisalp mit dem Tschingelhorn und vermittelst dieses Knotens mit der großen Kette der Berner-Hochalpen.

Was die geologischen Verhältnisse betrifft, so lehnt sich die mächtige Kette des Gspaltenhorns, der Blümlisalp und des Doldenhorns (Nr. 78. 84. 86. 88. 89. 90. 91. 105. 106. 197. 108. 110. 111. 112), so wie der Gebirgsstock der Altels (102 und 103), ausschließlich Kalk- und Schiefergebirge, über einen Kern von Granit und Gneis, der im Sevinenthal schon am nördlichen, größtentheils aber nur am südlichen Fuß des Gebirges, in den Thälern von Ammerten und Gastern unter dem Tschingel- und Kandergletscher zu Tage tritt, daselbst aber oft bis in ziemliche Entfernung von seiner Grenze durch die mannigfaltigen und bedeutenden Veränderungen der ihm aufgelagerten Kalkschichten (Zwischengesteine) sich kund thut. Die genannten Hörner bestehen alle lediglich aus Kalk und Schiefer, deren seltene Petrefakten ihnen eine Stelle in der Juraformation anzuweisen scheinen; diese Formation erreicht die Höhe der Gamchilücke, bildet demnach die Hauptmasse des Tschingelgrats, des Gspaltenhorns, der Blümlisalp und des Doldenhorns; aus ihr besteht der mächtige, von dem Doldenhorn durch die tiefe rißähnliche Schlucht des Gasternthals getrennte, Gebirgsstock der Altels und des Balmhorns, dessen südlicher Fuß ebenfalls auf dem Gneis und den Feldspathgesteinen ruht, welche nach Süden zu die mächtige Kette des Nesthorns bilden; ja die genannte jurassische Kalkformation greift selbst quer über die ganze aus Gneis und Granit bestehende Einsattlung des Tschingelgletschers hinüber nach dem Mutthorn, und erhebt sich nach den von dem Schmadri- und Breithorngletschern ausgeworfenen Trümmern zu schließen, von

_____

*) Siehe die nähere Schilderung des Tschingelgletschers bei Nr. 150.

12

neuem in den gewaltigen Stöcken des Tschingel- und Breithorns zu bedeutender Höhe. Es ist nicht bekannt, ob die jurassischen Gesteine selbst die berühmten Gipfel der genannten Ketten erreichen, oder ob ihnen daselbst noch eine Folge von Kreidegesteinen aufgesetzt sei. Jedenfalls bedecken die letzten in weniger Entfernung von den höchsten Kämmen den Nordabfall jener Ketten, krönen die Höhen des Oeschinengrats und des Fisistocks und werden sogar von der tertiären Nummulitenformation in nicht großer Entfernung vom Hauptkamm im Aermighorn überlagert.

Von einer Besteigung der Blümlisalp hat man bis dahin noch keine Kunde erhalten. Wenn eine solche überhaupt statthaft ist, so dürfte sie wohl vorzugsweise von der Südseite her auszuführen sein, wo die aus dem Gasternthale leicht zu erreichende Hochebene des Tschingelgletschers die Annäherung begünstigt und von wo an den lothrecht scheinenden Felsabstürzen einzelne verborgene Geleise und Schutthalden oder auch ein rauheres Steingefüge dem kühnen Alpensteiger, dem vor keinem Schwindel bangt, die Möglichkeit gewähren dürften, den Gipfel zu erklimmen.

Auserlesene Standpunkte zur Betrachtung der Blümlisalp in ihrer riesenhaften Größe und Pracht und zur Würdigung ihrer richtigen Verhältnisse sind unter vielen andern die Spitzen des Riesen und der Männlifluh.

Nr. 109. Breithorn im Lötschthal.

Politische Lage. Wallis.
Höhe. 12,000′ (?).
Gebirgsart. Gneis und Hornblend- und Chloritschiefer.
Entfernung. 14 Stunden.

In der Gebirgseinsenkung, welche die Gamchillücke bildet, vermag das Kennerauge nicht weniger als vier dicht hintereinander gereihte Kämme von Bergketten zu unterscheiden. Am tiefsten und nächsten ist der Grat der Gamchillücke, welcher die Blümlisalp mit dem Gspaltenhorn verbindet. Sodann nimmt man eine bogenförmig aufgeworfene Firnkante wahr, in welcher das Profil des Mutt-

horngipfels zu erkennen ist, der mitten aus dem Eise des Tschingelgletschers emporragt. Hinter dem Mutthorn erscheint der Gebirgskamm, der sich in fast horizontaler Richtung an der Grenz-
scheide des Wallis von dem Fuß des Tschingelhorns hinter der Blümlisalp durch nach dem Balmhorn erstreckt. Endlich sieht der aufmerksame Beobachter hinter diesem Grate am äußersten Horizonte bei
klarem Himmel noch einzelne weiße Zacken auftauchen, an denen bei der Abendbeleuchtung der Alpen ein milder Rosenschimmer
länger haften bleibt, was ihre größere Entfernung, aber auch ihre
hohe Lage beurkundet. Den Namen dieser fernen Firnzacken konnte
bis dahin Niemand mit Sicherheit angeben, obwohl man mit Recht
vermuthete, daß sie der riesenhaften Kette des Nesthorns angehören,
welche das Lötschthal südwärts einfaßt. Sie befinden sich westlich
vom Nesthorn und bilden einen Theil des Breithorns, welches
gegenüber der Alp Pfafflern, von dem mächtigen Breithorngletscher belastet, emporsteigt, und nicht mit dem Breithorn im Lauterbrunnenthal zu verwechseln ist. Die höchste Spitze des Lötschthaler-
Breithorns ist auf dem Gurten, auf der Anhöhe bei Gärlswyl, auf
der Muhlerenallment bei Zimmerwald sichtbar. Gegen Süden senkt
dasselbe felsige Gebirgsverzweigungen bis gegenüber Brig ins Rhonethal aus. Auf Höhen, welche von unserm Standpunkte östlich liegen,
wie z. B. von der aussichtsreichen Gumm oberhalb Biglen, kömmt
hinter der Gamchilücke am Platz des Breithorns das Nesthorn
(12,170') zum Vorschein.

Nr. 110. Tschingelhorn.

Politische Lage. Bern, A. Interlaken, Grenze gegen Wallis.
Höhe. 11,022'. T. eidg. Verm.
Gebirgsart. Kalkgesteine (Jura und Kreide?).
Entfernung. 13 Stunden.

Als westlicher Nachbar des Breithorns entsteigt in seinem reinen
Silbergewande der Firnkegel des Tschingelhorns dem Kamme
der Berner-Hochalpen, ringsum von mächtigen Gletschern umgürtet.
Auf der Nordseite stößt dieser Gipfel eine Verzweigung aus, welche

neuem in den gewaltigen Stöcken des Tschingel= und Breithorns zu
bedeutender Höhe. Es ist nicht bekannt, ob die jurassischen Gesteine
selbst die berühmten Gipfel der genannten Ketten erreichen, oder ob
ihnen daselbst noch eine Folge von Kreidegesteinen aufgesetzt sei. Je=
denfalls bedecken die letzten in weniger Entfernung von den höchsten
Kämmen den Nordabfall jener Ketten, krönen die Höhen des Oeschi=
nengrats und des Fisistocks und werden sogar von der tertiären Num=
mulitenformation in nicht großer Entfernung vom Hauptkamm im Aer=
mighorn überlagert.

Von einer Besteigung der Blümlisalp hat man bis dahin noch
keine Kunde erhalten. Wenn eine solche überhaupt statthaft ist, so
dürfte sie wohl vorzugsweise von der Südseite her auszuführen sein,
wo die aus dem Gasternthale leicht zu erreichende Hochebene des
Tschingelgletschers die Annäherung begünstigt und von wo an den
lothrecht scheinenden Felsabstürzen einzelne verborgene Geleise und
Schutthalden oder auch ein rauheres Steingefüge dem kühnen Alpen=
steiger, dem vor keinem Schwindel bangt, die Möglichkeit gewähren
dürften, den Gipfel zu erklimmen.

Auserlesene Standpunkte zur Betrachtung der Blümlisalp in ihrer
riesenhaften Größe und Pracht und zur Würdigung ihrer richtigen
Verhältnisse sind unter vielen andern die Spitzen des Niesen und der
Männlifluh.

Nr. 109. Breithorn im Lötschthal.

Politische Lage. Wallis.
Höhe. 12,000' (?).
Gebirgsart. Gneis und Hornblend= und Chloritschiefer.
Entfernung. 14 Stunden.

In der Gebirgseinsenkung, welche die Gamchilücke bildet, ver=
mag das Kennerauge nicht weniger als vier dicht hintereinander ge=
reihte Kämme von Bergketten zu unterscheiden. Am tiefsten und näch=
sten ist der Grat der Gamchilücke, welcher die Blümlisalp mit
dem Gspaltenhorn verbindet. Sodann nimmt man eine bogenförmig
aufgeworfene Zirkulante wahr, in welcher das Profil des Mutt=

horngipfel zu erkennen ist, der mitten aus dem Eise des Tschin=
gelgletschers emporragt. Hinter dem Mutthorn erscheint der Ge=
birgskamm, der sich in fast horizontaler Richtung an der Grenz=
scheide des Wallis von dem Fuß des Tschingelhorns hinter der Blüm=
lisalp durch nach dem Balmhorn erstreckt. Endlich sieht der aufmerk=
same Beobachter hinter diesem Grate am äußersten Horizonte bei
klarem Himmel noch einzelne weiße Zacken auftauchen, an be=
nen bei der Abendbeleuchtung der Alpen ein milder Rosenschimmer
länger haften bleibt, was ihre größere Entfernung, aber auch ihre
hohe Lage beurkundet. Den Namen dieser fernen Firnzacken konnte
bis dahin Niemand mit Sicherheit angeben, obwohl man mit Recht
vermuthete, daß sie der riesenhaften Kette des Nesthorns angehören,
welche das Lötschthal südwärts einfaßt. Sie befinden sich westlich
vom Nesthorn und bilden einen Theil des Breithorns, welches
gegenüber der Alp Pfafflern, von dem mächtigen Breithornglet=
scher belastet, emporsteigt, und nicht mit dem Breithorn im Lauter=
brunnenthal zu verwechseln ist. Die höchste Spitze des Lötschthaler=
Breithorns ist auf dem Gurten, auf der Anhöhe bei Gärlswyl, auf
der Muhlerenallment bei Zimmerwald sichtbar. Gegen Süden senkt
dasselbe felsige Gebirgsverzweigungen bis gegenüber Brig ins Rhone=
thal aus. Auf Höhen, welche von unserm Standpunkte östlich liegen,
wie z. B. von der aussichtsreichen Gumm oberhalb Biglen, kömmt
hinter der Gamchilücke am Platz des Breithorns das Nesthorn
(12,170') zum Vorschein.

Nr. 110. Tschingelhorn.

Politische Lage. Bern, A. Interlaken, Grenze gegen Wallis.
Höhe. 11,022'. T. eidg. Verm.
Gebirgsart. Kalkgesteine (Jura und Kreide?).
Entfernung. 13 Stunden.

Als westlicher Nachbar des Breithorns entsteigt in seinem reinen
Silbergewande der Firnkegel des Tschingelhorns dem Kamme
der Berner-Hochalpen, ringsum von mächtigen Gletschern umgürtet.
Auf der Nordseite stößt dieser Gipfel eine Verzweigung aus, welche

an der Stelle, wo die Tschingel = und Breithorngletscher ausmünden, steil in den hintersten Grund des Ammertenthales abfällt. Diese Verzweigung gestaltet sich zu einer selbstständigen Gipfelerhebung in der eigenthümlichen Form einer Doppelzacke, und es wird ihr Gipfel von den Bewohnern von Lauterbrunnen Wetterhorn oder auch Spaltenhorn genannt. Der östliche Absturz jenes Seitenzweiges beherrscht in vertikaler Felswand den prächtigen Breithorngletscher, der sich von der Wetterlücke gegen das Thal herunterdrängt. Die westliche, sanftgeneigte Abdachung ist mit einer Firndecke bekleidet und versenkt sich in die Hochfläche des Tschingelgetschers. An der Nordwestseite des Tschingelhorns lehnt sich das Firnjoch an dasselbe, welches als höchste Wasserscheide zwischen dem Ammerten = und Gastern = thal von der Blümlisalp ausgeht und in dem Mutthorn kulminirt.

Es mag hier am Orte sein, eine gedrängte Schilderung des Tschingelgletschers aufzunehmen. Dieser Gletscher wurde in früherer Zeit auch Büttlassen = und Länggletscher genannt. Unter dem letztern Namen erscheint er in der Marchbeschreibung von Interlaken vom Jahr 1785. Seine Masse füllt in einer Längenausdehnung von wenigstens zwei Wegstunden und in einer Breite von höchstens einer Stunde den hochgelegenen Bezirk zwischen dem Ammertenthal und dem Thal von Gastern aus und ist nordwärts von den kahlen Felsgerüsten der Tschingelflühe, dem Spaltenhorn und der Blümlisalp, südwärts von dem Tschingelhorn und dem Lötschthalgrat eingedämmt.

Mitten aus dem Gletscher, gleich einer Klippe aus dem See, deren Wände vom Schaum der Brandung weiß bespritzt sind, ragt das Mutthorn (10,270'), als Kulminationspunkt des Firnjochs, welches sich von der Blümlisalp nach dem Tschingelhorn hinüber zieht. Das Mutthorn (von Mutt, stumpf, mutschig — abgestutzt) wird auch Mitteltschuggen genannt und soll, älteren Berichten zufolge, von den Wallisern die „Hure" genannt werden *). Gruner nennt diesen Berg das „Obere Hauri," offenbar irrthümlich, da das Hauri ein fruchtbarer Ort am Steinberg ist. Von jenem schwach ausgedrückt-

---

*) Wyttenbach, Reise durch die Alpen. 1783.

ten Firnjoch, das den Gletscher quer durchschneidet, dehnt sich derselbe gegen Osten und Westen als ein schönes, ebenes, von wenigen Schründen durchzogenes Firnfeld aus und scheint das flache Becken zweier Hochthäler unter sich zu bergen, deren jedes nahezu eine Stunde weit von jenem Scheidejoch in entgegengesetzter Richtung ausgehn. Das westliche Becken wird in engerer Bedeutung mit dem Namen Kandergletscher bezeichnet. Seine glänzende Firndecke schwingt sich in schön gewölbter Böschung bis über den Lötschthalgrat hinaus und hängt jenseits in mächtigen Zungen nach dem Wallis herunter. An seinem äußeren westlichen Rande, da wo von dem Birghorn her eine begraste Kante sich gegen den Gletscher versenkt, ist derselbe plötzlich in einer bei 1000 Fuß hohen, felsigen Bergstufe gegen den Thalgrund von Gastern abgerissen. Er verliert hier auch seinen Charakter als Hochfirn; dieser macht dem eigentlichen Gletschereise Platz und als ein furchtbares Bollwerk von blauen Eisthürmen, von gähnenden Klüften durchschlungen, wälzt sich die Gletschermasse in ihrer ganzen Mächtigkeit und in tausend seltsamen Gestalten von der Würfelform bis zur Nadelspitze über jene Bergstufe herab. Am Fuße derselben treten die beidseitigen Thalgebirge näher zusammen und der Gletscher flächt sich auf dem ebenen Boden allmählig aus, indem er die junge Kander ihrer nächtlichen Wohnung entläßt. — Die begraste Kante unten am Birghorn heißt der Alpetligrat. Schafe finden daselbst noch treffliche Weide. Der Theil des Kandergletschers, den sie begrenzt, wird von den Hirten von Gastern Alpetligletscher genannt. — Das andere, östliche Firnfeld, welches sich nordwärts bis auf die Gamchilücke, mittagwärts bis an die steilen Wände des Tschingelhorns emporzieht, trägt im Besonderen den Namen Tschingelgletscher. Es dacht sich dasselbe sehr sanft ab bis an den Rand des felsigen Absturzes des Tschingeltritts, der durch einen vorgeschobenen Pfeiler der Tschingelfluhe gebildet wird. Aber nicht wie der Kandergletscher vermag sich der Hochfirn des Tschingels mit seiner ganzen Masse über diese Felsenstufe Bahn zu brechen, vielmehr wird er durch sie eingedämmt, und nur ein schmaler Gletscherarm hat sich an der niedrigsten Stelle durchgezwungen und wälzt sich zwischen dem Tschingeltritt und der lothrechten Wand des Wetterhorns schrecklich zerklüftet hinunter auf eine Bergterrasse, wo er sich mit dem Breithorngletscher vereinigt, so daß die gesammte Masse in dem hintersten Grunde des Ammertenthals ausmündet. Die weiße Lütschine, die das Lauterbrunnenthal durchströmt, hat hier ihren Ursprung.

Die Sage herrscht, daß vor Zeiten ein Weg von Lauterbrunnen über den Tschingelgletscher nach dem Wallis geführt habe. Sollen doch die Bewohner von Lauterbrunnen nach ihrer Mehrzahl von den Lötschern herstammen und soll doch wegen des Passes nach Wallis, laut Dokumenten, in der Ammerten ein volkreiches Dorf gestanden haben, wo jetzt nur einsame Alphütten liegen! Hirten in dieser Gegend behaupteten, man habe ehemals noch Geleise von Wagenrädern gesehen, die sich unter dem Eise verloren. Auch nach Gastern soll der Paß offen gestanden haben. Ist ja doch den 17. August des Jahres 1742 ein Hr. Polier de Bottens, Dekan zu Lausanne, noch zu Pferde von Kandersteg durch Gastern nach Lauterbrunnen hinübergestiegen *). Die Zunahme der Gletscher scheint jedoch jene Eiswüste auf längere Zeit unwegsam gemacht zu haben, bis am 12. Juli 1783 vier Bergknappen Joseph Böhlen, Peter Rubizier, Antoni Pfefferli und Sebastian Bendy, alle 4 katholischer Religion, es gewagt haben sollen, von Lauterbrunnen über den Steinberg und von da über den Tschingelgletscher und das zwischen dem Breithorn und Großhorn (?) liegende 3 Stunden lange Gletscherfeld hinüber ins Lötschthal zu steigen, um dort ihren Gottesdienst zu verrichten und am folgenden Tage auf dem nämlichen Wege zurückzukehren **). Einige Thalleute haben daraufhin die nämliche Wanderung unternommen. Sodann blieb diese Gletschergegend verlassen bis im Jahr 1829 Professor Hugi den alten Paß nach dem Wallis aufsuchte und, indem er westlich das Tschingelhorn umbog, in kurzer Zeit und ohne Hinderniß nach Kippel gelangte.

---

*) Vergl. Bourrit, description des Alpes.

**) Raritätenkasten von Lauterbrunnen. Manuscr. 1783. Offenbar liegt obiger Schilderung ein Irrthum zum Grunde, denn wenn auch der Paß zwischen dem Großhorn und Breithorn damals zugänglich gewesen wäre, so ist er doch ganz außerhalb des Weges gelegen, den die Reisenden einzuschlagen hatten. Eher möchten sie vom Steinberg über den Breithorngletscher hinauf geklettert sein und die sogenannte Wetterlücke zwischen dem Breithorn und Tschingelhorn überstiegen haben; wahrscheinlicher noch sind sie westlich um das Tschingelhorn herumgestiegen, wo auch jetzt der Paß gangbar ist.

Seitdem ist sowohl die Wanderung von Lauterbrunnen ins Lötsch=
thal als nach Gastern von manchem rüstigen Touristen und Naturfreunde
mit Glück versucht worden. Im Geleit kundiger Führer, die man
sowohl in Lauterbrunnen als in Gastern finden kann, und bei günstiger
Witterung ist diese Gletscherreise mit keiner besonderen Gefahr ver=
bunden, vielmehr läßt es sich sehr angenehm über jene stundenlangen
Hochfirne hinschreiten, wenn sie nicht etwa mit frischem, weichem
Schnee bedeckt sind. Der Weg vom Steinberg, einer Alp hinten in
Ammerten, 3 Stunden von Lauterbrunnen entfernt, nach Gastern, er=
fordert einen Marsch von etwa 7 Stunden, wovon man 3½ Stunden
unausgesetzt auf dem Hochfirn ist. Vom Steinberg bis auf die Höhe
des Tschingeltritts rechnet man 2 Stunden, von da bis auf das Firn=
joch am Mutthorn 1½ Stunden. Von Gastern bis auf den Alpetli=
grat gebraucht man 3 Stunden und von da bis auf jenes Firnjoch
1½—2 Stunden. Etwas mehr Zeit und Anstrengung erfordert der
Uebergang in das Lötschthal, da man wenigstens noch 1½ Stun=
den bedarf, um vom Fuße des Mutthorns die Grathöhe neben dem
Tschingelhorn zu erreichen. — Hugi gab dem Lötschthalgrat den Na=
men Petersgrat und schätzte seine Höhe auf 9958' ü. M. Das
Mutthorn ist zu 10,270' berechnet, das Firnjoch an seinem Fuß mag
eine solche von 9000' haben. Die Höhe beim Tschingeltritt fand Hugi
7553'; der Steinberg liegt 4880', Selden in Gastern 4660' ü. M.

Am Tschingelgletscher und gegen Ammerten finden sich folgende
Pflanzen: Draba frigida Saut. Dr. tomentosa Wahl. Cardamine
resedifolia L. Phaca frigida L. Artemisia mutellina Vill. Art.
spicata Jacq. Aretia helvetica L. Carex curvula All. Elyna
spicata Schr. — Am Kanderbgletscher und in Gastern: Aquilegia
alpina L. Cardamine resedifolia L. Aethionema saxatile Br.
Arenaria austriaca Jacq. Phaca australis L. Epilobium Dodonaei
Vill. Sempervivum montanum L. S. tectorum L. S. arachnoideum L. Saxifraga exarata Vill. S. bryoides L. Hieracium
staticifolium All. Artemisia mutellina Vill. Art. spicata Jacq.
Phyteuma hemisphæricum L. Ph. betonicæfolium Vill. Gentiana
nivalis L. Oxyria digyna Cambd. Empetrum nigrum L. Salix
hastata L. Malaxis monophyllos Sw. Luzula lutea DC. Juncus

trifidus L. Carex rupestris All. C. foetida All. Elyna spicata
Schr. Kobresia caricina Willd.

Doch, wir kehren zur Beschreibung des Tschingelhorns zurück.
Auch mittagwärts ist der Gipfel von ausgedehnten Firnfeldern über=
zogen, über welche man ohne Schwierigkeit vom Lötschthalgrat um
das Horn herum bis auf die Wetterlücke vordringen könnte. Tiefer
aber breitet sich ein blendender Gletscher aus, dessen schreckhaft zer=
klüftetes Gehänge in den hintersten Grund eines engen einsamen Quer=
thals niedersteigt, welches, von dem Gletscherwasser durchströmt, nach
kurzer Strecke zwischen den Alpweiden Pfafflen und Gletscher
in das Hauptthal der Lonza ausmündet. Dieses Thal heißt das In=
nere Pfafflernthal, und demselben entlang steigt man hinunter,
wenn man den alten Paß über den Tschingelgletscher einschlägt.

Dem äußeren Ansehen nach dürfte die Besteigung des Tschingel=
horns nicht unmöglich sein; der Gewinn mag jedoch die Mühe kaum
lohnen, weil die zurückgebrängte Lage desselben eine durchaus freie
Umsicht nicht zu gewähren scheint. Von unserem Standpunkte hinweg
ist dieser Hochgipfel großentheils durch das vorstehende Gspaltenhorn
verdeckt und schwer erkennbar. Wunderschön aber nimmt sich seine
Firnkuppe auf dem Wege nach der Wengernalp, auf dem Lauberhorn,
Faulhorn, Brienzer=Rothhorn aus.

Das Tschingelhorn steht an der Grenze des Gebiets, wo sich das
Kalkgebirge von den granitischen Gebirgen scheidet. Das Mutthorn
in der Mitte des Tschingelgletschers ist noch ein Kalkfels, und längs
dem südlichen Rande des Tschingelgetschers bringen die Lawinenzüge
unter sehr vorherrschenden Feldspathgesteinen immer auch hin und wie=
der ein vereinzeltes Kalkstück herunter. Es scheinen daher zwischen
dem Schmadribach und Balmhorn noch einzelne zum Theil beträcht=
liche Lappen von Kalk dem Feldspathgebirge aufzusitzen *). Pfr. Wyt=
tenbach fand am Fuße des Breithorns fast ausschließlich Kalkschutt
und vermuthete daher, sowohl das Breithorn als das Tschingelhorn
bestünden aus Kalk **).

---

*) Stuber, Geologie der westl. Schweizeralpen. S. 187.
**) Alpenreisen 1783. S. 81.

Das Wort Tschingel, das in unseren Bergnamen häufig vorkömmt, wird von dem celt. cingellus (Bergjoch), dem lat. cingulum (Gürtel) hergeleitet. Tschingel und Zingel, was ein hohes Felsenhorn bedeutet, sind gleichen Ursprungs.

Nr. 111. Gspaltenhorn.

Politische Lage. Bern, Grenze zwischen dem A. Interlaken und Frutigen.

Höhe. 10,874'. T. Frei.

Gebirgsart. Hochgebirgskalk, von dunkeln, glänzenden Kreideschiefern bedeckt.

Entfernung. 12 Stunden.

Als eine hohe, seltsam gezackte Felsenpyramide thront das Gspaltenhorn kühn und stolz in dem nördlich vorstehenden Kamme der Hochalpenkette zwischen der Blümlisalp und dem Tschingelgrat. Seine Abstürze sind so steil, die Gipfelmasse so ausgezackt, daß der ewige Firn nur stellenweise und mehr an dem tiefern Gehänge in größeren Massen zu haften vermag, und der nackte Fels theils in aufgerichteten Nadelgestalten, theils in vertikalen Wänden vorzugsweise zu Tage kömmt. Als ein nördliches Vorwerk des Gspaltenhorns ist die Büttlosa (siehe Nr. 84) an dasselbe gelehnt. Zu beiden Seiten des Büttlosagrates fallen die Gehänge des Gspaltenhorns, bald in steil abgedachten Firnhalden, bald in wild über einandergeworfenen Horngestalten, nordöstlich in die öde Schlucht des Sevinenthals, nordwestlich in den Grund des Kienthals, wo sie den gewaltigen Gamchigletscher eindämmen. Der Gipfel selbst bildet einen etwas breitern Mittelpfeiler, zu dessen beiden Seiten der schmalen Kante jene nadelförmigen Felszacken entragen. Mittagwärts versenken sich die lothrechten Felsabstürze in dem Hochfirne des großen Tschingelgletschers.

Das Gespaltenhorn hieß in älterer Zeit Büttlassenhorn[*] und scheint unbesteigbar zu sein. Jene Felsenzacken an der Ostseite

[*] Büttlose oder Büttlassengebirg. Raritätenkasten von Lauterbrunnen. Manule. 1783.

des Horns werden im Kienthal die Rothen Zähne genannt. Eine schöne Ansicht des Gspaltenhorns genießt man auf dem Riesen, auf dem Schilthorn und auf der Wengernalp.

Nr. 112. Breithorn.

Politische Lage. Bern, A. Interlaken, Grenze gegen Wallis. **Höhe.** 11,849'. T. eidg. Verm. **Gebirgsart.** Kalkgesteine (Jura und Kreide?). **Entfernung.** 13 Stunden.

Im Hintergrunde des Ammertenthals erhebt sich als Glied des Hochalpenkammes, der sich von der Jungfrau nach dem Tschingelhorn erstreckt, in schön aufgeworfener, hutförmiger Gestalt das Breithorn. Wie die meisten übrigen Glieder dieser Kette ist auch das Breithorn kein so massives Gebilde, wie es den Schein hat, sondern sein Gipfel ist eine schmale Wand, welche ihre breiten Flächen gegen Norden und Süden kehrt, während gegen Osten und Westen nur die scharfen Kanten ihres Profils in die Augen fallen und den Berg kaum mehr erkennen lassen. Hohe Firnsättel verbinden das Breithorn östlich mit dem Großhorn, westlich mit dem Tschingelhorn. Die Einsattlung gegen das Tschingelhorn heißt die Wetterlücke. Das nördliche Gehänge des Berges ist in seinem ganzen Umfange mit der Masse des prachtvollen Breithorngletschers belastet, welcher sich nach oben bis an die Wetterlücke ausdehnt, unten aber, vereint mit dem Abfall des Tschingelgletschers, zwischen der Hochterrasse der Oberhornalp und dem Steinberg in den hintersten Grund von Ammerten ausläuft. Die Alp Oberhorn, gegenüber dem Steinberg, am Fuße des Breithorns gelegen, liegt 6580' ü. M. und der kleine Oberhornsee 5780'. Steil fällt die Bergwand von hier ins Thal.

Die südlichen Abstürze des Breithorns entsteigen zum Theil in nackter Fluh, zum Theil in glänzenden Firnwänden dem hintersten Becken einer tief eingeschlossenen Felsschlucht, welche in ihrem Schooße den Jägigletscher beherbergt, dessen Eismasse sich an der Mündung dieser Schlucht mit dem Riesenstrom des Lötschengletschers vereiniget. Von der südwestlichen Kante des Breithorngipfels löst sich eine felsige Gebirgsverzweigung ab, welche den Namen Burst trägt und die Schlucht des Jägigletschers von dem Inner-Pfafflernthal scheidet.

Von den Bewohnern Lauterbrunnens wird das Breithorn auch Mittaghorn und Schmadrihorn genannt, indem es den zum Theil vom Großhorn niedersteigenden Schmadrigletscher beherrscht. Im Lötschthal hingegen ist es nur unter dem Namen Strahlhorn bekannt. Eine gewaltige Ansicht desselben hat man auf der Steinbergalp. Auch im Lötschthal, wenn man längs dem Lötschengletscher emporsteigt, sieht man dasselbe im Hintergrund der Schlucht des Jägigletschers hoch und frei sich emporschwingen. Sein Gipfel scheint unbesteigbar zu sein.

Nr. 113. Großhorn.

Politische Lage. Bern, A. Interlaken, Grenze gegen Wallis. Höhe. 11,583'. T. eidg. Verm. Gebirgsart. Gneis und Glimmerschiefer. Entfernung. 13 Stunden.

Das Großhorn bildet nach Westen hin das äußerste Stück jener Riesenmauer, welche mit ihren vertikalen Eiswänden stufenförmig zwischen dem Breithorn und der Jungfrau aufgebaut ist. Einzelne Felsrippen hängen an der nördlichen Wand des Großhorns herunter. Gletscher füllen die tieferen Buchten an und vereinigen sich mit dem Schmadrigletscher, der in seiner Hauptmacht vom Mittaghorn herabstarrt, am Fuße des Großhorns und Breithorns sich ausbreitet und den schroffen Wall der untersten Bergstufe bepanzert. Auf der Mittagseite ist die steile Wandung des Großhorns ebenfalls begletschert, und es läuft von ihr der kurze felsige Ast des Jägihorns gegen den Lötschengletscher aus, das Becken des Jägigletschers von dem weiten Amphitheater des Ahnengletschers trennend. Im Lötschthal wird das Großhorn Hinterluckhorn genannt, die Lauterbrunner aber geben der gesammten Gebirgsmasse vom Großhorn bis an die Jungfrau auch den Namen Breithorn, und es hat der

Anblick dieses Gebirges, vom Steinberg aus gesehen, viel Aehnlich=
keit mit der Gruppe des Breithorns am Westende des Monte Rosa.

Nr. 114. Mittaghorn.

Politische Lage. Bern, A. Interlaken, Grenze gegen Wallis.
Höhe. 11,870' (?).
Gebirgsart. Gneis und Glimmerschiefer.
Entfernung. 13 Stunden.

Das Mittaghorn steht zwischen der Ebnenfluh und dem Groß=
horn. Seine höchste First ist scharf wie ein Messerrücken. Die gegen
Norden gekehrten steilen Wände fallen eisbepanzert auf die unteren
wild zerborstenen Gletschergehänge. Eine mitten am Höhenkamm sich
herniederziehende, scharf ausgeprägte Felsenrippe gestaltet sich tiefer
unten zu einem ansehnlichen, dammartig aufgebauten Gebirgsgrat, der
sich unter dem Namen Schmadrirück in nordwestlicher Ausbeugung
auf die Hochterrasse vom Oberhorn verflächt, welche durch die unterste
steile Thalwand gebildet wird. Der Schmadrirück theilt die wei=
ten Gletscherbecken, welche sich unten am Mittaghorn und Großhorn
ausdehnen. Das westliche umfaßt den Schmadrigletscher, der
durch die Vereinigung mehrerer Gletscherarme entsteht. Gegen We=
sten grenzt dieser Gletscher nahe an den Breithorngletscher und drängt
sich vor bis an den Rand jener steilen felsigen Bergwand, die den
Thalgrund von Ammerten einfaßt. In einer Vertiefung am Fuß des
Schmadrirück liegt nach Wyttenbach *) ein kleiner See, der unter dem
Schnee hervorquillt und der Schmadribrunnen genannt wird. Hier
lag nach Hirtensage vormals ein Bad, dessen sich die benachbarten
Walliser, als heilsam gegen alle Gebrechen der Haut, bedienten.
Der Schmadribrunnen soll die eigentliche Quelle des Schmadri=
bachs sein, der unter dem Gletscher hervorströmt und in neun grö=
ßeren und kleineren Wasserstrahlen, von Seitenbächen umgeben, reich=
haltig über die hohe Felswand hinab in die Tiefe des Ammerten=

---

*) Alpenreise. 1783.

thales stürzt. Nach Wyß *) ist bei der Sennhütte des Bohnenmooses, 2½ Stunden von Lauterbrunnen entfernt, der dankbarste Standpunkt für die genußvolle Beschauung des Schmadribaches. Im Hinansteigen von Lauterbrunnen nach der Wengernalp, ja selbst von den Höhen der Alp Iselten kann der Schmadrifall, trotz der Entfernung, sehr deutlich wahrgenommen werden. Die Quelle des Schmadribachs liegt 5760', der Fall desselben am Fuße 4900' ü. M. — Oestlich vom Schmadrirück dehnt sich wieder eine Gletscherwelt, längs dem Gehänge des Mittaghorns bis an den Grat aus, der nach der Ebnen Fluh emporsteigt. In einzelnen Lappen hängen gewaltige Gletschermassen zwischen schroff aufgedämmten Felsen- oder Schuttpfeilern bis in die Nähe der Alpweiden herunter. Dem untern Gletschersaum entlang ziehen sich steile Trümmerfelder und Schneeflächen. Zu diesen gehört die Breitlauenen, unter welcher der Holdribach durchfließt und sich dann ins Thal stürzt. Jene gesammte Eiswüste umfaßt den Breithorngletscher. Am Fuß des Berges liegen die Alpen Breitlauenen, Kriegsmatt und Hohenalp. Auf Hohenalp befand sich einer der Hauptgänge von silberhaltigem Bleiglanz, wo schon vor der Mitte des achtzehnten Jahrhunderts Bergbau getrieben worden ist. Die andern Stellen waren im Haurlberg und im Steinberg. Bis zum Jahr 1782 blieb sodann dieser Bergbau verlassen. In jenem Jahr wurde der letzte wichtigste Versuch unternommen, allein seit dem Jahr 1805 hat der Betrieb des Bergbaues in jener Gegend wieder aufgehört **).

Südwärts ist das Mittaghorn lange nicht so tief abgerissen, wie auf der Nordseite. Seine Firnhalden flachen sich gegen das mächtige Bollwerk des Ahnengletschers aus, dessen unteren Hänge durch den Lötschengletscher begrenzt werden. Den Ahnengletscher auf der Ostseite eindämmend, löst sich vom Mittaghorn der schmale, hohe Firnrücken des Ahnengrats ab, vertieft sich stufenweise auf die Einsattlung, auf welcher der Lötschengletscher und der westliche Arm des Großen Aletschgletschers zusammenstoßen, und bildet so den

---

*) Reise ins Berner-Oberland.

**) Ein interessanter Bericht über diese Bergwerke steht im 2. Bande der Alpina von 1807.

Nr. 115. Ebnefluh.

Politische Lage. Bern. A. Interlaken. Grenze gegen Wallis.
Höhe. 11,800' (?).
Gebirgsart. Gneis und Glimmerschiefer.
Entfernung. 13 Stunden.

' Mit ihrem westlichen Ende an die Spitze des Mittaghorns sich anschmiegend, läuft die langgedehnte First der Ebnenfluh nur sehr unmerklich aufwärts gegen ihr Ostende, wo sich ihr höchster Gipfel in der Form einer Doppelspitze erhebt. Dort schließt sich der Grat an die noch höhere Spitze des Gletscherhorns an. Gegen Norden sieht man die Ebnefluh in beinahe lothrechten Eis- und Felswänden einige tausend Fuß tief abgerissen. Zunächst am Gipfel senkt sich ein scharf- kantiger Felsgrat steil gegen das Ammertenthal hinab. Ihm entragen die gezackten Gipfelerhebungen des aus wildzerrissenem, schwarzem, schiefrigem Kalk bestehenden Dürlocherhorns, des Gemshorns und Rothhorns. An der hohen, nackten Felswand dieser Hörner wurde ehemals Blei gegraben. Das Dürlocherhorn verdankt seinen Namen einer durch den Fels gehenden Oeffnung. Jener Grat scheidet den Breitlauenengletscher von dem östlich liegenden Roththal (siehe Nr. 117).

Gegen Mittag fällt das Gehänge der Ebnenfluh Anfangs steil und glatt, dann in wellenförmig aufgeworfenen Firnstufen mit einzelnen heraustretenden Felszacken auf die schöne Hochfläche des Aletschfirns herab. Da diese eine Höhe von 9000' behaupten mag, so erscheinen von einer so erhabenen Basis aus gesehn jene mächtigen Gebilde der Jungfraukette, das Gletscherhorn, die Ebnefluh und das Mittaghorn nur als niedrige Eishügel, welche die Ebene des Aletschfirnthals um- kränzen. Die Erklimmung sowohl der Ebnenfluh als des Mittaghorns dürfte von hier aus mit Erfolg versucht werden, während an der Nord- seite ein solches Unternehmen unausführbar sein möchte.

Der Gipfel der Ebnenfluh hieß früher auch Silberhorn, von dem in der Nähe betriebenen Bergwerke *).

Wer von Bern aus die Ebnenfluh genau betrachtet, der vermag, zwar schwer mit freiem Auge, wohl aber mit Hülfe des Fernglases, eine kleine beeiste Spitze zu erkennen, welche rechts neben dem höchsten Gipfel der Ebnenfluh eine Zacke des Grates zu bilden scheint und nur bei sehr günstiger Beleuchtung sich als eine hinter demselben auftauchende Spitze unterscheiden läßt. Betrachtet man die Alpenkette aus einer größeren Entfernung, z. B. von der aussichtsreichen Höhe hinter Kirchlindach, so tritt jene Spitze schon deutlicher hervor, und ihre Erscheinung benimmt jeden Zweifel, als ob sie dem Gebirgskamm der Ebnenfluh selbst angehöre. Weicht man von der Richtung westlich oder östlich ab, so nimmt sie auch eine andere, dieser Richtung entsprechendere Stellung ein. Deutlich ist diese Spitze auf dem durch Osterwald aufgenommenen Panorama von Neuenburg wahrnehmbar. Daselbst tritt sie schon hinter das Mittaghorn und ist unter Nr. 55 irrthümlich mit dem Namen Bietschhorn bezeichnet. Von den Anhöhen bei Walkringen und Biglen sieht man hingegen die nämliche Spitze zwischen der Ebnenfluh und dem Gletscherhorn emporsteigen. Vielfache Beobachtungen und Vergleichungen haben den Verfasser überzeugt, daß diese Spitze der höchste Gipfel des Aletschhorns ist, welches sich im Wallis, südlich von der Jungfrau, auf drei Seiten vom Aletschgletscher umzingelt, bis zu einer Höhe von 12,933' erhebt, folglich die Jungfrau um 106' an Höhe übertrifft. Seine gerade Entfernung von Bern beträgt 14¼ Stunden.

Nr. 116. Gletscherhorn.

Politische Lage. Bern. A. Interlaken. Grenze gegen Wallis.
Höhe. 12,000' (?).
Gebirgsart. Gneis und Glimmerschiefer.
Entfernung. 13 Stunden.

Das Gletscherhorn mit seinem zugespitzten Gipfel lehnt sich westwärts vermittelst eines hohen, scharfen Kammes an den Gipfel der

---

*) Alpinistenkarten von Lauterbrunnen. Manuscr. 1783.

Ebnenfluh, oftwärts an den Roththalgrat. Seine breitesten Wände heben sich in entsetzlicher Steilheit aus dem hintersten Grunde des Roththals (vergl. Nr. 117) empor, während auf der Mittagseite sein begletschertes Gehänge sich weniger steil gegen den Hochsirn des Aletschgletschers abdacht.

Die Spitze des Gletscherhorns scheint unersteiglich zu sein. Sie ist die höchste in der Stufenfolge jener Firsten und Zinnen, welche zwischen der Jungfrau und dem Breithorn die himmelanstrebende Grenzwand gegen das Wallis krönen.

In Lauterbrunnen wird das Gletscherhorn auch Biglacihorn und Stufensteinhorn genannt, letzteres, weil an der Mündung des Roththals die Alp Stufenstein liegt.

Nr. 117. Jungfrau.

Politische Lage. Bern. A. Interlaken. Grenze gegen Wallis.
Höhe. 12,827'. T. eidg. Berm. 12,872'. T. Tralles.
Gebirgsart. Jurakalk, der über dem Gneis der Mittaghornkette bis in bedeutende Höhe sich ausdehnt, an der Spitze der Jungfrau aber wieder von Gneis bedeckt wird.
Entfernung. 12¾ Stunden.

Indem sie ihren breiten Absturz gegen Norden kehrt, erscheint, von dieser Seite aus betrachtet, die Jungfrau unstreitig als das schönste Gebilde des bernerischen Hochgebirges, ja vielleicht der gesammten Alpenwelt. Kein anderes vereinigt eine solche Harmonie, eine solche Erhabenheit und Schönheit in seinen Formen und Verhältnissen. Auf mächtiger Felsenbasis, über deren senkrechte Wände die Lawinen zerstäubend niederstürzen, ruht der Körper dieses Gletscherriesen. Eine silberreine Firndecke schmückt die schlanker aufstrebenden Theile des Oberleibes, und das Haupt ragt frei und stolz, in zierlicher Pyramidenform, an das Gewölbe des Himmels.

Der Reisende, der die Triften der Wengernalp besteigt, und dem die Jungfrau dort auf einmal ihre volle Pracht enthüllt, bleibt staunend vor diesem Meisterwerke der Schöpfung stehen, denn mit Wahrheit konnte der Dichter rufen:

„Glanz von der Scheitel zum Fuß, ein Berg von blitzenden Sternen,
„Sonn' an Sonn aufeinandergehäuft, schlin lebo die Jungfrau" *).

Auf einer Höhe von 5837' befindet man sich daselbst diesem gewaltigen Gebirgsstock gegenüber, einzig durch die Kluft des Trümmletenthals von ihm getrennt. Man wähnt, mit einem Steinwurfe die blauen Gletscherzacken und das Felsgehänge erreichen zu können. Ja, der großen Nähe wegen erscheinen die oberen Theile etwas verkürzt und lassen den kühnen Aufschwung der Formen nicht so ganz ermessen, wie er sich aus größerer Entfernung oder auf höheren Standpunkten offenbart. Ist doch selbst die allerhöchste Spitze dem Auge dort entzogen. In dieser Beziehung sind das Lauberhorn, die Höhen von Iselten, der Sulsars oberhalb Eisenfluh, auch die Waldeck und der Gügisgrat, ausgezeichnete Standpunkte. Von mehr westlich gelegenen, benachbarten Höhen, z. B. von Mürren, vom Schilthorn, vom Schwarzbirg, ist die äußere Erscheinung der Jungfrau nicht so vortheilhaft. Man vermißt die Pracht ihres Gletschergewandes, ihr kahler Felsenleib tritt bis nahe an den weißbefirnten Gipfel zu offen hervor, um nicht das Schreckbare und Wilde in ihrem Charakter vorherrschen zu lassen.

Die Jungfrau beherrscht die Thäler und das ganze offene Land, das sich bis über die Grenzen des Jura vor ihr ausbreitet. Sie verleiht zunächst dem klassischen Bödeli seinen wunderherrlichen Reiz. Welche Ueberraschung, welche Begeisterung ergreift nicht den Wanderer, der im Schatten reichbelaubter Bäume von den Gestaden des Thuner- oder Brienzersees dem rührigen Städtchen Unterseen zueilt und dann plötzlich hinter den dunkeln Coulissen der steilen Alpgebirge der herrlichen Jungfrau gewahr wird, wie sie ihren Felsenfuß in den tiefen Grund des Thales stützt, und weißleuchtend im Schmuck ihres Eistalars mit ihrem schneeigen Haupte in solcher kaum zu erfassenden Größe die gewaltigen Vorberge überragt, daß diese vor ihr hingestreckt zu sein scheinen!

———

*) Baggesens Parthenais.

13

Aus weiterer Entfernung erblickt man die Spitze der Jungfrau bei klarem Himmel noch vom Sentis, von den Höhen nördlich des Bodensees, vom Randen, vom Feldberg und gewiß auch von den Vogesen. Selbst vom Straßburgermünster soll man sie noch erkennen.

Die südliche Ansicht dieses Gebirgsstocks ist bei Weitem nicht so erhaben wie die nördliche. Während die Jungfrau gegen das Lauterbrunnenthal in einer einzigen Wand von 10,000' Höhe abgerissen ist, erhebt sie sich dort nur etwa 4000' über die Hochfläche des Aletschgletschers. Auch ist sie hinter den riesenhaften Gebirgsmassen der Aletschhornkette und der Walliser Viescherhörner so weit zurückgedrängt, daß sie aus dem Rhonethal nirgends sichtbar ist. Nur von den hohen Gebirgen, welche dem Thalbecken des Aletschgletschers gegenüber liegen, vermag man sie sowohl als ihre Nachbaren Mönch und Eiger zu erkennen. Sehr gut gewahrt man sie vom Aeggischhorn am Aletschsee, wo sie sich durch ihr scharf gezeichnetes Profil, ihre schroffen Abstürze und ihre blanke Eisspitze auszeichnet. Von der Paßhöhe des Simplon hinweg sucht man sie schon vergebens; um sie über den Grat des Aletschhorns hervorragen zu sehen, müßte man dort Höhen von mehr als 9000' erklimmen, oder bis in den Hintergrund des Visperthals hineindringen, wo man sie von den zahmen Alphöhen des Riffelberges leicht entdecken kann. In der Richtung von Südwesten wäre es möglich, daß ihr Gipfel von den Höhen des Nendazthals sichtbar wäre. Hr. Keller glaubte sie vom Dome zu Mailand aus zu sehen.

Wir wollen versuchen, eine gedrängte topographische Schilderung dieses Gebirges zu geben.

Der nördliche Fuß der Jungfrau erhebt sich hinten im Lauterbrunnenthal als ein breiter, gegen das Thal vorstehender Felsenpfeiler. Seine gesammte Masse heißt Mönch oder Stellifluh, die horizontale Höhenkante Sinfensteingrat, der Felsenzahn, der am äußeren Nordwestende die senkrecht abfallende Fluh beherrscht, Schwarz=Mönch, welchen Namen er von seiner, einer Mönchskappe ähnlichen Gestalt erhalten haben mag. Verwegene Männer sollen es gewagt haben, um dieses Horn herumzukriechen. Es gilt dieses für ein lebensgefährliches Unternehmen, denn das schiefe Felsenband, auf welchem man in einer fast senkrechten Höhe von beiläufig 5000' am nackten Felsen über dem Thalgrund schwebend die Spitze des Horns umschlei=

chen muß, ist so schmal, daß, wer einmal den grauenvollen Gang angetreten hat, nicht mehr im Stande sein soll, sich umzuwenden, sondern, auf dem Bauche fortrückend, das Werk vollenden muß. — Dest-
lich vom Schwarz-Mönch zeigt man dem Wanderer einen begrasten Ab-
satz mitten in der Felswand. Ein Lämmergeier soll einst mit einem
auf Mürren geraubten Kinde dahin geflogen sein und es jämmerlich
zerrissen haben. Lange soll das rothe Röcklein sichtbar gewesen sein,
und noch jetzt wird jene Stelle der Speispfad genannt. Noch weiter östlich sieht man den Wildwang, eine steile begraste Halde,
welche vom Höhenrande der Stellifluh gegen die kahl abgeschnittene
Felswand ausläuft und wo die Gemsen ihre Weide finden. Die ungeheuern Wände der Stellifluh und der Jungfrau überhaupt fallen
nordwärts in die Kluft des Trümmletenthals. Der Trümmel
oder Tromelbach, der dasselbe durchfließt, wird von den Gletscher-
ausflüssen und dem Lawinenschnee der Jungfrau und des Eigergebirges
genährt. Er soll seinen Namen dem murmelnden Getöse verdanken,
das er verursacht, indem er über einen felsigen Boden in mancherlei
Krümmungen hervortaumelt und sich endlich in ein weites und tiefes
Becken hinunterstürzt.

Auf die Stellifluh und den Höhenrand jener dem Trümmletenthal
entsteigenden Felsen hingebaut, schwingt sich der Riesenkörper der Jungfrau, mit seinem blanken Eispanzer angethan, zu einem hohen Eiskamm
empor, an dessen westlichem Ende der schlanke, herrliche Firnkegel des
Silberhorns, am östlichen aber der flacher abgeschnittene Gipfel
des Schneehorns aufgepflanzt ist (siehe Nr. 62 und 63). Der Fuß
des Silberhorns ist gegen die Stellifluh in einem lothrechten Felsen
abgeschnitten, welcher das Rothe Brett genannt wird, weil er aus
einem röthlichen Eisensteine besteht (siehe Nr. 64). Auf der großen
Terrasse, welche sich, von Felsen begrenzt, gegen die steilen Hänge jenes Eiskammes schief hinanzieht, breitet sich der Gießen- oder
Blümlisalpgletscher aus. Gießengletscher heißt er wohl der hohen Sturzbäche und Lawinen wegen, die sich von ihm herunter ergießen;
denn ehemals bezeichnete Gießen in der Schweizersprache einen Wasserfall, mit dem celt. gais verwandt. Auch wird der unterste Fuß des
Berges gegen das Trümmletenthal mit dem Namen Gießenberg
belegt. Die Benennung Blümlisalpgletscher hat ihren Grund in der

noch jetzt im Munde des Volkes herrschenden Sage, daß an der Stelle des Gletschers vormals die schöne Blümlisalp gelegen sei, die in solcher Fülle Futter hervotgebracht habe, daß man die Kühe dreimal des Tags habe melken können, bis sie endlich in Folge der Freveltha= ten des Sennen sei verflucht worden. Der Gießengletscher wirft seinen Ueberfluß an Schnee und Eis, so wie sein Schmelzwasser an gewissen Stellen über die mächtige Felsenstufe, auf welcher er lastet, in die Tiefe des Trümmletenthals hinunter. Diese herabstürzenden Gletscher= massen gewähren jenes imposante Schauspiel, welches der Reisende auf der Wengernalp mit Entzücken betrachtet. Bei dem hellersten Himmel hört man oft plötzlich ein dumpfes, krachendes Getöse, welches aus dem Innern des Berges herauszukommen scheint. Ein scharfes Auge vermag es zu bemerken, wie sich ein Theil des Gletschers in Bewe= gung setzt und die Masse schwer und langsam, gleich einem Lavastrom, herunterrutscht. Ist diese gebrochene Masse an dem Rande der unge= heuern Felsenmauer angelangt, so stürzt sie sich unaufhaltsam über diese hinab, und statt des unansehnlichen Wasserstrahls sieht man eine wun= derschöne reichhaltige Kaskade von glänzendem Silberstaub, welche hoch= aufwirbelnd sich hinauswirft und am Fuße der Felswand gewaltige Schneeanhäufungen erzeugt. Ein solcher Lawinensturz ist mit einem langhallenden Donner begleitet, dessen Schall die Stille der Natur, ja oft die nächtliche Ruhe unterbricht. Die Stellen dieser Lawinen= züge heißen, von Osten gegen Westen gezählt: Falllauinen, Band= lauinen, Gießenlauinen und Lammlauinen (Lamm bedeutet in der Bergsprache einen Graben). Die Gießen enthält den reichsten Gletscherabfluß und die schönsten und meisten Lawinen, weil die Fels= wand hier am tiefsten und kluftähnlich eingedrückt ist.

Zwischen jenem Eiskamm und der noch bedeutend höheren Gipfel= masse der Jungfrau befindet sich eine öde Eiskluft, welche schwerlich je ein Sterblicher betreten hat, obwohl einer Sage zufolge, die zwar aller Glaubwürdigkeit ermangelt, durch diese Kluft vormals ein Paß nach dem Wallis gegangen sein soll *). Die Silberhörner weit überra= gend, erhebt sich nun das Haupt der Jungfrau in entsetzlich schroffen Eis= und Felsabstürzen bis zu einer Spitze, welche von Lauterbrunnen und der Wengernalp aus gesehen als die höchste erscheint, welche in

_____

*) Raritätenkasten von Lauterbrunnen. Manuscr. 1783.

der That aber nur den letzten Abſatz bildet, dem die eigentliche Spitze, das Jungfrauenhorn, noch entragt.

Die höchſte Spitze der Jungfrau iſt durchaus mit Eis bedeckt. Sie bildet eine gegen Mittag ſich neigende, kaum 12 Zoll breite Firſt von etwa 20 Fuß Länge, und iſt ſo ſcharf zugeſpitzt, daß bei ihrer Beſteigung im Jahr 1842 dieſelbe zuerſt mit der Art verebnet werden mußte, damit drei Männer ſpärlichen Raum zum Stehen gewannen.

Nordoſtwärts iſt das Gebirge vermittelſt eines ſattelförmig ausgeſchnittenen Firnkamms mit dem Großmönch verbunden. Auf einem Felſenwall am öſtlichen Fuß des Schneehorns laſtet der Kühlauinengletſcher, welcher von Zeit zu Zeit die Kühlauinen entſendet.

Die weſtlichen Abſtürze der Jungfrau fallen kahl und ſteil nach dem Lauterbrunnen- und dem Roththal hinunter. Nur das oberſte Gehänge iſt mit Eis bepanzert. Selbſt das Silberhorn iſt auf dieſer Seite felſig abgeriſſen, und man erkennt an dem Firnſaum, der den höchſten Rand ſchmückt, die Mächtigkeit der Eisdecke, die daſſelbe nordwärts bis an ſeinen Fuß umhüllt. Auch hier bilden die Runſe oder Verklüftungen Lawinenzüge, z. B. die Schaflauinen, durch die ſich die Schnee- und Gletſcherbrüche nach der Tiefe entleeren. An der Mündung des Roththals hinter dem Stufenſteingrat liegt die Alp Stufenſtein.

Das Roththal zieht ſich etwas mehr als eine halbe Wegſtunde lang hinein bis an den Fuß der ſteilen Wände des Gletſcherhorns und der Ebnenfluh. Die Thalſole wird in ihrem ganzen Umfang von dem Roththalgletſcher bedeckt, welcher eine ſchöne, ebene Hochfläche bildet. An der Mündung des Thals hängt dieſer Gletſcher an der ſteilen Bergſtufe vielgeborſten hinunter; dieſes Gletſchergehänge trägt die Benennung Stufenſteingletſcher. Ihm entſtrömt der Stufenbach, der einen hübſchen Waſſerfall bildet. Die Mitte des Roththals hat etwa 8900' Meereshöhe. Nach Gruner ſoll man ehemals mit Gefahr und Mühe durch dieſes Thal nach dem Wallis gekommen ſein; vergebens hat es in neuerer Zeit der kühne Hugi verſucht, den Roththalgrat zu überſteigen. Auch in das Roththal verſetzt die Volksſage eine der fruchtbaren Blümlisalpen. Noch zur Zeit von Gruner und Chriſten dachte man ſich dort die fürchterlichſte Wildniß, wo Kälte und Finſterniß herrſchten, Raubvögel und unſelige Geiſter ihr lautes Wefen trieben. Die alten Thalherren, welche ein ungeheurer Bock wegen ihres ungebührlichen Benehmens gegen die Hirtinnen vertilgte, follen dahin gebannt fein *). In den letzten Jahren wurde das Roththal von Hugi und B. Studer in geognoftifcher Hinficht erforfcht. Im Roth= thal wurde die fehr feltene Oxytropis sordida DC. gefunden.

Südöftlich ftützen fich die Firn= und Felfenwände der Jungfrau auf die Hochfläche des Aletfchgletfchers, diefes Riefengletfchers, der die höchften Eiskoloffe umklammert und als ein breiter Strom fünf Stunden lang bis zu den bewohnten Thälern hinabreicht. Von dem Jungfraugipfel löst fich in einer Tiefe von etwa 800 Fuß ein fchma= ler Firnkamm ab, welcher unter dem Namen Grat oder Roththal= grat als Scheidewand zwifchen dem Roththal und dem Aletfchgletfcher in füdlicher Richtung fich ausdehnt und theils in den Hochfirn fich ver= fenkt, theils in weftlicher Biegung an das Gletfcherhorn fich anfchließt.

Zu welcher Zeit und aus welcher Veranlaffung die Jungfrau ih= ren Namen erhalten, ift ungewiß. Ebel leitet denfelben vom celtifchen Jun = frau her, einem Orte, von dem Waffer herabfließt. Derfelbe fcheint jedoch neueren Urfprungs zu fein, und follte fowohl die fchöne Form als die vermeintliche Unbefteigbarkeit des Berges bezeichnen. Die Namen Eiger und Jungfrau kommen bereits in Thomas Schöpfs „Chorographia ditionis bernensis, 1577“ vor. Früher wurde die Be= nennung Inner=Eiger oder Hinter=Eiger auch auf die Jungfrau ausgedehnt. Diefe felbft wurde in die Hintere und die Vordere abgetheilt. Das eigentliche Eisgebirge wurde dann insbefondere die Rothe Fluh genannt, und die Benennung Jungfrauenhorn oder auch Rotheberg fcheint auf die Spitze des Silberhorns befchränkt gewefen zu fein **).

Die geologifchen Verhältniffe diefes Gebirgsftocks betreffend, fo verläuft längs dem Kamme der Jungfrau und der beiden Eiger die (bei den geologifchen Erläuterungen bei Nr. 107 und 108 erwähnte) Grenzlinie zwifchen den Feldfpathgefteine (Granit, Gneis und Glim= merfchiefer) und den Kalkgefteinen; fie ift überall durch eine oft ziem= lich ausgedehnte Folge von mannigfach veränderten Kalkgefteinen (fo=

---

*) Hugi, naturh. Alpenreife.
*) Gruners Eisgebirge.

genannte Zwischengesteine) bezeichnet. An der Jungfrau steigt die Grenze der Feldspathgesteine, welche die Kette vom Großhorn bis zum Gletscherhorn zusammensetzen, aus dem Grunde des Ammertenthales über die durch Bleiglanz- und Eisenbergwerke bekannten Alpen von Stußstein und Kriegsmatt steil in die Höhe nach den Abhängen des Roththals, wo sie keilförmig in das Kalkgebiet des Silberhorns eingreift; erst auf dem Roththalsattel gewinnt der Gneis die Oberhand und bildet auch die Spitze der Jungfrau. Ueber dem schon genannten Hochgebirgskalk, der am Nordabfall und am Fuß der Jungfrau auftritt, liegt an den nördlichen Gehängen derselben, die Stellisluh krönend und das Rothbreit und Silberhorn bildend, eine mächtige Folge von Kalk und Quarzsandstein, welche der Kreide-, wo nicht selbst zum Theil der Nummulittenformation angehören. Nach Escher *) ist dieser Sandstein dem der höchsten Titliskette vollständig ähnlich. — Beim Rothen Breit wurde ein guterhaltener Echinit gefunden. Auch die Eisensteintrümmer an der Halde oberhalb Stußstein enthalten eine Menge von organischen Ueberresten, namentlich: 1) Spænodus nubulatus; 2) Ammon. communis; 3) Ammon. polygratus; 4) Belemnites; 5) Trochus; 6) Pholadomya; 7) Terebratula biplicata. **).

Bis nach dem ersten Jahrzehend des gegenwärtigen Jahrhunderts wurden die höchsten Spitzen unserer Hochgebirge für unzugänglich gehalten. Der Dichter kühne Phantasie erkor sich dieselben zum Versammlungsort der olympischen Götter ***) oder zum Ruhesitz der Schicksalsgeister †). Die Herren Joh. Rud. und Hieronymus Meyer von Aarau, Söhne des durch sein Relief und den Atlas der Schweiz bekannten Herrn Rud. Meyer, waren die ersten Männer, denen die Jungfraubesteigung, am 3. August des Jahrs 1811, gelang. Schon am 1. August aus dem Lötschthal vorrückend, übernachteten sie auf einer Felsenklippe am Aletschgletscher. Am folgenden Tage wurde ein fruchtloser Versuch gemacht, die Jungfrau zu besteigen. Der losbrechende Föhn zwang die Reisenden zur Rückkehr, eben als sie sich anschickten, den letzten Gipfel zu erklettern, und es wurde ein zweites, dem Berge

---

*) Neue Denkschriften der Schw. Naturf. Gesellsch. Bd. III. Jahrg. 1839.
**) Geologie der westl. Schweizeralpen.
***) Baggesens Parthenais.
†) Byrons Manfred.

noch näher liegendes Nachtquartier bezogen. Am zweiten Tage gelang=
ten sie nebst zwei Walliser Gemsjägern auf die Spitze. Ihr in man=
chen Beziehungen unklarer Reisebericht läßt schließen, daß sie in der
Richtung von Südwest gegen Nordost über den gebrochenen Kamm des
Roththalgrats nach der Jungfrau vorgedrungen sind; eine Wanderung,
die bei der dermaligen Beschaffenheit der hochaufgeblasenen, von Schrün=
den zerklüfteten Eisdecke, die jenen Grat belastet, auch von dem ver=
wegensten Bergmann als unausführbar erachtet würde. Zwei Uhr
Nachmittags war vorüber, als die höchste Spitze erklettert war. Die=
selbe zeigte sich als eine etwa 12 Schuh im Durchmesser haltende, nach
allen Seiten hemisphärisch abgerundete ebene Stelle, welche von der
schmalen First, die zu ihr hinanführte, durch einen tiefen Eisschrund
getrennt war. Die Reisenden waren vom herrlichsten Wetter begün=
stigt. Der Himmel war mild und es ging kein Lüftchen. Nachdem
man eine halbe Stunde auf dem Gipfel verweilt und eine schwarze
Fahne aufgepflanzt hatte, wurde der Rückweg angetreten *);

Die Kunde von dieser That war so neu und überraschend, daß von
mancher Seite her, insbesondere von den eifersüchtigen Thalleuten in
Grindelwald und Lauterbrunnen, die Richtigkeit derselben bezweifelt
wurde.

Die zweite Besteigung der Jungfrau fand ein Jahr später, den
3. Sept. 1812, Statt, und wurde von Herrn Gottlieb Meyer,
Sohn des Hrn. Rudolf Meyer, und zwei Wallisern, Namens Aloys
Volker und Joseph Bortes, eigentlich in der Absicht ausgeführt,
die Glaubwürdigkeit der ersten Unternehmung sicherzustellen. Dießmal
versuchte man die Besteigung von der Ostseite, indem die Gesellschaft
von ihrem Nachtlager am Grünen Horn über das Eismeer zwischen
Mönch und Jungfrau vorrückte und am Fuße der letztern den Roththal=
grat erstieg, da wo er sich an den Jungfraugipfel anlehnt. Erst nach
2 Uhr erreichte man die höchste Spitze. Dieselbe hatte sich seit dem
vorigen Jahre so sehr verändert, daß sie sich beinahe ausspitzte und die
Reisenden genöthiget waren, sich Sitze einzuhauen. Von der alten
Fahne war keine Spur vorhanden. Der Himmel oben glänzte heiter;

---

*) Vergl. Reise auf den Jungfraugletscher und Ersteigung seines Gipfels, aus den
Miszellen für die neueste Weltkunde besonders abgedruckt.

unten war ein Wolkenhimmel. Das Thermometer stand auf +.6. Eine rothe Fahne ward aufgesteckt, und gegen 7 Uhr Abends erreichte man wieder das Nachtlager am Grünen Horn *).

Sechs Männer aus Grindelwald vollführten am 10. Sept. 1828 die dritte Besteigung der Jungfrau. Am 8. reisten sie von Grindelwald weg, schliefen in der großen Höhle am Eiger, überstiegen am 9. den Vieschergrat; da sie dem Wetter mißtrauten, nahmen sie ein zweites Nachtlager in der Nähe des Grünen Horns. Am folgenden Tage brachen sie auf und erstiegen in der nämlichen Richtung, welche Hr. Gottlieb Meyer eingeschlagen hatte, die Spitze. Das Einhauen von Tritten in das Eis nahm ungemein viel Zeit weg, so daß sie erst des Abends um 4 Uhr dort anlangten. Sie fanden die First des Gipfels etwa 12 Schuh lang und nicht breiter als einen Handstock. Peter Baumann, der Gletscherhirt, stets an der Spitze des Zuges, damals ein kräftiger Mann von 28 Jahren, setzte sich rittlings darauf und fieng an zu verebnen. Ihm folgten Ulrich Wittwer, Christian Baumann, Hildebrand Burgener, Peter Roth, welcher die 36 Pfund schwere eiserne Fahne und den Bohrer hinaufgetragen, und endlich der 60 Jahre alte Peter Moser. Christian Roth war auf dem Roththalgrat zurückgeblieben. Die Fahne wurde als Wahrzeichen ihrer Besteigung aufgepflanzt und bei günstiger Beleuchtung am 19. Oktober Abends durch treffliche Fernröhre von dem Observatorium in Bern wahrgenommen. Nach einem kurzen Aufenthalt kehrten sie zu einem Felsen am Vieschergrat, und am vierten Tage nach Grindelwald zurück **).

Von Professor Agassiz und seinen Gefährten, welche zum Zweck naturwissenschaftlicher Beobachtungen ihren Wohnsitz auf dem Eise des Aargletschers aufgeschlagen hatten, wurde die Jungfrau am 28. August 1841 zum vierten Male erstiegen. Von den Hütten der Märjelenalp in der Nähe des Aletschsees brach die Gesellschaft erst um 5 Uhr Morgens auf, und von 13 Mann, die ausgerückt waren, erreichten 8 den höchsten Gipfel, den sie des kleinen Raumes wegen abwechselnd betraten; nämlich: Agassiz, Forbes, Professor der Physik in Edin-

---

*) Vergl. Reise auf die Eisgebirge des Kantons Bern ꝛc. Aarau 1813.
**) Reise über die Grindelwald-Vieschergletscher, von C. Rohrdorf. Bern 1828.

burg, *Duchâtlier* von Rantes, Desor aus Hessen-Homburg, und die
Führer Jakob Leuthold, Joh. Jaun, Melchior Bannholzer und Andreas Abplanalp. Der Himmel war vollkommen
klar und so dunkel, daß er fast schwarz schien. Die Thermometer zeigten 3 Grad unter Null. Auf der Oberfläche des Gneisgesteins, welcher nahe dem Gipfel zu Tage geht, trafen die Reisenden noch einige
Flechten an. Von animalischem Leben schien keine Spur mehr vorhanden zu sein. Die eiserne Fahne der Grindelwalder war nirgends
mehr zu erblicken und wurde durch eine neue ersetzt. Um 4 Uhr ward
die Rückreise angetreten und um 11½ Uhr Nachts die Hütte der Wal-
liserhirten erreicht *).

Zwei Berner, Herr Friedrich Bürki, Sohn des Herrn Alt-
Oberauntmanns von Blankenburg, und der Verfasser, begleitet von
den vier Führern: Joh. von Weißenfluh von Mühlestalden, Melchior Bannholzer von Guttannen, Kaspar Abplanalp aus dem
Grund und dessen Bruder Andre'as, erwarben sich am **14.** August
1842 die Ehre der fünften Besteigung. Sie hatten sich ihr Nachtlager etwa 2½ Stunden oberhalb der Alp Märjelen am Rande des
Aletschgletschers erwählt, und standen am folgenden Tage, die Richtung
ihrer Vorgänger verfolgend, um halb 2 Uhr auf der Spitze. Bannholzer schritt zuerst über die schmale Eisfirst und verebnete die höchste
Stelle, so daß drei Mann, an einander sich festhaltend, darauf zu stehen vermochten; er fand auch bei dieser Arbeit die abgebrochene Stange,
an welcher Agassiz seine Fahne vor einem Jahre befestiget hatte. Der
Himmel erschien wolkenlos, aber sehr dunkel. Die Luft war mild.
Wind ging keiner. Der Aufenthalt dort oben dauerte nahezu eine
Stunde. Eine neue Fahne wurde aufgesteckt. Es war Nachts 11 Uhr,
als man nach einem Tagesmarsche von 17 Stunden die Hütten von
Märjelen wieder betrat **).

Sieben und zwanzig Männer haben somit in Allem bis
auf den heutigen Tag die Spitze der Jungfrau bestiegen. Man wird
sich aus obigen Andeutungen überzeugt haben, daß die hintersten Hochterrassen des Aletschgletschers den besten, ja ausschließlichen Zugang

---

*) Besteigung des Jungfrauhorns von E. Desor, deutsch von C. Vogt.

**) Vergl. des Verfassers topogr. Mittheilungen.

barbieten, sei es nun, daß man von der Grimsel über den Viescher=
gletscher, von Grindelwald über den Vieschergrat, aus dem Wallisthale
über die Märselenalp, oder aus dem Lötschthale über den Lötschenglet=
scher dahin gelangt. Am rathsamsten scheint es immerhin, den Weg
über Märselen einzuschlagen, weil sich dort die der Jungfrau zunächst=
liegenden menschlichen Wohnungen befinden. Wegen der Beschaffenheit
des Gletschers scheint übrigens der Weg, den die Grindelwalder ein=
geschlagen haben, für einstweilen verschlossen zu sein; denn mehrere
seitherige Versuche, von Grindelwald nach der Jungfrau vorzudringen,
haben fehlgeschlagen. Ebenso sind auch die Versuche, die gemacht wor=
den sind, aus dem Thal von Lauterbrunnen die Jungfrau zu erklim=
men, fruchtlos geblieben. — Aus dem Hochthal des Aletschfirns ersteigt
man hart an den Abstürzen der Jungfrau das östliche Gehänge des
Roththalgrats, der sich hier in einer Höhe von etwa 3000 Fuß
erhebt. Auf diesem Gange hemmen die klaffenden Bergschründe ge=
wöhnlich den Tritt des Wanderers, und erfordern den Gebrauch einer
Leiter, um sie steilrecht über die Spalte an die jenseitige Eismauer zu
stützen. Der Augenblick, in welchem man den Fuß auf den Roththal=
grat setzt, ist erschütternd. Zwischen ungeheuern Abgründen befindet
man sich plötzlich auf einer wenige Schuh breiten Eisfirst, und da er=
öffnet sich auf einmal dem Blick, der bisdahin durch die engen Gren=
zen des durchwanderten Gletscherthals beschränkt war, ein ins Unend=
liche reichendes Chaos wilder Berggestalten, deren zerbrochene Felsen=
häupter und Eisgipfel aus dunkler Tiefe hervortauchen und den verwe=
genen Wanderer anstarren. Es bedarf hier eines hohen Grades von
Geistesgegenwart, um in seinem Entschlusse nicht zu wanken, und um
furchtlos das Ziel ins Auge zu fassen, das man sich erkoren hat. Ue=
ber dem Roththalgrat thürmt sich der Gipfel noch ungefähr 800 Fuß
hoch empor; eine steile Eiswand führt nach dessen höchster Kante, und
um diese zu gewinnen, ist man genöthiget, einige hundert Stufen in
das harte Eis einzuhauen.

Laßt uns zum Schluß noch eine Skizze der Jungfrauaussicht
entwerfen! Da oben ergötzt man sich nicht am Anblick der im Glanz
des Sonnenlichts, in der Fülle der Fruchtbarkeit und im bunten Far=
benschmuck prangenden Gefilde. Mit Grausen blickt man in die fürch=
terliche Tiefe hinab, in welcher sich die Lütschine durch die enge Felsen=

Kluft schlängelt. Dort schimmert zwar noch das freundliche Unterseen
und auf dem grünen Teppich des Grindelwaldthals vermag man einzelne Baumgruppen und Wohnhäuser zu unterscheiden. Allein kaum
erkennt man noch in jener dunkeln Fluth, von düstern Höhen umgeben, den lieblichen Thunersee wieder. Thun ist für das unbewaffnete
Auge sichtbar, aber das entferntere Land ist von einer trüben, schwe-
ren Dunstmasse umschleiert, welche keine einzelne Gegenstände mehr
erkennen läßt und welche sich mit der schwarzblauen Farbe des Himmels so vollkommen vermischt, daß eine Begrenzung des Horizonts
durchaus nicht wahrgenommen werden kann. So erschien die Aussicht gegen die nordwärts liegenden Tiefen des Landes dem Verfasser,
und doch war der Himmel unbewölkt, die Sonne strahlte frei, und
von Bern aus, so wie von den entferntesten Jurahöhen, konnte man
an jenem Tage die Alpenkette in ihrer vollen Klarheit sehen. Auch
den Herren Meyer erschien unter ihnen Alles schwarz, dunkel, licht-
los. Da war keine Stadt, kein See, kein Fluß! Vergebens suchten
sie die Kette des vaterländischen Jura. Alles war ein trübes, ver-
schwimmendes Einerlei. — Auch die höheren Alpengipfel und Felsengebirge nehmen eine ganz andere Gestaltung an. Die begrasten Firsten, die sich von der Wengernalp nach dem Tschuggen und Lauberhorn emporziehn, scheinen wenig über dem Thale erhoben zu sein.
Alle die mächtigen Gebirgsknoten, welche die Thäler von Lauterbrunnen, Grindelwald und Interlaken einfassen; die Bergzüge, die das
Emmenthal, das Entlebuch, das Unterwaldnerland, durchziehn, sind
tief niedergedrückt. Erst die Gruppe des Schilthorns fängt an, den
Horizont in schärferen Umrissen zu schneiden. Imposant und seltsam ist dagegen der Blick in die Hochalpen, die man in weitem Um-
kreise klar überschaut. Gleich einem Relief sind diese hohen Alpen-
kämme in langen Reihen, wundersam gestaltet, hingestreckt. Staunend
fixirt das Auge diese fremdartigen und doch befreundeten Physiogno-
mien. Eine eigenthümliche Empfindung bemächtigt sich des Beobachters, wenn er auf alle jene riesenhaften Gebirgshäupter h i n u n t e r
blickt, nach deren leuchtenden Stirnen sonst das Auge mit Bewunderung e m p o r zu schauen gewohnt war. Gleichsam mit e i n e m
Blick umfaßt es hier ihre mannigfache Gliederung, ihre verborgenen
eisumhüllten Schluchten, ihre Verbindung und ihre ganze äußere

Struktur. Nur des Finsteraaarhorns Kuppe und das schöne Aletsch=
horn mögen noch die Blume der Jungfrau überragen; Monte Rosa
und Montblanc sind zu entfernt, um sich über die Horizontlinie des
Beobachters zu erheben. Betrachtet man jene Gebilde näher, so er=
kennt man nach Osten hin kaum wieder den Mönch in seiner niederge=
bogenen Gestalt, des Eigers scharfe Schneide, die Gruppe der Schreck=
und Viescherhörner und des Finsteraarhorns breiten Felsenbuckel.
Scharf begrenzt liegen noch im Gesichtskreis: Wetterhorn, Titlis,
Schneestock, Gerstenhorn und Galenstock, so wie gegen Westen Balm=
horn und Doldenhorn, was einem Durchmesser von etwa 14 Stunden
gleichkömmt. Im Hintergrunde schweift der Blick über die näheren
Gebirgsrethen nach dem vielgezackten Berggürtel an der Marke Ita=
liens, der in breiter Zone sich von den Firnen des Bündnerlandes
bis zu den Eisgipfeln Savoyens erstreckt. Westwärts überschaut
man die Nachbargebilde der Jungfrau, welche sich scharfkantig nach
dem unscheinbaren Felsgipfel des Balmhorns ausdehnen. Zur Seite
streckt die Parallelkette des Nesthorns ihre kahlen Felsenhäupter em=
por. In seiner ganzen Oberfläche zeigt sich der Tschingelgletscher,
nordwärts von den nackten grauen Mauern der Blümlisalp eingedämmt.
Flüchtig erfaßt der Blick die beschneiten Kämme, die sich vom Stru=
bel bis zur Diablerets ausdehnen, und das in neblichte Ferne sich
verlierende Gipfelmeer der Simmenthaler, Freiburger und Waadtländer
Alpenwelt.

Das ist die schwache, flüchtige Zeichnung des Jungfraupanoramas.
Die kurze Zeit des Verweilens auf einem so hohen Standpunkte läßt
es nicht zu, alle die einzelnen Gestalten des ungeheuern Gesichtskrei=
ses auszukunden; wer könnte auch diese tausend in einander verschlun=
genen Gipfel und Zacken entziffern? Der Gesammteindruck des
Schauens und Empfindens aber bleibt unvergeßlich. Man fühlt sich
beinahe dem Wohnplatz der Sterblichen entrückt, man wähnt eine an=
dere Erde unter sich, einen andern Himmel über sich zu sehen, und
vermag es nicht zu fassen, daß dort unten in jener Finsterniß der
schönen Heimath sonnige Gefilde liegen.

Nr. 118. Mönch.

Politische Lage. Bern. A. Interlaken, Grenze gegen Wallis.
Höhe. 12,240'. T. eibg. Verm. 12,666'. T. Tralles.
Gebirgsart. Gneis.
Entfernung. 12¾ Stunden.

Als östlicher Nachbar der Jungfrau, zwischen ihr und dem gewaltigen Eiger, thront der Mönch in seiner starren Majestät. Die
beeisten Felswände seines nördlichen Absturzes fußen in dem Trümmletenthal. Seine untersten Stufen sind mit der vielfach zerklüfteten
Decke des Guggigletschers belastet. Durch die wilde Kluft, die
zwischen dem Mönch und dem Gehänge des Eiger geöffnet ist, drängt
sich in tausendfach gebrochner Masse der schöne Eigergletscher
hervor, seinen Abfluß und die Trümmer seiner Einstürze in jenes
Thal ergießend. Südwärts neigt sich der Gipfel des Mönch in sanft
gebogenem Eisrücken nach jenem langgedehnten Firnkamme herab, dem
die Viescherhörner entragen und der sich bis an das Finsteraarhorn
erstreckt. Die beidseitigen Flanken sind mit Eis und Firn bepanzert;
südwestlich flachen sie sich gegen das Hochthal des Aletschgletschers
aus, gegen Nordosten senkt sich der begletscherte Absturz tiefer in das
Becken des Grindelwaldgletschers hinunter.

Geologisch interessant ist, daß, während der nämliche Hochgebirgskalk, welcher der Jungfrau zum Fußgestell dient, die ganze
Masse des mächtigen Eiger zusammensetzt, der südlicher gestellte Mönch
im Bereich der Gneisregion zurück bleibt.

Der Mönch wird auch Inner-Eiger, Groß-Mönch und
Weiß-Mönch genannt. Die Benennung Mönch kommt schon in
Rebmanns Gedicht von A. 1606 vor, nach Gruner *) wurde jedoch
die gesammte Gebirgsmasse vom östlichen Ende des Eiger bis an
die Jungfrau mit dem Namen Inner-Eiger oder Hinter-Eiger
belegt, und der Mönch insbesondere Helgers-Geisberg geheißen.

---

*) Gruners Eisgebirge. 1760.

218

Eine spätere Beschreibung *) gab ihm auch den Namen Breithorn und sprach die richtige Vermuthung aus, es müsse das Breithorn mit dem Wischerhorn in Verbindung stehen.

Sehr wahrscheinlich ist der Mönch noch nicht bestiegen worden, obwohl man aus der Form seines Gipfels, wie man ihn von der Jungfrau herab übersieht, so wie aus der Versicherung der Männer, welche den Wischergrat überstiegen haben, schließen darf, daß seine Besteigung weit weniger Schwierigkeit darbieten dürfte, als die der Jungfrau oder des Finsteraarhorns.

Nr. 119. Eiger.

Politische Lage. Bern. A. Interlaken.
Höhe. 12,288'. T. Tralles.
Gebirgsart. Hochgebirgskalk.
Entfernung. 12 Stunden.

Jungfrau, Mönch und Eiger bilden jene herrliche Gebirgs-gruppe, die durch ihre schönen Formen, ihre riesenhafte Masse, ihre ungeheuern Felswände und ihre Gletscherpracht das Auge von Tau-senden fesselt und besonders der Aussicht von der Wengernalp ihren unvergleichlichen Schmuck verleiht. Der Eiger, in enger Umarmung an den Mönch geschlossen, ist das nordöstliche Glied jenes stolzen Triumvirats. Sein Gipfel schwingt sich in der Form einer Pyramide empor, deren oberste Spitze in schiefer Richtung abgeschnitten ist. Er dehnt sich über den Eisrücken der Mittellegi **) (8540') (Nr. 47) nordostwärts bis an die Felszacken der Hörnlein (Hürleni) aus, wo das Gebirge in breiter, kahler Felsenmasse gegen das Thal von Grindelwald und die Thalschlucht des untern Grindelwaldgletschers abgerissen ist. Der nördliche Absturz des Eigers fällt in seiner gan-

---

*) Raritätenkasten von Lauterbrunnen, Meausé. 1783.

**) Legi ist ein Ort, Platz, wo man etwas hinlegt. Dieses Wort scheint in der Gegend von Grindelwald vorzugsweise eine wohlgelegene Berghöhe zu bedeuten, z. B. Scheidecklegi, Ruhrlegi. Man sagt auch „droben auf der Legi."

zen Ausdehnung entsetzlich steil zu Thal, ja es ist gleichsam nur eine
einzige riesenhafte Felsenwand, die man mit Grauen und Bewunderung
anstaunt. Nur stellenweise, wie an der Mittellegi, in den Zerklüf=
tungen der oberen Gipfelmasse und in den Furchen und Höhlungen,
von denen die glatten Wände dieser durchbrochen sind, vermag der
ewige Schnee zu haften. Eine dieser Stellen heißt die Schüssel.
Sie hat die Gestalt eines schiefliegenden Felsenbeckens, das ungeheuer
viel Schnee sammelt und ausladet. Am Fuße des Berges liegen die
Alpen Alpbigeln (4850'), Mettlen und Bustigeln (5740'), über deren
Triften sich der Weg von Grindelwald nach der Lauterbrunnenscheideck
emporschlängelt. Sie umfassen zusammen die Wergistahlalp mit
205 Kuhrechten. In den Wäldern, welche diese Alpen krönen, sollen
sich früher wilde Katzen aufgehalten haben. Auch sind daselbst Höh=
len von Mondmilch.

In steiler, glänzender Firnfläche senkt sich der westliche Absturz
des Eiger herab. Die ihn begrenzenden scharfen Kanten stoßen am
Gipfel in einem äußerst spitzen Winkel zusammen, so daß von west=
lich gelegenen Punkten, wie von der Altels, vom Sevinengrat, vom
Schilthorn, der Eiger die Gestalt einer scharf zugespitzten Pyramide
hat. Zwischen Eiger und Mönch wälzt sich der Eigergletscher
nach dem Trümletenthal hinab. Die Felsenkante, welche den west=
lichen Absturz von dem nordöstlichen scheidet, verläuft sich unten auf
den Rothstock. An diesen lehnt sich die Lauterbrunnenscheideck
(6284) und die Gebirgsgruppe der Lauberhörner an, welche zwischen
dem Thale von Lauterbrunnen und dem von Grindelwald aufgestellt
ist. — Zwischen dem Rothstock und der Scheideck ist der Felshügel
Krähenbühl (6732). In diesem suchten einst die Landleute durch
einen tief hineingetriebenen Stollen ein Kristallgewölbe, welches die
Väter eines auswärtigen Kapuzinerklosters 60 Klafter tief in dem
Berge wollten ausgemittelt haben. Allein die Berggeister, um sich
wegen der unternommenen Beraubung zu rächen, entzogen sich den
Gräbern, nach Aussage der klugen Klosterherren, noch tiefer in das
Gebirg hinein, und das Kristallsuchen ward eingestellt *).

*) Wyß. Reise ins Berner-Oberland. Bd. 2. S. 627.

Aus einem ebenen Firnthal am Fuße des Vieschergrats, von dem sich ein breiter Gletscherarm gegen das Eismeer des unteren Grindelwaldgletschers hinunter wälzt, schwingt sich auch das mittägliche Gehänge des Eiger in lothrechten Felswänden empor. Von der Mittellegi aber löst sich eine felsige Seitenmasse ab, die, mit der Eisdecke des Dennlergletschers belastet, in östlicher Richtung, theils über den Kalligrind und die steilen begrasten Halden des Ober- und Unter-Kallischafberges *), theils in dem thurmartig aufgeworfenen Felsgerüste des Wildschlosses, in das Becken des Grindelwalder-Eismeeres abfällt. Die Uebergangsstelle an der schmalen Bergkante, die das obere Kalli von dem unteren scheidet, heißt beim Bösen Tritt oder beim Bälmli (kleine Höhle). In den Felsen des Kalligrindes, hoch oben am oberen Kalli, in einer Höhe zwischen 8 und 9000' Fuß ü. M. befindet sich die Eigerhöhle. Der Zugang ist wegen der Abschüssigkeit des aus losen Platten und Geröll bestehenden Gehänges beschwerlich. Die Höhle selbst geht schief aufwärts in den Berg. Weit vorragende Felstafeln bilden die Decke des Gewölbes am Eingang. Die Oeffnung hat etwa 20 Fuß Höhe und 40 Fuß Weite. Kriecht man durch die Felsenhöhlung einige Schritte aufwärts, so dehnt sich der Raum in der Weite bis auf etwa 30 Schritte aus. Die Höhle geht indessen nicht tiefer in den Berg, nur einzelne, spaltenähnliche Gänge, mit Eis angefüllt, verlaufen sich gegen das Innere. In dem einen Seitenwinkel der Höhle befindet sich eine geebnete Stelle, gegen den Absturz durch eine natürliche Felsenlehne geschützt, wo der kühne Reisende, der diese unwirthbare Gegend betritt, ein Obdach gegen Wind und Regen oder Schnee, und ein leidliches Nachtlager beziehen kann. Diese Höhle ward von den Begleitern Rohrdorfs, als er im Jahr 1828 nach dem Aletschgletscher hinüberstieg, entdeckt, zum Nachtlager erkoren und von ihm Königshöhle genannt. Zum nämlichen Zwecke diente sie einigen Grindelwaldnern, als sie die Jungfrau bestiegen, und im Jahr 1832 Prof. Hugi, als er über den Vieschergrat vordrang. Im Jahr 1845 hielt der Verfasser dort sein Bivouac, als er die Besteigung

*) Das Wort Kalli könnte möglicher Weise von dem celtischen gall, Felsen, herrühren.

14

des Mönch beabsichtigte. — Durch die engen Felsklüfte, welche den Kallischafberg vom Wildschloß und dieses von dem Felsenstock der Hörnlein trennen, fällt der Schnee= und Eisüberfluß des Dennl er= gletschers oft in langbröhnenden, prächtigen Staublawinen hinunter. Diejenige, die sich zwischen dem Kalli und Wildschloß entleert, heißt die Dennlerlauinen, die untere die Schloß= oder Bonerenz lauinen. Roth, einer der Begleiter Hugis, der am Bonerenberg hirtete, wurde einst von einer solchen Lawine am Wildschloß ergriff= fen und mit ihr über senkrechte Felsen hinuntergeworfen. Unten wurde er wieder eingegraben und mit nachströmenden Lasten bedeckt; aber immer gleich besonnen, arbeitete er sich zu Tage, kletterte ungesäumt wieder bergan und half rüstig seinen erstaunten Brüdern die Schafe aufsuchen *).

An den Zinnen der Hörnlein befindet sich das Heiterloch oder Martinsloch, eine durch die Felsen gehende Oeffnung, durch welche zweimal des Jahrs, im Wintermonat und im Jenner, die Sonne nach Grindelwald scheint. Dieser Oeffnung gegenüber, am Wege, der von Grindelwald nach der Stiereck und dem Zäsenberg emporführt, ge= wahrt man den sogenannten Martinsbruck, wo die Felswand in der Form eines menschlichen Hintertheils, aber in 5—6facher Größe, ausgehöhlt ist. Einst, so erzählt die Sage, hiengen der Mettenberg und der Eiger fast zusammen. Hinter ihnen lag, wo jetzt das Eis= meer ist, ein gewaltiger See. Wenn seine enge Ausflußspalte sich mit Eislasten schloß, wuchs er ungeheuer an. Dann brach er durch und zerstörte dem armen Volke das Gelände. Nun schaffte der heil. Martinus Hülfe, stemmte sich an den Mettenberg, und stieß mit ei= nem Stocke den Eiger zurück. Die Folge war, daß sein Leib in die Felswand sich eindrückte, daß durch einen mißlungenen Stoß das Martinsloch entstand, daß aber doch endlich der See durch die nun erweiterte Spalte abließ **).

Am Fuße des Eiger, da wo er von dem wild aufgezackten Eis= strom des Grindelwaldgletschers begränzt wird, dehnen sich die be=

---

*) Vergl. Hugis Alpenreise S. 114.
**) Vergl. Hugis Alpenreise S. 99.

grasten Bänder des Bonerenschafberges aus. Etwas tiefer an dem waldigen Gehänge oberhalb der Mündung des Gletschers, eine Stunde von Grindelwald, ist eine Felsengrotte, die unter dem Namen Nellenbalm bekannt ist. Hier soll ehemals die Kapelle der heil. Petronella *) gestanden haben. Eine metallne Glocke von 68 Pfunden, die noch gegenwärtig im Kirchthurm zu Grindelwald hängt und in Mönchsschrift die Worte: O. S. Petronela ora pro nobis, mit der Jahrzahl 1044 trägt, soll einer allgemeinen Sage zufolge aus dem Thürmchen jener Kapelle herrühren. Auf der Landkarte von Schöpf vom Jahr 1570 steht diese Kapelle noch abgebildet. (Siehe hierüber das Weitere bei Nr. 120.)

Der Eiger trägt auch die nähere Bezeichnung „Aeußer-Eiger." In älterer Zeit hieß er Vorder-Eiger, oder nach anderen Angaben Heigers Schneeberg, während der Mönch Heigers Geisberg genannt wurde. Der mächtige Felsstock, der bei den Hörnlein das östliche Ende des Berges bildet, hieß Eigers Bleithorn.

Der Gipfel des Eiger wird von den Thalbewohnern selbst für unersteiglich gehalten. Wirklich spitzt sich der Grat in solcher Schärfe aus, und die Abstürze sind so entsetzlich steil, daß die Möglichkeit eines Hinaufklimmens nicht denkbar ist. Hingegen lassen sich von der Südseite her die Hörnlein und die Mittellegi ohne sonderliche Gefahr besteigen.

---

*) Diese Heilige wird als eine Tochter des Apostels Paulus ausgegeben. Sie starb unter Domitian als Märtyrerin.

Nr. 120. Biescherhörner.

Politische Lage. Bern, B. Interlaken, Grenze gegen Wallis.

Höhe. { a. 12,268'. T. Tralles.
{ b. 12,500'. T. Frei.

Gebirgsart. Gneis und gneisartiger Granit.

Entfernung. 13½ Stunden.

Der Biescher grat, den wir von unserem Standpunkte weg sehr verkürzt erblicken, dehnt sich vom Mönch in südöstlicher Richtung etwa zwei Stunden weit bis an das Finsteraarhorn aus und scheidet das Becken des Untern Grindelwaldgletschers von dem Aletscheismeer und, zunächst am Finsteraarhorn, auch noch von dem obersten Gehänge des Bieschergletschers. Die spitzen Austeilungen des Grates werden die Biescher hörner genannt. Es sind deren vornehmlich drei, von welchen dasjenige, das am meisten gegen den Grindelwaldgletscher vor= steht, das Große Biescherhorn genannt wird. Von diesem senkt sich gleichsam als Stützpfeiler der langen, riesenhaften Eismauer des Bieschergrats ein scharfkantiger Felsgrat hinunter, dessen breiter, massiver Fuß von dem Gipfel des Grünhorns beherrscht wird. Eine an der Nord= westseite dieses letztern etwas vorspringende Felsenkuppe trägt den Namen Zäsenberghorn, um den Fuß desselben breitet sich die vom Gletscher rings abgeschlossene Schafalpe des Zäsenbergs aus, wohin unter der Obhut von zwei Hirten im Sommer 1000—1200 Schafe und Ziegen getrie= ben werden. „Durchaus keine Ebene, keine eigentliche Alp (sagt Prof. Hugi *) ist hier zu suchen. Ueber dem Firn erheben sich einige grüne Stel= len auf einem Vorsprunge, den der früher weit höhere und gewalti= gere Gletscher zum Theil hier ausgestoßen. Unmittelbar über diese nur einige hundert Quadratfuß haltende Stelle thürmt sich schauer= lich der Hochgranit in sturzdrohenden Massen auf. Ueber diese stu= fenweise aufgezackten Urgebirgsmassen finden sich viele grasige Stellen in Klüften, über kleine Bänder und Felsklötze, kaum einige Quadrat= fuß breit kümmerlich und sturzdrohend hingebaut. Diese Stellen bil= den die eigentliche Alp, zu der nur Schafe über den wilden Gletscher getrieben werden können. Nur die untern, ebnern Stellen sind auch einigen Ziegen zugänglich, die der Schafhirt seiner Nahrung wegen zu halten das Recht hat." — Von Grindelwald ist der Zäsenberg

---

*) Naturhistorische Alpenreise.

drei gute Stunden entfernt. — Auf dem Kamme von Grünenwen=
gen mag sich wohl der günstigste Standpunkt darbieten zur Anschau=
ung der umliegenden Gletscherwelt und besonders der Schreckhorn=
gruppe. An diesem Kamme hängt auf der Seite des Zäsen der
kleine Zäsenberggletscher herunter. — Der Felsgrat, in wel=
chem das große Biescherhorn kulminirt, theilt das ausgedehnte Becken
des Grindelwalder Eismeeres in zwei mächtige Arme. Der eine, der
umfangreichere, wenigstens in seiner Längenausdehnung, kömmt aus
Südosten von der Strahleck und dem Finsteraarhorn her und trägt in
der Nähe des letztern bereits den Namen Finsteraargletscher.
Der andere Arm drängt sich von Westen und Südwesten unter dem
Namen Bieschergletscher *) in breitem Walle zwischen dem Kamm
des Zäsenbergs und dem Eiger von dem Mönch und Bieschergrat
herab und vereinigt sich mit jenem unterhalb des Zäsenbergs. In
der Nähe des Zäsenberges ragt mitten aus dem Eise des Biescher=
gletschers eine nackte Felsenklippe hervor, welche unter der Benennung
„heiße Platte" oder „schwarzes Brett" bekannt ist. Dieser
Gneisfelsen ist fast senkrecht abgeschnitten und bietet der Eisdecke kei=
nen Halt dar. Große Eismassen fallen häufig mit donnerähnlichem
Getöse über denselben hinunter. In der Höhe und in der Breite
mißt er ungefähr 200—300 Schuh. Der Zugang zu dieser Fels=
wand ist der graus über einander gestürzten Eistrümmer wegen äußerst
gefährlich. Auf dem oberen Rande liegt das Eis bei 100—140 Fuß
dick in vertikalem Durchschnitt gelagert. Die heiße Platte erblickt
man von Grindelwald aus. Sie scheint ein seiner vertikalen Lage we=
gen frei heraustretendes Stück einer Felsenstufe zu sein, welche sich
von dem Zäsenberg gegen das Kalli hinüber zieht. Man kann dieselbe
in dem theilweisen Hervortreten des Felsgehänges gegen das Kalli
zu verfolgen, und es wird dieses Band von den Hirten der Gan=
dige Pfad genannt (von Gand, Felsenbruch).

Sanfter als an der Nordseite dacht sich das südliche Gletscher=

---

*) Nicht zu verwechseln mit dem Bieschergletscher im Wallis. Prof. Hugi thut in
Folge einer solchen Verwechslung Hrn. Rohrdorf Unrecht, wenn er dessen Angabe, daß
er von dem Sattel am Mönch über den Bieschergletscher gegen Grindelwald hinuntergе=
stiegen sei, lächerlich findet.

gehänge des Bieschergrats nach dem Aletsch= und Biescherhochsirne ab.
Hochterrassen, bauchige Wände und Gletscherbuchten wechseln mit
schärfer hervortretenden Gebirgskanten, an denen stellenweise der nackte
Fels zu Tage kömmt. Eine solche Kante löst sich zunächst am Mönch
von dem Bieschergrate ab und schwingt sich vor ihrem Auslauf in
den Aletschsirn in ihrem scharfen Kamme zur selbstständigen Gipfel=
masse auf. Dieser Kamm ist es, den Agassiz und seine Begleiter für
die Jungfrau hielten, und dem sie nach ihrer Enttäuschung den Na=
men T r u g b e r g gaben. Von den Wallisern soll er F r a u e l l h o r n
genannt werden. Von einigen hochgelegenen Standpunkten auf der
Nordseite der Alpen sieht man den Trugberg über die Einsattlung
zwischen Mönch und Jungfrau hervorragen, so vom Schilthorn, von
der Männlifluh, vom Stockhorn, Ochsen u. a. m. — Der felsige Fuß
einer mehr südwärts sich abstoßenden Verzweigung bildet das soge=
nannte G r ü n h o r n (7786'); an eine dritte Kante lehnt sich das Firn=
joch, über welches man vom Aletschgletscher nach dem Bieschergletscher
hinübersteigen kann und an welches sodann die schreckbarwilde Kette
der Walliser Biescherhörner sich anschließt.

· Längs dem südlichen Gehänge dürfte die Besteigung des Biescher=
grats keiner besonderen Schwierigkeit unterworfen sein. Die Sage
spricht von einem alten Paß von Grindelwald nach dem Wallis. Ob
ein solcher existirt habe, und wo die Stelle des Uebergangs sich be=
funden, ist noch zweifelhaft. Zunächst am Mönch bildet der Biescher=
grat ein flaches Firnjoch, über welches 1838 Rohrdorf und die Grin=
delwalder, und einige Jahre später Prof. Hugi ohne besonderes Hin=
derniß von Grindelwald nach dem Aletschgletscher vorgedrungen sind.
Gegenwärtig hat sich das Gletschergehänge auf der Seite von Grindel=
wald so wild gestaltet, daß, als der Verfasser im Jahr 1845 den
Versuch machte, das Joch zu übersteigen, selbst der erfahrne Glet=
scherhirt Baumann die Unmöglichkeit erkannte, sich über den schrecklich
zerklüfteten Gletscher emporzuarbeiten. Auch vermuthet Hugi, man
habe auf jenem alten Paß die gerade Richtung nach Biesch einge=
schlagen, habe zu dem Ende erst in der Nähe des Finsteraarhorns
den Kamm überstiegen, und sei dann durch das Thal des Biescher=
gletschers hinabgewandert. Jedenfalls verbürgen es verschiedene That=
sachen, daß in älterer Zeit eine Verbindung zwischen Biesch und

Grindelwald stattgefunden hat. Noch im Jahr 1570 scheint die Kapelle der h. Petronella am untern Gletscher in Grindelwald gestanden zu haben. Das Glöcklein mit der Jahrzahl 1044 kam nach der
Zerstörung der Kapelle in die Pfarrkirche. Am Bieschergletscher im
Wallis, fast ¼ Stunde oberhalb Viterten, stand eine gleiche Kapelle
der h. Petronella. Sie scheint länger noch als die Grindelwalder gestanden zu haben, und ist ebenfalls vom Gletscher zerstört worden.
In der Nähe beider Stellen, wo ehemals diese Kapellen gestanden,
finden sich Merkmale eines alten Weges vor, und man glaubt, diese
Kapellen hätten die Anfangs = und Endpunkte jenes Gletscherpasses bezeichnet. Das Glöcklein der Kapelle am Bieschergletscher, mit gleicher Jahrzahl und Inschrift wie dasjenige von Grindelwald, hieng
nachher lange in einer Kapelle zwischen Brüggen und Biesch. Hierauf gründet Hugi die Ansicht, daß jener Weg wenigstens sechs Jahr-
hunderte üblich gewesen ist. Wenn, wie es heißt, A. 1211 Berch-
thold V. von Zähringen im Wallis geschlagen worden, wenn ihm die
Grimsel gesperrt war, wenn er durch große Wildeneien gezogen und
bei Grindelwald zuerst wieder das bewohnte Land betreten, so hätten
wir für jenen Alpenweg eine geschichtliche Thatsache aus jener Zeit *).
Auch von Naters her, nicht nur von Biesch, scheint man früher über
das Eisgebirge vorgedrungen zu sein. Als Agassiz und seine Gefährten von Möril nach dem Aletschgletscher emporstiegen, trafen sie längs
dessen Rande Spuren eines gepflasterten Weges an. Nach der Sage
war es hier durch, daß die Bewohner von Naters und der umliegenden Ortschaften früher sich nach dem Wege begaben, der von Biesch
über die Gletscher nach Grindelwald führte, einem Weg, den die Pro-
testanten des Oberwallis zu nehmen gezwungen waren, wenn sie zur
Zeit der Reformation, von dem Bischof von Sitten verfolgt, ihren
reformirten Kultus im Berner=Oberlande feiern wollten **). Im Jahr
1561 soll der Grindelwaldgletscher den offenen Paß nach dem Wallis
noch so wenig verhindert haben, daß damals eine Hochzeit und 1578
eine Kindstaufe von jenseits her gen Grindelwald kam. Ueberdieß
sollen in den ältesten Traubüchern von Grindelwald vor 1595 sich

---

*) Vergl. Wyß und Hugi.

**) Excursions et séjours dans les Glaciers etc., par E. Desor. 1844.

mehrere Beiſpiele von reformirten Walliſern finden, die aus dem
Wallis kamen, um ſich einſegnen zu laſſen. — Es iſt unzweifel-
haft, daß das nun durchaus vergletſcherte Gebirgsthal des Untern
Grindelwaldgletſchers vormals bis nach dem Zäſenberg hinauf mit
Alpen und Walbung bekleidet geweſen. Längs dem Fuß des Schreckhorns, gegenüber dem Zäſen, wo nun von dem Ochſenläger bis an
den Kaſtenſtein Schafheerden kümmerlich ihr Futter finden, ſollen nach
einem alten Spruchbrief in früherer Zeit Ochſen und Kühe geſömmert
worden ſein. Auf der Gletſcherebene beim Schwarzen Brett ſoll man
nach Gruner *) Stämme von Lerchbäumen aus dem Eiſe haben hervorragen ſehen. Wyß **) ſagt dagegen, der Volksſage nach habe hier
ehemals ein Arvenwalb geſtanden, und oft habe man Arvenſtämme
bemerkt, die der Gletſcher mit ſich herabgeſchoben, oder Stöcke, die
abgekappt an ſeinem Rande auf ihrer verdorrenden Wurzel gehalten.
Noch im Jahr 1540, heißt es, ſchmolzen die Grindelwaldgletſcher,
ſo weit ſie ſich zwiſchen den nördlichen Abhängen des Wetterhorns,
des Mettenbergs und Eiger in das bewohnte Thal ergoſſen, ganz
weg ***). Im 17. Jahrhundert drangen die Gletſcher mit ganz ungeheurer Macht zu Thale, und in dieſer Periode wurden vermuthlich
jene Kapellen zerſtört, und der Paß zwiſchen Grindelwald und dem
Wallis verſchloſſen. Im Jahr 1712 ſollen ſich zwar noch drei Männer von Grindelwald über den Eisberg ins Wallis gewagt, aber ſo
große Schwierigkeiten gefunden haben, daß allen übrigen die Luſt ver-
gangen ſei, ſich auf dieſen Weg zu begeben †). Im nämlichen Jahr,
erzählt uns Wyß ††), hatten ſich drei Oberländer, beim Ausbruch
des einheimiſchen Kriegs, aus dem Wallis mitten durch das höchſte
und wildeſte Gletſchergebiet geflüchtet und ſeien nach 3 ganzen Tag-
reiſen glücklich über den unteren Gletſcher hinab in Grindelwald ein-
getroffen. Hingegen theilt uns Benetz mit, daß zur Zeit, wo das
Wallis zu Frankreich gehörte, Schmuggler zu verſchiedenen Malen,

---

*) Eisgebirge des Schweizerlandes.

**) Reiſe ins Berner-Oberland.

***) Kaſthofer, Bemerkungen auf einer Alpenreiſe.

†) Altmann, Verſuch einer Beſchreib. der helv. Eisgebirge. Zürich 1751. S. 55.

††) Reiſe ins Berner-Oberland.

selbst mit Hülfe von Stricken versucht hätten, auf jenem alten Wege durchzudringen, jedoch ohne Erfolg *). — Alle diese Thatsachen beweisen, daß in älterer Zeit die Verbindung mit Wallis und Grindelwald leichter und häufiger gewesen; dennoch ist es kaum glaublich, daß je ein offener, regelmäßiger Verkehr stattgefunden hat, wenn man bedenkt, daß immerhin ein begletscherter Gebirgskamm zu übersteigen war, der an seinen niedersten Punkten eine Höhe von wenigstens 11,000' ü. b. M. behauptet. —

Die Biescherhörner wurden früher auch Walcherhörner genannt. Hugi findet diesen Namen identisch mit Walser- oder Walliserhörner, was Weg und Richtung nach jenem Lande anzeigen könnte. Sie sind so hoch, daß sie die Strahleck beherrschen, so daß man sie vom Sidelhorn und von der Furka aus sehr gut sieht, und die schimmernde Firnspitze, die man beim Hospitz auf der Grimsel gegen Abend durch die Thalöffnung des Aargletschers im fernen Hintergrunde erblickt, ist das mittelste Biescherhorn, das man dort mit dem Namen Ochs bezeichnet. Von den Gebirgen des Visperthales und von der Paßhöhe des Simplon sind sie sehr deutlich zu erkennen. Von Norden her sieht man sie auf dem Schwarzhorn, auf dem Brienzer-Rothhorn und von den Höhen des Ober-Emmenthals und des Entlebuchs in ihrer ganzen Ausdehnung und Erhabenheit. Steigt man von Grindelwald aus nach dem Eismeer empor, so treten sie dem Wanderer fast auf dem ganzen Wege in ihrer vollen Majestät entgegen, und er kann ihre scharf und malerisch gezeichneten Formen und die Schönheit ihres leuchtenden Firngewandes nicht genug bewundern.

---

*) Mémoire sur les variations de la température dans les Alpes de la Suisse. Denkschrift der Naturforschenden Gesellschaft 1833.

Nr. 121. Finsteraarhorn.

Politische Lage. Bern, Grenze zwischen den A. Interlaken und Oberhasle und dem Wallis.

Höhe. 13,160'. T. eidg. Verm. 13,234'. T. Tralles.

Gebirgsart. Hornblendgneis.

Entfernung. 14½ Stunden.

Das Finsteraarhorn ist der höchste und, von Norden betrachtet, der spitzeste Gipfel der Berner-Hochalpen, der deßhalb an einigen Orten die Nadel genannt wird. Anders gestaltet sich aber dieser Berg, wenn man ihn aus Osten oder Westen erblickt, denn während die scharfen Felskanten gegen Norden und Süden, und der von der Spitze tief herabhängende Hochfirn gegen Nordwesten gekehrt sind, hält er dort dem Staunenden seine flachen Wände entgegen, welche so steil aufgebaut sind, daß der ewige Schnee nur stellenweise daran zu haften vermag. Auch die Form seines Gipfels, obwohl zugespitzt, erscheint um vieles breiter, und kaum erkennt man in diesem fest aufgestemmten Gebilde die schlanke Obeliskenspitze der Berneralpen wieder. Vom Siedelhorn weg, so wie von der Hochfläche des Aargletschers beim Abschwung, genießt man vorzugsweise eines imposanten Anblickes des Finsteraarhorns. Vom Grimselhospize selbst ist sein Gipfel nicht sichtbar, wohl aber wenige Schritte davon vom Felsenhügel des Rollen. Vom Hospize gewahrt man nur dessen nördliches Fußgestelle, das zackenförmig aufstrebende Felsgebilde des Agassizhorn, an das sich der Kamm der Viescherhörner anschließt, und welche Spitze scheinbar als eine gegen Osten vorstehende Kante des Horns auch von Bern aus erkennt werden kann. Von Süden gesehen stellt sich das Finsteraarhorn als eine schlanke Felsenspitze dar, welche von den Wallisern Schwarzhorn genannt wird. Man erblickt dasselbe deutlich von den Höhen des Visperthals, vom Simplon, von den Gebirgen des Binnenthals, vom Gries, von den Gipfeln des Gotthards, von den Bündnerspitzen, und sogar auf dem Mailänder-Dom entdeckte es der gebirgskundige Keller in der Zackenreihe der Alpen.

Prof. Hugi, der die Grindelwalder- und Vieschereismeere in allen Richtungen durchwandert hat, giebt uns folgende Charakteristik

über das Finsteraarhorn: „Es erhebt sich in der Mitte der gesamm=
„ten Gletscherregion, welche es, wie die ganze ringsumstarrende Hör=
„nermenge, ehrfurchtgebietend beherrscht. Nach allen Weltgegenden
„senken von seinem Fuße die ewigen Firnmeere sich hinunter. Im
„Herabsteigen wandeln die Firnen sich in Gletscher, welche zu den
„Alphütten, oder hie und da gar zur bewohnten Welt herabsteigen.
„Vier Gräte sendet diese höchste und spitzigste Pyramide der Berner=
„alpen aus: den Walcher = und den Strahleckgrat nach Nordwest und
„Nordost, den Rothhorn= und den Oberaarhorngrat nach Südwest und
„Südost. Oestlich bildet das ganze Horn von der Spitze bis auf die
„Fläche des Finsteraarfirns eine fast ganz senkrechte Wand, an der
„nur stellenweise angestöberter Schnee sich zu halten vermag. West=
„lich und südwestlich senkt das Gebilde sich in wilden Horngestalten
„abwärts. Bald liegen die Hörner in Trümmermasse mit furchtbaren
„Abgründen übereinander, bald heben einzelne mit frecher Stirne aus
„dem Ruin trotzig sich empor. Das Schauervolle sowohl, als das
„Mannigfache des Gemäldes zu vollenden, durchfurcht sich die Masse
„von oben bis unten mit vielen Tobeln, die im Gegensaß des schwar=
„zen Gehörns mit blendendem Firne sich füllen, der in zahllosen Ge=
„stalten so wild und vielarmig herabhängt durch die Abgründe, daß
„auch der Gefühllose das Ganzgemälde nur mit Furcht anstaunt.
„Diese ganze Formenfülle senkt endlich in einer Meereshöhe von
„10,200 Fuß unter die Fläche des Viescereismeeres sich ein. An der
„nordwestlichen Seite steigt von der höchsten Spitze des Horns ein
„Riesenfirn herab, der dem Walchergrat entlang mächtig sich ausdehnt
„und einen Hauptarm nach dem Viescereismeer senkt. Dieser letz=
„tere wird aber durch aufstrebende Horngebilde wieder mannigfach
„zertheilt; unten jedoch senken sich alle Arme vereint wieder ins ge=
„meinsame Eismeer."

Weder die bedeutende Höhe des Finsteraarhorns, noch seine ent=
setzliche Steilheit, noch dessen scheinbar unzugängliche Lage hinter den
zerklüfteten Wällen unermeßlicher Gletscher, haben den ruhelosen
Sterblichen abgeschreckt, seine kühnen Gedanken nach diesem erhabenen
Ziele zu richten. Schon die Herren Meyer aus Aarau hatten sich auf
ihrer Gletscherreise im Jahr 1812 die Besteigung des Finsteraarhorns
zur Aufgabe gemacht. Dreimal bezogen sie zu diesem Zweck an der

obern Ausſpitzung des Vieſchergletſchers ein Nachtlager im oben Eis=
revier in einer Höhe von 10,370 Fuß. Schlimmes Wetter oder über=
mäßige Anſtrengung ließen das Unternehmen jedesmal mißlingen. Hin=
gegen enthält ihr Reiſebericht *) die Kunde, daß es ihren Begleitern
Arnold Abbühl, damaligem Knecht des Grimſelwirths, und zwei
Walliſern am 16. Auguſt 1812 gelungen ſei, vom Oberaar=
horn (?) hinweg in drei Stunden die Spitze des Finſteraarhorns zu
erreichen. Dieſe abentheuerliche Wanderung wurde ſpäter mit Grund
in Zweifel gezogen, und Prof. Hugi hat, geſtützt auf eigene Wahr=
nehmung, die beſtimmte Behauptung aufgeſtellt, daß die Erſteigung
des Finſteraarhorns von dieſer Seite für menſchliche Weſen rein un=
möglich ſei. Indeſſen verſichern die Herren Meyer, ſie hätten auf
ihrer Wanderung über den Unteraar= und Finſteraargletſcher den 4.
Sept. durch das Fernrohr die Fahne auf dem Gipfel des Finſteraar=
horns geſehen, und wenn man nach ihrem allerdings unklaren Reiſe=
bericht annehmen darf, daß es keineswegs das Oberaarhorn war,
auf dem jene Männer zuerſt geweſen, ſondern eine Spitze des Grats
zwiſchen dem Finſteraarhorn und dem Rothhorn, ſo würde ihre Er=
zählung der Erſteigung des Finſteraarhorns an Glaubwürdigkeit be=
deutend gewinnen. Hugi, dieſer unverzagte Forſcher, hat ſelbſt meh=
rere Beſteigungsverſuche unternommen. Im Jahr 1828 wanderte er
mit 3 Steigern über das Oberaarjoch und ſtieg über den oberſten
Theil des Vieſchergletſchers auf den Rothhornſattel (10,579'), wo
er in einer aus Felsplatten aufgeführten Hütte übernachtete. Es
war der nämliche Ort, wo vor 16 Jahren die Herren Meyer ihr
Nachtquartier aufgeſchlagen hatten. Am folgenden Morgen erſtieg die
Geſellſchaft unter mancherlei Gefahren und Mühſeligkeiten den Wal=
chergrat, arbeitete ſich bis an den Fuß der oberſten Ausſpitzung der
Pyramide empor und ſchickte ſich an, die Spitze des Finſteraarhorns
zu erklimmen, welche kaum noch 200 Fuß vor ihr aufgethürmt war,
als Kälte und die Wuth des einbrechenden Orkans ſie zur ſchnellen
Rückreiſe zwangen. Im folgenden Jahr wiederholte Prof. Hugi ſeine
Reiſe. Dießmal wurde das Nachtlager weiter oben am weſtlichen

---

*) Reiſe auf die Eisgebirge des Kantons Bern. Aarau 1813.

Fuße des Horns erwählt. Frischer Schnee, Kälte und ungestümes
Wetter zwangen die Reisenden am Morgen zur Rückkehr nach der
Grimsel. Einige Tage später begab sich der unverdrossene Mann bei
aufgeheitertem Wetter wieder in jene wilden Hochregionen und erreichte mit seinen Begleitern um 8 Uhr Abends das Nachtlager am
Finsteraarhorn. Am folgenden Tage wurde die Ersteigung des Horns
versucht. Die Hochfirne waren scheußlich zerrissen und oft trügerisch
nur bedeckt, daher mußte man bald über Klippen emporklettern, die
jedem menschlichen Wesen den Zugang zu versagen schienen, bald aber
im Schnee sich gleichsam emporwühlen. Endlich wurde der hängende
Hochfirn erreicht, der wunderschön über alle Gebirge hinaus in die
ebene Schweiz blickt. In gerader Linie wurde über diesen emporgestiegen. Endlich war man von den obersten Felsen nur noch durch
ein hängendes Gebilde getrennt, welches aus hellem Eise bestand.
Jakob Leuthold und J. Währen fiengen an quer über diese
Masse Tritte einzuhauen, erreichten glücklich die Felsen, in einigen
Minuten die Höhe, und die beiden Unübertrefflichen standen,
wahrscheinlich die ersten Sterblichen, auf der Zinne des Finsteraarhorns. Es war am 10. August 1829. Keiner wagte ihnen
nachzufolgen! Die übrigen Glieder der Gesellschaft blieben etwa 200
Fuß senkrechter Höhe unter dem Gipfel auf der Kante des Steinge-
trümms zurück, in einer Höhe von 13,000 Fuß ü. d. M. — Wind
gieng fast keiner, das Wetter hätte kaum glücklicher sein können, aber
die Kälte war äußerst empfindlich. Drei Stunden waren die beiden
mit dem Bau einer Pyramide beschäftiget. Man hörte sie äußerst
bestimmt alle Worte sprechen. — Der Kamm war durchaus scharf
zugekeilt und fast ganz frei von Schnee und Firn. — Mühevoll war
die Rückreise, das böse Wetter wieder im Anzug; gleichwohl wurde
noch der lange und gefährliche Weg bis zur Hütte des Geißhirten am
Oberaargletscher (6959') zurückgelegt *). — Dreizehn Jahre lang blieb
darauf das Finsteraarhorn unangetastet. Wenig bekannt ist die im
Jahr 1842 von H. Sulger aus Basel von der Grimsel aus unternommene Besteigung desselben. Nur von zwei Führern begleitet, be-
bezog er am 16. August ein Nachtlager an der Westseite des Horns.

_____

*) Vergl. Hugi, Naturh. Alpenreise.

Am folgenden Tage ward die Erklimmung des Gipfels versucht. H. Sulger
selbst vermochte aus allzugroßer Erschöpfung denselben nicht zu erreichen,
wohl aber seine beiden Führer, welche daselbst eine Fahne aufpflanz-
ten, die man vom Hôtel des Neuchâtelois auf dem Aargletscher durch
das Fernrohr gewahrte. Am 5. Herbstmonat des nämlichen Jahres
reiste H. Sulger zum gleichen Zwecke wieder von der Grimsel ab,
begleitet von den Führern Joh. Jaun von Meiringen, Andreas
Aplanalp aus Grund und Heinrich Lorenz aus Wasen (Kant.
Uri), Gemsjäger und damaliger Senne auf der Grimsel. Das Nachtlager an der Westseite des Finsteraarhorns wurde bezogen, und am
folgenden Morgen um 5 Uhr der beschwerliche Marsch nach der Spitze
angetreten. Ueber Eiswände, Firnfelder, Steine und Felsblöcke wurde
stundenlang emporgeschritten. Endlich trat die letzte Abstufung des
gewaltigen Horns in die Augen. Ein langgestrecktes, steil anlaufen-
des, nordwestlich vom Gipfel liegendes Schneefeld (unstreitig jener
Hochfirn, über den auch Hugi emporgestiegen) wurde nun betreten. —
Die Aussicht fieng an sich zu erweitern, man sah das Panorama der
Alpen unter sich liegen und selbst das stolze Haupt der Jungfrau sich
beugen. — Am Ende jenes Schneefeldes war noch eine zerrissene Felswand von 4—500 Fuß Höhe zu erklimmen, deren unterer Theil mit
Eis überzogen war. Um halb 11 Uhr Morgens am 6. Sept. 1842
war die höchste Spitze erreicht und nun bot sich dem Auge ein Anblick dar, der in der Schweiz, in Europa seines Gleichen kaum haben
dürfte. — Der Gipfel bildete einen wellenförmigen Grat, der eine
Länge von etwa 20 Schritten hatte. Diese Gipfelgestalt macht das
Verweilen auf der Zinne des Finsteraarhorns, wenn anders die Witterung und der Stand der Temperatur günstig sind, behaglicher als
es dort auf der First der Jungfrau der Fall ist, welche so spitz und
schmal in den schreckhaften Abgrund hinausragt, daß der kühnste Mann
nicht ohne ein gewisses Bangen sie betritt. Auf der Spitze fanden
die Reisenden einige kleine Eisenstäbe und eine Nadel, welche Gegenstände von der früheren Anwesenheit menschlicher Wesen zeugten. Aus
Steintrümmern wurde eine Pyramide aufgeführt und nach einem ein-
stündigen Aufenthalt traten die Reisenden den Rückweg an, erreichten
um 2 Uhr ihr letztes Nachtlager, stiegen über den Bleschergletscher
hinab und gelangten halb 10 Uhr nach dem unteren Staffel von

Märjelen, von wo sie am folgenden Tage durch das Wallis nach der Grimsel zurückkehrten *).

Ob die Reise auf das Finsteraarhorn oder die Besteigung der Jungfrau, abgesehen von dem wissenschaftlichen Interesse, einen höhern Genuß gewährt, läßt sich schwer bestimmen. Niemand, dem hier= über ein kompetentes Urtheil zusteht, hat noch beide Gipfel bestiegen und uns von den gegenseitigen individuellen Eindrücken Kunde gegeben. Was die Fernsicht anbelangt, so scheint die Grenze, innerhalb wel= cher man die Gegenstände derselben noch klar zu schauen vermag, auf dem 333 Fuß höheren Gipfel des Finsteraarhorns schon bedeu= tend enger gezogen zu sein, als auf der Jungfrau. Prof. Hugi giebt uns darüber einige Aufschlüsse. Als er etwa 200 Fuß niedriger als das Finsteraarhorn, auf dem Walchergrate, sich befand, sah er nur das nahe Schreck= und Walcherhorn deutlich sich hervorheben. Die kaum drei Stunden entlegene Kuppe der Jungfrau, des Eiger und Mönch zeigten sich bei Weitem nicht in so bestimmten Umrissen, als sie von Solothurn aus, 18 Stunden weit gesehen werden. Und doch schien die Athmosphäre vollkommen günstig. Ueber das Hasle= und Lötschthal hinaus war nichts Einzelnes mehr sichtbar. Ein Jahr später wiederholten sich diese Lichterscheinungen. Als Leuthold und Währen die Spitze erkletterten, sahen ihnen eine Menge Menschen auf der Grimsel mit Tubus zu und stritten sich, da sie nur zwei Menschen auf der Spitze sahen, welche es sein möchten. Die Män= ner auf dem Finsteraarhorn aber vermochten beim hellsten Wetter und mit besserem Tubus nicht einmal das Thal von der Grimsel, noch den Spitalberg, noch den See zu unterscheiden.

---

*) Siehe Berner-Verfassungsfreund Nr. 121 vom 8. Oktober 1842.

Nr. 122. Schreckhorn.

Politische Lage. Bern. Grenze zwischen den A. Interlaken und Oberhasle.

Höhe. { Hauptspitze 12,568′. T. eidg. Berm. 12,560′. T. Tralles.
Spitze des Groß-Lauteraarhorns 12,359′. T. eidg. Berm.
Lauteraarhorn 10,870′.

Gebirgsart. Gneis und gneisartiger Granit.

Entfernung. 13¾ Stunden.

Da wo die beiden Gletscher von Grindelwald aus ihrem finstern Schooße in das fruchtbare Thalgelände ausmünden, erhebt sich mitten zwischen ihnen die steile Felsenwand des M e t t e n b e r g s (9800′?). Derselbe bildet den Anfang eines Gebirgskammes, der in südlicher Richtung, vielgezackt und reichbegletschert, über die O b e r e W a n d = f l u h, die Felsenpyramide des K l e i n e n S c h r e c k h o r n s (Nr. 43) und das B r ä n d l e r = oder N ä s i h o r n, auf seinen höchsten Gipfel, das riesenhafte S c h r e c k h o r n emporsteigt. Das S c h r e c k h o r n ist der schönste Felsenkegel der Berneralpen. Seine kahlen Wände treten stolz aus dem sie tiefer umhüllenden Eisgewande hervor, und auf seinem nackten Scheitel glänzen im Sommer zwei Schneeaugen, die man die v e r f l u c h t e n N o n n e n oder die v e r d a m m t e n S e e l e n nennt. Nur etwa 200 Fuß niedriger als der Schreckhorngipfel, setzt sich der mächtige Kamm in jener Richtung fort und theilt sich gegen eine schroff abfallende Spitze aus, welche dem Schreckhorn an Höhe nicht viel nachsteht. Diese Spitze ist das G r o ß e L a u t e r a a r h o r n. Merklich niedriger läuft der Gebirgskamm, scharf ausgezackt über die L a u t e r a a r h ö r n e r nach dem Abschwung (7679′) aus, wo diese Gebirgsmasse in steiler Felsenwandung sich unter die Eisfläche des Aargletschers v e r s e n k t, da wo der L a u t e r a a r = und der F i n s t e r = a a r g l e t s c h e r sich in dem Eisstrome des V o r d e r a a r g l e t s c h e r s vereinigen. Diesem entströmt die Aare (5806′ **Martins B.**). Der Kamm der Schreckhörner vom Mettenberg bis zum Abschwung mag eine geographische Ausdehnung von zwei Stunden haben. Hohe Querjoche, welche von den Flanken des Schreckhorns in entgegengesetzten Richtungen ausgehen, zertheilen das umliegende große Gletschergebiet, so der Strahleckkamm, der sich vom westlichen Gehänge des großen Lau=

teraarhorns gegen Süden erstreckt und den untern Grindelwaldgletscher von dem Finsteraargletscher scheidet, so das Lauteraarjoch, das sich von der Masse des Schreckhorns selbst nördlich ablöst und den obern Grindelwaldgletscher vom Lauteraargletscher trennt.

Das ganze Thalgebiet des Lauteraargletschers ward früher in Arch geheißen, und soll ein fruchtbares Thal gewesen sein, welches seiner Schönheit wegen den Namen Blümlisalp getragen.

Die beidseitigen steilen Gehänge des Schreckhornkammes sind in ihren obern Theilen mit Gletschern belastet, welche die Buchten aus= füllen, die zwischen den niedersteigenden Felsenrippen ausgespannt sind. Unter ihnen zeichnen sich der Kastenstein= und Näßigletscher aus. Sie bepanzern den südlichen Felsenfuß des Schreckhorns. Bis an den Kastenstein, so wird die steile Bergstufe genannt, welche unterhalb des Kastensteingletschers das Grindelwalder Eismeer ein= dämmt, werden noch die Schafe zur Weide hingetrieben. In dieser Gegend verunglückte im Jahr 1845 ein Mann von Grindelwald auf der Gemsjagd. Einen schauerlichen Tod erlitt ein Gemsjäger am Kleinen Schreckhorn. Im Augenblick, als die von ihm getroffene Gemse niederstürzte, verlor er selbst das Gleichgewicht an gefährlicher Stelle und glitt über die steile Felswand hinab auf einen Flußsatz, von wo Rettung unmöglich war. Im traurigsten Zustande brachte er dort zwei Tage und zwei Nächte zu. Endlich beschloß er, seinem Le= ben selbst ein Ende zu machen, zeichnete den Vorgang und sein Vor= haben mit Bleistift auf ein Stück Papier, schleuderte dieses über den Felsen hinaus, lud dann noch einmal sein Jagdgewehr, das er nicht von sich gelassen, und schoß sich die Kugel in den Kopf, indem er mit dem Zehen den Hahn losdrückte. Erst nach zwei Monaten fanden Gemsjäger das überschriebene Papier, nicht weit davon lag Jonathans Leiche unkenntlich und schrecklich zerschmettert. Oft, erzählt die Sage, wenn ein Gewitter im Anzuge ist, vernehme man am Schreckhorn ein Knallen, ähnlich dem Krachen eines Schießgewehrs, worauf ein Rauschen und Stöhnen hörbar werde, nicht unähnlich dem letzten Röcheln eines Sterbenden *). Auch an den Wänden des Metten=

---

*) Vergl. C. Wäßi. Blumen aus den Alpen.

bergs soll schon mancher allzuverwegene Gemsjäger seinen Tod ge=
funden haben.

Von unserem Standpunkte aus gesehen, wo man sich mit dem
Schreckhornkamm beinahe in einerlei Richtung befindet, zeigt sich der=
selbe in seinem Querprofile als eine isolirt aufsteigende Pyramide.
Dennoch sieht man bei schärferer Beachtung, auf der linken Seite
des Gipfels, die niedrigere hintere Zacke des großen Lauteraarhorns
hervorragen, und je nachdem man einen östlicher oder westlicher gele=
genen Standpunkt annimmt, wird der ganze Kamm zur Linken oder
zur Rechten des Schreckhorns sichtbar. Von dem Aargletscher und
aus den nächsten Umgebungen der Grimsel erscheint jener hohe Kamm,
der sich vom Schreckhorn auf das große Lauteraarhorn erstreckt, nebst
der vorstehenden Masse der Lauteraarhörner als der Hauptgebirgs=
stock, und das Schreckhorn selbst wird von dieser Seite erst auf be=
deutenden Höhen sichtbar. Vom Siedelhorn z. B. stellt sich das Lau=
teraarhorn noch als höchster Gipfel dar, und dahinter tritt das
Schreckhorn unansehnlich und kaum erkennbar auf. Erst in mehr öst=
licher Direktion, auf dem Gerstenhorn, auf dem Steinhaus= und Mäh=
renhorn kömmt die Gipfelmasse wieder in ihrem wahren Verhältnisse
zum Vorschein und wird von dem Haupte des Schreckhorns überragt.

Ohne Zweifel hat das Schreckhorn noch keinen Sterblichen auf
seinem Scheitel getragen, wohl aber wurde bei einem Versuche, das=
selbe zu erklimmen, die Spitze des großen Lauteraarhorns
am 8. August 1842 von den Herren Escher von der Linth,
Ch. Girard und E. Desor, in Begleit von 5 Führern: J. Leut=
hold, Briger, Fahner, Bahnholzer und Mabutz, mit Mühe
und Schwierigkeit, doch ohne sonderliche Gefahr bestiegen. Die Ab=
reise vom „Hôtel des Neuchâtelois“ auf dem Aargletscher geschah erst
nach 7 Uhr Morgens. In einer Höhe von 11,000' fanden die Reisen=
den noch einige Ranunkeln (Ranunculus glacialis). Um 2½ Uhr wurde
der Gipfel erreicht, wo sie ihre Täuschung erkannten. Derselbe bot
eine Oberfläche von etwa zehn Quadratfuß dar. Das Barometer be=
wegte sich im Schatten zwischen + 2,5 und + 3 cent. Im Mo=
ment der Begeisterung fand Desor, die Aussicht übertreffe die=
jenige der Jungfrau an pittoreskem Effekt und stelle mehr den
wahren alpinischen Charakter zur Schau, weil man sich im Centrum

der kolossalen Alpenwelt befinde. Von besonderer Pracht soll hier die Ansicht des Finsteraarhorns sein. Anderthalb Stunden dauerte der Aufenthalt auf dem Gipfel. Die Länge des Grates, der die Reisenden vom Schreckhorngipfel trennte, schätzten sie auf etwa 1000 Fuß und überzeugten sich von der Unmöglichkeit, denselben zu übersteigen *).

Der gegen Grindelwald vorragende Grat des Schreckhornkammes, besonders der Mettenberg und die Obere Wandfluh, sind von der Westseite her ohne Gefahr ersteigbar. Auf die Wandfluh, als deren südlicher Fuß sich die Bäniseck (5300') gegenüber dem Zäsenberg in den Gletscher hinauswirft, gehen selbst noch die Schafe ihrer kärglichen Nahrung nach.

Der Name Schreckhorn oder Schrickshorn, wie es früher hieß, scheint von dem Worte Schrick, das in der Bergsprache Spalte bedeutet, herzurühren **).

Was die geologischen Verhältnisse anbetrifft, so gehören die Viescher= und Schreckhörner der großen Masse von gneisartigem Granit (Granit in großen Tafeln abgesondert) an, welche zum größten Theil die berühmtesten Schneegipfel des Berner=Oberlandes bilden. Nur am Fuß des Kleinen Schreckhorns, am Mettenberg, finden wir wieder den Hochgebirgskalk, der mit den nämlichen Erscheinungen wie an der Jungfrau, unter den Gneis einfällt.

Nr. 123. Berglistock.

Politische Lage. Bern, Grenze zwischen den A. Interlaken und Oberhasle.

Höhe. 11,000'. T. Frei.

Gebirgsart. Gneisartiger Granit.

Entfernung. 13½ Stunden.

Der Berglistock erhebt sich in breiter, abgestumpfter Gestalt mit unebenem Höhegrat mitten aus dem hintersten Becken des Obern

----

*) Ascension du Schreckhorn, par E. Desor. Extrait de la Revue Suisse. Juin 1845.

**) Schrick, Schrund, Schratten, Schranne, Spalte sind gleichbedeutend. Schricken ist ein veraltetes Verbum, und hieß springen (das Glas hat einen Schrick, Ritz, Sprung). Andere sagen Schreck, daher das Wort Heuschreck.

Grindelwald=, des Lauteraar= und des Gauligletſchers. Es ſteht
durch das Lauteraarjoch mit dem ſüdlich aufſteigenden Schreckhorn,
durch ein höheres, flaches Firnjoch mit dem nördlich ſich erhebenden,
hinterſten Gipfel der Wetterhörner in Verbindung, und iſt eigent=
lich als der fortgeſetzte Kamm der Wetterhörner zu betrachten, der
ſich dann in den Gebirgszug des Schneehorns hinüber wirft. Die
weſtlichen, felſigen Abſtürze des Bergliſtocks bilden eine ſteile Wand,
welche ſich in die ungeheuern Hochfirne verſenkt, die das weite Hoch=
thal zwiſchen dem Schreckhorn und den Wetterhörnern ausfüllen, und
aus deſſen Schooß ſich der O b e r e G r i n d e l w a l d g l e t ſ c h e r durch
die tiefe Schlucht hinunter wälzt. Der öſtliche Fuß des Bergliſtocks
wird von den oberſten Firnterraſſen des G a u l i g l e t ſ c h e r s begrenzt;
als Scheidekamm zwiſchen dieſem und dem L a u t e r a a r g l e t ſ c h e r
erſtreckt ſich in ſüdöſtlicher Richtung vom Bergliſtock ein begletſcherter,
hoher Grat über das Schneehorn und den Strahlberg nach der Grim=
ſel. Nahe an dem Fuße des Bergliſtocks, jenſeits des Gauligletſchers
am Gehänge des Hangendgletſcherhorns, iſt noch ein kleiner, im Som=
mer begraster Bezirk in dieſer Wildniß, wo die Schafe hingetrieben
werden. Dieſe Schafweide iſt unter dem Namen J a g g e l i s b e r g l i
bekannt, und es mag vielleicht der Name Bergliſtock von dieſer Oert=
lichkeit herzuleiten ſein. Uebrigens wird dieſer Berggipfel von den
Oberhaslern auch das H i n t e r e S c h n e e h o r n genannt.

Nr. 124. Wetterhorn.

Politiſche Lage. Bern, Grenze zwiſchen den A. Interlaken
und Oberhasle.

Höhe. (Nördliche Spitze oder Haslejungfrau), 11,412′. T. eidg.
Berm. 11,453′. T. Tralles.

Gebirgsart. Baſis Kalk, oberſte Decke Gneis.

Entfernung. 13¼ Stunden.

Aus dem Thale von Grindelwald (3507′) erhebt ſich der nörd=
liche Theil des W e t t e r h o r n s unter dem Namen des O b e r n
B e r g e s als eine breite, nach oben ausgezackte Felſenmaſſe, deren

schroff abgerissene, kahle Wand wohl eine vertikale Höhe von 5000 Fuß behauptet. Hinter diesem mächtigen Grundpfeiler steigt der blendende Firngipfel in kühner Pyramidenform aus den ungeheuern Schnee- und Gletschermassen, welche den Obern Berg bedecken, empor. Dieses, wie aus e i n e m Guß hervorgegangene Riesenwerk der Schöpfung, steht in seiner wilden Hoheit ehrfurchtgebietend da, und macht auf denjenigen, der es aus seinen nächsten Umgebungen, von Grindelwald oder von den Höhen aus betrachtet, die das Thal im nördlichen Halbkreis umschließen, einen unvergeßlichen Eindruck.

Unten an das Fußgestell des Wetterhorns lehnt sich die Hasle-Scheideck und ist der Knoten, der den Gebirgsstock des Faulhorns mit der Hochalpenkette verknüpft. Nordöstlich vom Wetterhorn, aber bedeutend tiefer erhebt das Wellhorn sein Haupt, und auf den Stufen der kluftähnlich eingebogenen Bergwand, welche zwischen beiden Gebirgsmassen aufgestellt ist, liegen die kleinen Schwarzwald- und Alpbigelngletscher (siehe Nr. 22). Unterhalb dieser Gletscher soll sich ein hoher, zu 60 Fuß angegebener, rothfarbiger Gang von Eisenerz finden, das ehemals gebrochen und nach dem Haslethal zum Schmelzen hingeschafft wurde. Am westlichen Fuß des Wetterhorns, zwischen ihm und dem Mettenberg, bricht der obere Grindelwaldgletscher hervor. — Jene Schneelagen, welche die Höhe des Oberberges belasten, entladen ihren Ueberfluß bisweilen in vier verschiedenen Lawinen, wovon zwei an der Nordseite, zwei an der Südwestseite des Gebirges niederstürzen. Die größte derselben, die sogenannte Wetterlauine, fällt unfern des Joches der Scheideck hinab, und ihr Anblick wird den Reisenden oft genug zu Theil. Am südwestlichen Hange des O b e r n B e r g e s findet sich noch Weide für eine Anzahl von Ziegen und Schafen, welche ihrem Schicksal während der Alpzeit so viel als unbeachtet überlassen werden, und hirtenlos in diesen Gegenden umherstreifen. — Die Höhen des O b e r n B e r g e s hat man noch zu wenig untersucht; sie sollen häufige Kryftalle in sichtbar zu Tag liegenden Bändern, vermuthlich von Quarz, enthalten, und das Landvolk spricht selbst von Silbererz, das dort schon gefunden worden. — Vor dem Wetterhorn liegt nach dem O b e r n B e r g e zu eine rundlich glattbeschneite Kuppe, die den Hirtennamen des Ankenbällis

(Butterbällchens) trägt und auf der Haslesette sehr wohl zu erken=
nen ist *). — In dem Stocke des Wetterhorns halten sich noch viele
Gemsen auf, ja unter den wilden Bergen Grindelwalds sind sie dort
am zahlreichsten und locken nicht selten die kühnen Männer zur Jagd.
Es werden namentlich am Wetterhorn zwei Hauptstellen, in der Enge
und im obern Gang genannt, wo die Gemsen von dem Jäger ab=
geschlichen werden können, so daß ihnen kein anderer Ausweg übrig
bleibt, als über den Felsen hinaus in den Tod zu springen, oder auf
den Jäger zurückzuprellen. Im Jahr 1799 fand ein Gemsjäger am
Wetterhorn seinen Untergang. Von einigen weit über ihm sich los=
reißenden Steinen sprang einer im gewaltigen Satz an sein Haupt,
schlug es vollkommen weg und warf die Leiche in demselben Augen=
blick in den schrecklichsten Abgrund **).

Aber, was von Norden gesehen als Gesammtgipfelmasse des Wet=
terhorns erscheint, das gestaltet sich anders, je nachdem man seinen
Standpunkt östlich oder westlich verändert. Alsdann wird man erst
gewahr, daß das Wetterhorn einen Kamm bildet, welchem drei hin=
ter einander liegende, gleichförmige und nahezu gleichhohe Spitzen
entragen, von denen jene die vorderste oder nördlichste ist. Dieser
Kamm, an den sich südlich der Berglistock anschließt, ist jedoch nicht
scharf ausgeprägt, sondern liegt gleichsam unter der Decke weitver=
breiteter Firngefilde verborgen; denn so wie der nördliche Gipfel bis
in die Tiefe des Thales schroff und felsig abgerissen ist, ostwärts aber
den scharfgerandeten Zweig des Wellhorns anstößt, so sind die zwei
hinteren Gipfel nur als Aufschwellungen eines schönen Firnplateaus
zu betrachten, welches sich in einer Meereshöhe von nahezu 11,000'
und in einem Raum von beiläufig einer Quadratstunde bis hinüber
auf das Dossen= und Reufenhorn ausdehnt, und sich nordöstlich nach
dem Rosenlauegletscher, südöstlich nach dem Gauligletscher
und westlich nach dem weiten Becken des Oberen Grindelwald=
gletschers sanft abdacht.

Der nördliche Gipfel des Wetterhorns wird im Haslethal mit

---

*) Wyß, Reise in das Berner-Oberland.
**) Wyß, Reise in das Berner-Oberland.

dem Namen Hasle=Jungfrau belegt. Er scheint die beiden hin=
tern Gipfel an Höhe um etwas zu übertreffen und ist auch am schwer=
sten zugänglich, indem er sowohl die schärfsten Kanten, als auch die
steilste Abdachung hat. Aus dem waldbekränzten, wiesenreichen Thal
von Rosenlaue gestalten sich die felsigen Massen des Wellhorns und
Wetterhorns mit der schlanken Firnspitze der Hasle=Jungfrau zu einer
besonders herrlichen und großartigen Gruppe.

Der mittlere Gipfel ist in neuerer Zeit, seiner natürlichen
Lage angemessen, mit dem Namen Mittelhorn belegt worden.
Derselbe ist dem äußern Ansehen nach der niedrigste, und auch we=
niger scharf zugespitzt, als die beiden andern.

Der südlichste Gipfel hat die Bezeichnung Rosenhorn er=
halten, vielleicht deßhalb, weil er den Roselauegletscher am weitesten
beherrscht. Desor vergleicht seine Form mit einem zusammengedrück=
ten Kegel, mit schroffen Abstürzen auf der Nordseite. Von verschie=
denen Standpunkten aus gesehen, namentlich aus dem Thale von
Meiringen, wo man seiner im Hintergrunde des Rosenlauegletschers
gewahr wird, erscheint er als eine regelmäßig gebildete Eispyramide.

Als Standpunkte, wo man alle drei Gipfel des Wetterhorns deut=
lich unterscheidet, sind zu erwähnen: Sevinengrat, Lauberhorn, Schilt=
horn, Männlisluh, Niesen, Stockhorn, die Anhöhen oberhalb Worb
und Walkringen, die Höhen der Napfkette, Weißenstein und östlich
liegender Jura, St. Chrischona bei Basel, Brienzer=Rothhorn, Pila=
tus, Rigi, Randen, Heiligenberg, Titlis, Hochstollen, Mährenhorn,
Gerstenhorn u. s. w. — Vom Faulhorn, wo man in der Richtung der
drei Wetterhörner steht, sind die beiden hintern Gipfel durch den vor=
dern durchaus verdeckt. Von unserem Standpunkte weg glaubt man
ebenfalls nur die einzige, vorderste Pyramide des Wetterhorns zu
schauen, und achtet, freien Auges, der unscheinbaren hinteren Kante
nicht, welche bei genauem Ansehen durch das Fernrohr, zur Linken
hervortritt, und dem südlichsten Gipfel, dem Rosenhorn, angehört.
Diese Wahrnehmung wird um so unzweifelhafter, wenn man weiß,
daß z. B. von der Dieboldshaufenhöhe, also nur 2 Stunden östlicher
als Bern, alle drei Gipfel des Wetterhorns sich deutlich erkennen las=
sen; sie leistet aber auch den Beweis, daß die neueren Bernerkarten,
namentlich die Karte des Berner=Oberlandes, welche auf die trigono=

metrischen Vermessungen der Jahre 1811—1818 gegründet ist, so wie die Karte von B. Weiß, die Richtung des Kammes der drei Wetterhörner durchaus falsch darstellen, indem dieselbe statt südlich, südöstlich, dem Kamme der Schreckhörner parallel ist. So ist sie auch auf älteren Karten, namentlich auf dem betreffenden Blatt des Meier'schen Schweizeratlasses angegeben.

Lange Zeit ward das Wetterhorn für unbesteigbar gehalten. Der Versuch eines deutschen Reisenden, dasselbe auf der Grindelwalderseite zu erklimmen, mißlang. Indessen hatte schon Prof. Hugi, als er unter vielen Gefahren die Höhe des Rosenlauigletschers und das Dossenhorn bestieg, die leichte Besteigbarkeit des Wetterhorns von dieser Seite her erkannt. Endlich am 28. August 1844 wurde der hinterste Gipfel oder das Rosenhorn von E. Desor, Dollfuß, Duspaquier und Stengel zum erstenmal bestiegen. Die Gesellschaft verreisete in Begleit von 6 Führern, an deren Spitze J. Währen, um 2 Uhr Nachmittags von dem „Hôtel des Neuchâtelois" auf dem Aargletscher, erstieg in Zeit von 5 Stunden den Grat des Schneewigenhorns und langte spät auf der Urnenalp an, wo man die Nacht zubrachte. In des Morgens Frühe ward aufgebrochen, der südliche Fuß des Hangendhorns umgangen, und dann auf dem oberen Theil des Gauligletschers aufwärts gestiegen bis auf das Plateau zwischen dem Gauli= und Rosenlauigletscher. Der Gipfel des Rosenhorns wurde um 11¾ Uhr erreicht. Er bot Platz für etwa 20 Personen dar. Diese Reise war mit keinen wirklichen Schwierigkeiten verbunden. Weder Leiter, Stricke, noch Beil wurden gebraucht. Kälte und Wind gestatteten den Reisenden aber nicht länger als eine Viertelstunde auf dem Gipfel zu verweilen. Der Rückweg wurde über den oberen Theil [des Rosenlauigletschers nach dem weiten Sattel und über den Renfeugletscher hinunter ins Urbachthal genommen und um 9½ Uhr war Hasle im Grund erreicht. — Zwei Tage später (den 30. August) sollen die zwei Führer Bannholzer und Jaun, von Rosenlaui emporkletternd, das vorderste Wetterhorn (die Hasle= Jungfrau) von der Nordostseite her erstiegen haben und auf dem Firne längs den hintern Gipfeln des Wetterhorns und dem Bergelistock über den bisher für unzugänglich gehaltenen Lauteraarsattel nach dem Pa=

ſchon auf dem Aargletſcher zurückgekehrt ſein *). — Ein mißlungener Verſuch zur Beſteigung des Wetterhorns fand am 7. Juli 1845 ſtatt. Zwei Berner, Förſter Fankhauſer und Dr. Roth, unternahmen die Reiſe in Begleit von drei Führern von Grindelwald aus. Die Nacht wurde in einer Höhle oben am Berge zugebracht. Am folgenden Mittag wurde der Kamm, wahrſcheinlich zwiſchen dem Mittelhorn und der Hasle-Jungfrau, erſtiegen, aber ſodann (ob aus Ermattung oder lokaler Schwierigkeiten wegen, iſt dem Verfaſſer unbekannt) der Rückweg nach Grindelwald angetreten.

Die Abſicht dieſer beiden Reiſenden war, einem Engländer, Namens Speer, zuvorzukommen, welcher von der Grimſel aus das nämliche Ziel zu erſtreben bezweckte. Dieſer Fremde unternahm am 8. Juli 1845 von der Grimſel aus über den Lauteraargletſcher mit drei Führern die Beſteigung des Wetterhorns. Am 9. Juli Nachmittags um 1 Uhr langte die Karavane auf der Spitze des Mittelhorns an, und erreichte in 5 Stunden Roſenlaui. So hat jeder Gipfel des Wetterhorns ſeine Ueberwinder auf ſeinem Scheitel getragen.

In geologiſcher Beziehung iſt die Hauptmaſſe des Wetterhorns, nach Studer, die Fortſetzung des Kalks des Mettenberges. Wie an dieſem ſteigt aber im Hintergrund des obern Grindelwaldgletſchers der gneisartige Granit in die Höhe und bringt über den Kalk weg nach dem vordern Abſturz, ſo daß er die oberſte Decke des Gebirges bildet. Nach Deſor gehört der vorderſte Gipfel der Wetterhörner (die Hasle-Jungfrau) noch der Kalkregion an, während die hintern Gipfel ſammt dem Bergliſtock (Nr. 123) aus dem nämlichen feldſpathreichen Gneis zuſammengeſetzt ſind, der die nahen Schreckhörner, ſo wie auf der andern Seite das Hangendgletſcherhorn (Nr. 23) und das Doſſenhorn bildet. Die Kalkgrenze verläuft demnach vom Fuß des kleinen Schreckhorns oder vom Mettenberg über den Sattel zwiſchen den zwei vordern Gipfeln der Wetterhörner nach dem Urbachthal.

---

*) E. Desor, Excursion etc.

Allgemeine Benennungen.

A. Belpberg.

Der Belpberg erhebt sich fruchtbar und waldreich zwischen Bern und Thun. Seine Längenausdehnung von Norden nach Süden oder von Belp nach Gerzensee mißt 5/4 Stunden, sein Breitendurchschnitt eine halbe Stunde. Die Höhe des Berges bildet ein zahmes, mit Wiesen, Fruchtfeldern und Gehölzen bedecktes Plateau, auf welchem sich die zerstreuten Bauernhöfe: Hohburg, im Fuchsacker, im Byfang *), Hofstetten, Eggenhorn, Schönenbrunnen, Harzeren und beir Linde befinden. Ungefähr in seiner Mitte erreicht dieses theilweise unebene Hochplateau seinen höchsten Punkt, die Harzeren genannt, nach Trechsel 2770 Fuß ü. d. Meer gelegen. Hier auf der freien Rasenhöhe stand vormals ein Wachthaus. Sie ist der Standpunkt einer vielbesuchten Aussicht, welche nordwärts den Jura, die Stadt Bern und das umliegende Hügelgelände, ostwärts die Bergzüge des Emmenthals und die fruchtbaren Anhöhen des Aar= thals mit vielen stattlichen Kirchdörfern, gegen Süden das Hochge= birge, wie es sich amphitheatralisch aus dem blauen Becken des Thu= nersees erhebt, das anmuthige Gelände von Thun, die Niesen= und Stockhornkette mit ihren schönen Gipfelformen, westlich endlich den vielverschlungenen Höhenzug des Längenberges umfaßt. Von dem ziemlich scharf begränzten Rande jenes Hochplateaus fallen die Ab= hänge des Belpberges sehr steil und großentheils bewaldet ins Thal. Sein nördlicher Fuß wird von der Ebene von Belp, sein westlicher von dem Gürbenthal, sein östlicher von der Aare begrenzt, welche sich hart an den Berg anschmiegt. An diesen schroffen Hängen kömmt stellenweise der nackte Felsen zu Tage, z. B. südwestlich in der

---

*) Bifang bedeutet Einzäunung, vom alten bifangan bei Titian und Ottfried, umgeben.

246

Kramburgfluh, reicher aber in den finsteren Tobeln, welche sich
an seinem nördlichen Absturze eingefressen haben und deren Wände von
der oberen Kante des Berges trichterförmig nach unten zusammen=
laufen. Mittagwärts senkt sich das Gehänge des Belpberges weniger
tief hinunter auf das reizende Plateau, das, zwischen der Aare und
dem Gürbenthal ausgespannt, sich gegen Uetendorf und Seftigen all=
mälig verläuft oder an das Hügelland von Amsoldingen und Blumen=
stein anschließt, und, in der Fülle der Fruchtbarkeit prangend, mit
dem nieblichen Wasserspiegel des Gerzensees und den freundlich gele=
genen Pfarrdörfern von Gerzensee und Kirchdorf geschmückt ist.

Als Molassegebilde besteht der Belpberg aus abwechselnden
Schichten von Nagelfluh und Sandsteinpetrefaktenlagern. An der
nordwestlichen Ecke des Berges bei Hohburg, oberhalb der
Ruine des alten Schlosses von Belp, insbesondere hoch oben in
einem jener großen Tobel, so wie an den östlichen Felswänden,
oberhalb Oberaar und in dem waldigen Einschnitte des March=
baches gegenüber Münsingen sind die ergiebigsten Fundorte für Pe=
trefakten. Auch in der Gegend von Gerzensee findet man häufige
Anzeigen von Petrefakten. Namentlich findet sich dort, 120 Meter
über dem Dorfe eine Austerbank. Noch bis vor wenig Jahren war
jenes wilde Tobel, in der Gegend die Muschelfluh geheißen, der
einzige Fundort der Belpbergerversteinerungen. — Die vorkommenden
Petrefakten sind: die gewöhnlichen Venusarten, Panopäen, Solen,
Cardien, Pekten, Austern, O. edulis, Turritellen, Tellinen, Archen *).

Wir finden am Belpberge auch einige historisch interessante Punkte.
Bei der Kramburgfluh entdeckt man noch Gemäuer der alten Veste
Kramburg. Dieselbe ist wahrscheinlich nicht zerstört, sondern von
den Herren, die sich nach Gerzensee zogen und das dortige Schloß er=
bauten, in Verfall gelassen worden. Dieser Ort soll einst Kramburg
am See geheißen haben, und man hat daselbst einen eisernen Ring
aufgefunden, der zum Anschließen der Schiffe gedient haben soll.
Vielseitige Belege, namentlich die stellenweise in regelmäßiger Ter=
rassenform ausgeprägten Gestade sprechen übrigens dafür, daß sowohl

*) Vergl. Monographie der Molasse v. B. Studer.

das Aarthal als das Gürbenthal ehemalige Seebecken sind. Am nörd=
lichen Abhange des Belpberges, im Walde versteckt, bezeichnet das
Gemäuer eines Thurmes die Trümmer der alten Hohburg, welche
einst den Freiherren von Belp angehörte. Schon im 13. Jahrhundert
hatten die von Montenach Rechte an Belp. Hemmo von Montenach
zog A. 1299 mit Freiburg gegen Bern in die Donnerbühlschlacht, deß=
wegen ward ihm A. 1301 von den Bernern die Hohburg zerbrochen.

Außer dem Hochwachtpunkte auf der Harzeren, bieten noch an=
dere Stellen auf dem Belpberge besehenswerthe Aussichten dar. So
liegt z. B. am nördlichen Rande des Hochplateaus bei den Häusern
von Hohburg die liebliche Ebene von Belp, das Thal der Aare,
die hüglichte Gegend von Bern bis zum Jura hin, frei vor den
Blicken des Schauenden. Von den Anhöhen bei Gerzensee ist das
liebliche Gelände im Vordergrunde äußerst anziehend, und das Pa=
norama der Hochalpen, von dem blauen See umspühlt, herrlich. Das
Pfarrdorf Gerzensee selbst hat unstreitig eine der reizendsten und frucht=
barsten Lagen des Kantons Bern.

Zur Besteigung des Belpberges bedarf es von Bern aus etwa
dreier Stunden. Seinem westlichen Fuße entlang führt die Fahr=
straße von Belp über Kirchdorf nach Thun. Sowohl von Belp her,
als von Gerzensee kann man nöthigen Falls zu Wagen auf das Hoch=
plateau des Belpberges gelangen. Mehrere Fußwege führen eben=
falls auf die Höhe. Der kürzeste windet sich an der nordwestlichen
Ecke gegen Hohburg hinan. Auf angenehm wechselnden Pfaden kann
man von Gerzensee nach Belp oder umgekehrt der östlichen Seite
des Belpberges entlang hinwandern, und da man stets in einer ge=
wissen Höhe bleibt und der freien Uebersicht genießt, so gleicht diese
Wanderung einem Spaziergange. Vermittelst der Hunzikenbrücke bei
Belp, der Schützenfähre am Ausgang des Marchgrabens und der Thal=
gutbrücke bei Gerzensee steht der Belpberg in Verbindung mit den
jenseits der Aare liegenden Ortschaften an der Hauptstraße zwischen
Bern und Thun. Diese große Auswahl an Wegen, die leichte Be=
steigung des Berges, seine geringe Entfernung von der Hauptstadt,
die Freundlichkeit der Gegend, die malerische Fernsicht, machen den
Belpberg nicht vergebens zum öfteren Zielpunkte von Sonntagsaus=
flügen fröhlicher Gesellschaften und rüstiger Naturfreunde. In dem

wenige Schritte vom Gipfel entfernten Bauernhause kann man sich eine einfache ländliche Mahlzeit bereiten lassen; wem aber solche Kost nicht genügt, der kann sich eine Viertelstunde weiter abwärts in das Dörschen Hofstetten begeben, wo die nächstgelegene Wirthschaft sich befindet.

In Bezug auf die Entfernungen und Höhenbestimmungen lassen wir hier noch folgende näheren Angaben folgen:

Wege von Bern über Kehrsatz (Dorf und Wirthsh.) 65 Minuten. Steinbach (Weiler) 25 M. Belp (Kirchdorf) 10 M. Hohburg (Weiler) 40 M. Byfang (Weiler) 30 M. Gipfel 10 M. Im Ganzen 3 Stunden. — Hinabweg über Hofstetten (Weiler) 15 M. Geltersingen (Dorf) 15 M. Heiteren (Weiler) 20 M. Belp 30 M. Bern 1 St. 40 M. Im Ganzen 3 St. 20 M. Oder über Säbel (Weiler) 35 M. Gerzensee (Dorf und Wirthsh.) 15 M. Geltersingen 40 M. Bern 2 St. 50 M. — Oder über Gerzensee 50 M. Thalgutbad 15 M. (Aarbrücke). Ober-Wichtrach (Dorf u. Wirthsh.) 30 M. Bern 3¼ St. Im Ganzen 4 St. 50 M.

Höhenbestimmungen.

		Meter.	Fuß ü. d. M.
Harzeren (trigonom. bestimmt von Trechsel)		900 oder	2770
„ (nach den trig. Best. v. Eschmann)		893 „	2753
Mittlere Höhe b. Plateau (barom. Mess. v. B. St.)		820 „	2524
Austerbank bei Gerzensee	id.	763 „	2348
Muschelfluh an Hohburg	id.	754 „	2321
Ruine des alten Schlosses Belp	id.	725 „	2231
Gerzensee	id.	643 „	1979
Belp (Pfarrhaus)	id.	530 „	1630
„ (Kirche) (barom. Messung v. Martins)		534 „	1644

B. Längenberg.

Als ein weitläufiges, zum Theil durch tiefe Tobel zerrissenes und in einer Reihe unter sich und mit dem Zuge der anstoßenden Alpen-kette ziemlich parallel laufender Höhenrücken ausgeprägtes Hochpla-teau, welches südlich durch das Rüttithal von der Gurnigelkette ge-schieden ist, ostwärts in steilem Hange in das Gürbenthal abfällt, westlich nach dem Bette des Schwarzwassers und gegen die Thal-gründe zwischen Scherli und Köniz sich abdacht, gegen Norden durch das Kehrsatzthal von dem Vorwalle des Gurtens abgeschnitten ist, er-hebt sich in einem Umfange von etwa 10 Stunden die Gebirgsmasse des Längenberges. Sie hat eine Breite von 2—3 Stunden. Ihr Längendurchschnitt beträgt 3 Stunden. Dieses gesammte Berggebiet gehört der Molasseformation an und ist sehr reich an Versteinerungen. Seine größte Höhe erreicht dasselbe in der Bütscheleck 3474', in der Giebeleck 3353', in der Rüggisbergeck 3245', und im Tschuggen *) 3086' ü. b. M. Als die mittlere Höhe kann die von Zimmerwald (2672') gelten. — Wir sehen auf unserem Panorama nur den äußersten nordöstlichen Theil des Längenberges, welcher ge-rade oberhalb Kehrsatz in der waldgekrönten Anhöhe der Englis-bergeck aufsteigt. Von den lichten Stellen dieser Anhöhe eröffnen sich reizende Aussichten theils nach dem Jura und dem Gelände von Bern, theils nach dem Aarthal und der Alpenkette vom Pilatus und den Schneegebirgen Unterwaldens bis zur Niesen- und Stockhornkette. Zwischen ihr und dem westlich ansteigenden waldbedeckten Hochplateau liegt die Ortschaft Englisberg, durch welche der Fahrweg von Kehrsatz nach Zimmerwald führt. Englisberg ist eine eigene Ein-wohnergemeinde des Kirchspiels Zimmerwald. Das Dorf ist 1 St. 20 M. von Bern entfernt. Ehemals war hier ein Adelssitz, von dem aber keine Spuren mehr wahrnehmbar sind.

---

*) Das auch im Simmenthal und Oberland wie im deutschen Wallis nicht selten vorkommende Wort „ Tschuggen," für Berggipfel oder Felsen (in den deutschen Gemein-den am Monte Rosa Tsoggo, Tsloggo oder Tsugge) ist vermuthlich romanischer Herkunft und das ital. giogo (jugum) Joch, Berg (Schott).

C. Gurten.

Mittagwärts von Bern, Angesichts der Stadt, erhebt sich der zahme Hügel des Gurtens. Seine Hochfläche sowohl, als seine Abhänge sind theils mit Buchen- und Tannenwald bewachsen, theils mit Wiesen und Fruchtfeldern bedeckt. Er bildet einen von Nordwesten nach Südosten ziehenden Höhenrücken, der in seinem nordwestlich liegenden Endpunkte seine größte Höhe (nach Trechsel 2666, nach Lüthy. 2648 Fuß ü. d. Meer) erreicht, in seiner Breite durchgehends einige 100 Schritte mißt, jedoch gegen sein südöstliches Ende zusehends schmäler wird. — Auf dem Gipfelpunkte des Gurten stand vormals ein steinernes Wachthaus und ein Signal. Wenige Schritte südöstlich, unterhalb dem Gipfel steht, auf der Fläche des Höhenrückens hingebaut, das sogenannte Gurtenhaus, welches zur Bewirthung von Gästen eingerichtet ist, und wo auch eine nicht zu zahlreiche Gesellschaft Nachtherberge findet. Merkwürdigerweise liegt dieses Haus gerade im Meridian oder in der Mittagslinie der Sternwarte von Bern. — Schon vor vielen Jahren hat man zu beiden Seiten des Hauses in dem Gehänge des Berges kostbare Akten in den Felsen gegraben, um sich des Wassers zu versichern. Die größere Höhle befindet sich an der Nordseite und wird zuweilen aus Neugierde besucht, um das vollklingende Echo zu vernehmen, welches ein in ihrem Innern losgebrannter Schuß bewirkt. — Gegen das südöstliche Ende des Berges zu liegt in der muldenförmigen Abdachung des Bergrückens das Gurtendorf, eine kleine, aus wenigen, doch zum Theil stattlichen Häusern bestehende Ortschaft, welche in das Kirchspiel Könitz gehört und von wohlhabenden Bauern bewohnt ist. — Oberhalb dieser Ortschaft gestaltet sich der Bergrücken zu seiner letzten merkbaren Anschwellung, indem er eine mit Wald bewachsene Spitze bildet, die mit der Burgruine von Aegerten gekrönt ist. An diese Burgruine knüpft sich folgende Erzählung. Nach einer handschriftlichen Chronik Justingers hatte einst der König von Böhmen dem Ritter von Aegerdon wegen seiner Mannlichkeit die Hauptmannsstelle in einem Kriege gegen Frankreich antragen lassen. Als die Boten zu ihm kamen, ließ er sie glauben, er sei bereit, mit ihnen zu ziehen. Morgens früh saß er auf die Burgmauer und hieb mit den Sporen in die Mauer. Die Boten merkten bald, woran es dem Ritter gebrach, melbeten es dem Könige, und dieser sendete ihm Roß und Geld genug. Der Ritter zog fort und zeichnete sich im Kriege durch Weisheit und Tapferkeit aus *).

Von dem Hügel von Aegerten läuft der Gurten schmal und spitz und durchaus bewalbet in steilem Abfall gegen die an seinem südöst= lichen Fuße liegende Ortschaft Kehrsatz aus. — Die norböstliche Ab= dachung des Gurten ist weniger steil als die entgegengesetzte. Ihrem Fuße entlang breitet sich eine kleine, reichangebaute Ebene aus, welche in steilem Borde die Aare begrenzt, nordwärts aber, wo der Gurten eine vorspringende, weichgeformte Terrasse bildet, sich in sanften Nie= berungen, mit vielen Landhäusern besäet, bis an die Mauern der Stadt ausdehnt. Auf jener, von der Straße von Bern nach Belp und Blumenstein durchzogenen Ebene liegen hart am Fuße des Ber= ges die Ortschaften Groß= und Klein=Wabern, und dazwischen die Bächtelen, eine Rettungsanstalt für verwahrloste Knaben. Bei Groß=Wabern befindet sich ein stark benutzter Sandsteinbruch; zwi= schen Klein=Wabern und Kehrsatz wird Tuffstein ausgebeutet. Gerade oberhalb des Sandsteinbruches zu Wabern auf jener sanft gewölbten Terrasse befand sich ehemals ein mächtiger Findlingsblock von Gneis, der unter dem Namen Teufelsbürde bekannt war, und an den sich die Sage knüpfte, Satan habe diesen Felsen bei dem Beginne des Baues der Stadt Bern von den Wänden des Gotthard genom= men, ihn an den Hügel des Gurten gebracht und sei im Begriff ge= wesen, damit die Stadt zu zerschmettern, als auf Gottes Geheiß ein Blitz die Glieder erstarren machte, so daß ihm die Bürde entfiel. — Schroffer und walbreicher, stellenweise in kahlem Fluhbande hervor= tretend, senkt sich der südwestliche Abfall des Gurten in das schmale, einsame Köniz= oder Kehrsatzthal, welches ihn von dem Gebirgszuge des Längenberges trennt. Auf dem vorspringenden Fuß der südwest= lichen Ecke befindet sich der große Bauernhof Jennershaus. — Am steilsten ist der nordwestliche Abfall, der mit einem finsteren Man= tel von Walbung umgeben ist. Dicht unterhalb der Signalhöhe kömmt auch hier ein nacktes Fluhband zu Tage; an mehreren Stellen ist der

---

*) Vergleiche Alpenrosen vom Jahr 1814.

Berg angeschürft und zu Steinbrüchen benutzt worden. Dieser steile, waldige Abfall reicht jedoch kaum bis an die Mitte des Berges hinab. Ein breites, fruchtbares Plateau mit Landhäusern und Obstbäumen geschmückt, dehnt sich in sanfter Abdachung aus und versenkt sich unmerklich auf die Thalebene zwischen Köniz und Wabern. Die Grundlinie des Gurten mißt in ihrer Längenausdehnung von Köniz bis Kehrsatz eine Stunde, in der Breite aber kaum eine halbe Stunde. Dieser Berg liegt, wie seine Nachbargebilde, der Belpberg und Längenberg, im Gebiete der Molasseformation, und besteht wesentlich aus einem graublauen Sandstein, mit eingelagerten Gliedern von grauem Mergel und Thon und Nagelfluh in Nestern und schmalen Schichten. An dem Gurten hat man bis jetzt nur in dem einzigen Wabernsteinbruch und in dessen Nähe Spuren von Petrefakten gefunden und auch da nur sehr sparsam. Es sind ausschließlich kleinere Glossopetern und undeutliche Spuren von Cythereen oder Venus. Auf den Flächen der Mergelblätter des Steinbruchs hat Hr. Mousson Abdrücke gefunden, die vielleicht von Zoophyten herrühren.

Zur Ersteigung des Gurten von Bern weg bedarf es Fünfviertelstunden. Dieser Nähe wegen wird er häufig besucht. Schaaren von Lustwandelnden sieht man oft an Feiertagen in der schönen Jahreszeit schon vor dem Aufgang der Sonne sich auf seinem Gipfel vereinigen, um sich an dem Genusse der lieblichen Aussicht und eines ländlichen Mahles zu erfreuen. Schon am untern Saume der Waldung, die den höhern Absturz des Gurten mantelförmig umkleidet, läßt der erweiterte Horizont den Jura vom Dent de Vaulion bis zur Klus überblicken, und hinter den Höhen der Hundschüpfen tritt der Pilatus hervor. Droben wird das Panorama vollständig. Da sieht man dicht zu seinen Füßen die Stadt Bern, umzogen von dem Aarstrom und umgeben von freundlichen Anlagen, grünen Wiesen, reichbebauten Fruchtfeldern, Gehölzen, Obstgärten und einer Menge zerstreuter Wohnungen und hübscher Landhäuser. Darüber hinweg überblickt man das niedrige Hügelland, das sich bis an den Fuß des Jura erstreckt, und zahlreiche Ortschaften, die dasselbe schmücken. Der Jura selbst, an dessen Fuß einzelne Theile der Spiegelfläche der Neuenburgersees schimmern (der Murten- und der Bielersee sind nicht sichtbar), dehnt sich als ein hohes Bollwerk in einem von Südwesten nach Südosten reichenden

16

Bogen, 65 Stunden weit, von der Dole bis zur Geisfluh bei Aarau aus. (Die Dole, 40 Stunden entfernt, ist der entfernteste Punkt der Aussicht.) Oestlicher überschaut man die zahmen Hügelgruppen des rechten Aarufers, die Höhen des Emmenthals, den Napf und die Entlebucher Alpen. (Der Rigi ist nicht sichtbar, die kleine Spitze, die man gewöhnlich für den Rigi hält, ist das Schwarzstöckli am Pilatus.) Dann folgt gegen Südosten und Mittag in einem Bogen von 40 Stunden der Zug der Alpenkette vom Pilatus bis an das Westende der Stockhornkette, mit der Reihe der beschneiten Berner-Hochalpen, vom Rigidalstock an bis zum Rinderhorn. Die entferntesten Gipfel der Alpenkette sind die Surenen, mehr als 30 Stunden, und die Dents d'Ocho, 29 Stunden entfernt. —

Leider steht man auf dem Gipfel des Gurten nicht frei genug, um die Alpenkette in ihrer vollen Schönheit bewundern zu können. Die südliche Fortsetzung des Bergrückens selbst entzieht dem Auge die tieferen Felsenreihen, die den Fuß der Hochalpen umgürten; deßwegen gestalten sich diese von hier weniger groß und erhaben, als auf solchen Standpunkten, wo man auch ihre Fußgestelle übersieht. Die Erhebung des Bergrückens 5 Minuten südöstlich vom Gurtenhause bietet hiefür schon einen vortheilhafteren Standpunkt dar. Aber auch aus andern Ursachen ist die Gipfelhöhe des Gurten der Aussicht nicht vollkommen günstig. Die aufgeschossene Waldung, die das gewölbte Plateau der Signalhöhe umgränzt, hemmt die freie Uebersicht nach einigen Richtungen mehr und mehr, so daß man zur Stunde von dem westlichen Theil der schöngeformten Stockhornkette nur einzelne Gipfel zwischen dem Tannendicklicht durchblicken sieht, und das interessante Hügelgelände von Balm und Bubenberg, so wie die nahe Thalebene von Köniz vom Gipfelpunkte selbst nicht mehr sichtbar sind. Was das Panorama der Alpenkette betrifft, so ist die Aussicht des Gurten denjenigen des Bantiger und Belpberges an Schönheit und Ausdehnung untergeordnet. Sie trägt überhaupt mehr das Gepräge des Freundlichen und Idyllischen, aber im engeren Gesichtskreise faßt man Alles klar und deutlich in die Augen, und der Blick auf das reichgeschmückte Gelände, das zu den Füßen des Schauenden aufgerollt ist, bleibt immerhin in hohem Grade lohnend. Im Interesse der vielen Fremden und Schaulustigen, welche „Gurtinias" Höhe besteigen, wird der

Wunsch hier ausgesprochen, daß es sich die Besitzer jener hemmenden Waldung nicht gereuen lassen möchten, durch ein paar Artschläge dem Gesichtskreise seine frühere unbeschränkte Ausdehnung wieder zu verschaffen.

Von Wegen ist der Gurten in allen Richtungen durchkreuzt. Fuß= pfade führen von mancher Seite auf die Höhe. Sehr gut zu Pferd und selbst mit leichten Wagen kann man bis zum Gurtenhause gelangen. Ein Fahrweg führt auch von Groß=Wabern nach dem Gur= tendorfe empor, und von diesem nach Kehrsatz hinunter. Ueber die Entfernungen mögen folgende nähere Angaben Aufschluß geben.

Wege von Bern: Durch das Marziele nach Groß=Wabern 28 M. Steinbruch 4 M. Gurtenhaus 37 M. Höhe 2 M. (71 M.) Ueber Sulgenbach 15 M. Sandrein 10 M. Groß=Wabern 10 M. Stein= bruch 4 M. Beim Hasenbrunnen 15 M. Gipfel 20 M. (Im Gan= zen 1¼ St.). — Oder über Monbijou 10 M. Besenscheuer 10 M. Liebefeld 15 M. Köniz 15 M. Gipfel 40 M. (Im Ganzen 1½ St.) — Oder über Kehrsatz 65 M. Ruine Aegerten 30 M. Gipfel 25 M. (Im Ganzen 2 St.). — Oder über Marziele, Klaretsack (jetzt Schöneck) 20 M. Kirchbühl 5 M. Lochgut 10 M. Unterster Waldsaum 15 M. Gipfel 12 M. (Im Ganzen 62 M.).

Von Bern über Groß=Wabern nach dem Gurtendorfe rechnet man 6/4 Stunden.

Von dem Gurten besitzt man eine vollständige Panoramazeichnung, welche von F. Schmid aufgenommen und lithographirt und bei L. A. Haller in Bern herausgekommen ist.

Schlußbemerkungen.

Wir haben in den vorliegenden Blättern die Alpenkette geschil=
dert, so wie sie sich von dem für die „Chaine d'Alpes" ausgewählten
Standpunkte, dem vielbesuchten Eichplatz in der Enge, dem Auge kund
giebt. Es giebt aber viele andere Stellen in der nächsten Umgebung
von Bern, welche eine eben 'so schöne, selbst noch umfassendere Ge=
birgsansicht gewähren.

Versetzen wir uns z. B. auf die nächstgelegene Anhöhe des Beau-
lieu-Gutes, oder auf den unmittelbar vor den Thoren der Stadt sich
erhebenden Hügel des Obfervatoriums, so verlängert sich nicht nur
ostwärts der Gebirgshorizont bis an das äußerste nördliche Ende der
Schrattenfluh, sondern es entfaltet sich gegen Südosten zwischen
dem Gurten und dem Könizberg ein durchaus neues Alpengemälde.
Hinter bewaldeten Anhöhen ,und zahmen Alpenfirsten tritt eine Reihe
von seltsam geformten Felsgipfeln hervor, welche dem westlichen Ende
der Stockhornkette angehören. Während dort von dem entferntern
Beaulieu noch die Gipfel des Gantrisch (6763'), des Ochsen (6779'),
der Scheibe (6655') und Mähre (6480') sichtbar sind, gewahren wir
hier zuerst die scharfe Spitze des Wibbergalm (6764'), sodann
dichter an einander gedrängt, die Wallop= oder Geisalpfluh,
das Kaisereckschloß (6318'), die Riggisalpfluh, deren Zinne
Auf Teuschlismaab genannt wird. Diese Gipfel stehen auf der
Grenze zwischen dem Kanton Freiburg und dem Bernischen Amte Nie=
dersimmenthal. Durch die begraste Vorkette unterbrochen, welche als
westliche Fortsetzung des Gurnigels zwischen den Quellen der Sense
und dem Schwarzwasser aufsteigt und von unserem Standpunkte über
den Gipfel der Pfeife (5102') und die Firsten der Horbühleck
(4915') und Hällstätteck (4368') gegen ihr westliches Ende ver=
folgt werden kann, erscheint eine Reihe von Felsspitzen, welche sämmt=
lich eine Höhe von wenigstens 6000' behaupten und unter dem allge=
meinen Namen Jaunflühe oder Grüne Hörner das Freiburgische

Jaunthal nordwärts begrenzen. Die einzelnen, von Bern sichtbaren Gipfel heißen in ihrer Reihenfolge von Osten nach Westen: Körbli= fluh (Jaunfluh, vani du gros Braun, Grüne Fluh, vani verd), Kombifluh (Braunfluh, vani du Braun), Schwalmern (vani de la Montagnetta), Schwarzefluh (vani noid), Meischüpfen= fluh (Groß=Morbenfluh, grand Morveau) und endlich, etwas nördlich vorstehend, Regardifluh. — Am dießseitigen Fuß der Jaunflühe liegt das Becken des Schwarzensees (Lao domène). Die Hällstätteck ver= deckt die Gebirgsniederung zwischen der Riggisalpfluh und der Körbli= fluh, über welche ein Paß über die Alp Nöuschels vom Schwarzsee= bad nach Jaun führt. — Allmälig den Gebirgskranz schließend zeigen sich der begraste Rücken der Schweinsberge und die aussichts= reiche Berra (5301' eidg. Verm.), beide im Kanton Freiburg ge= legen. Kaum wahrnehmbar erscheinen hinter den Schweinsbergen die Spitzen der *Dent de Brenleire* (7247' T. eidg. Verm.) und der *Follieran* (7195'), welche östlich vom Greierzthal auf der Grenze der Kan= tone Waadt und Freiburg stehn. — Unter den näheren, niedrigen Ge= birgen erkennt man die Gipfel des Schwändelberg (4002') und des Guggershorns. Am Fuß der waldbekränzten Hügel, hinter de= nen die Alpengipfel emporsteigen, glänzt uns die Kirche von Köniz aus dem Schooß einer lieblichen Landschaft entgegen.

Laßt uns hinübergehen auf den Finkenhubel beim Stadtbach. Hier ist das Alpenpanorama von Bern wieder in seiner ganzen Herr= lichkeit sichtbar, und das forschende Auge sieht aus dem fernen Osten neue Gestalten über den Horizont auftauchen. Zwischen der Heftifluh und den Heftizähnen vermag der oberste Saum der Titliskuppe den Grat der Schratten zu überragen. Der Titlis, der seinen wei= ten Eismantel gegen das Thal von Engelberg hinunterhängt, nach dem Bernischen Gadmenthal aber unter dem Namen Wendenstock in schroffer Felsenwand abstürzt, bezeichnet die Marke zwischen Bern und Unterwalden. (Schon auf der Kleinen Schanze kann ihn das Kenner= auge entdecken, besser noch längs dem Bremgartenwalde. Endlich sieht man seine schöne, weiße Kuppe aus der hintern Enge, so wie von dem gegenüber liegenden Wylerfelde, gleich einer lichten Wolke, ganz frei hervorragen). Der Titlis bildet den Anknüpfungspunkt an

die Alpenpanoramen von Zürich und Luzern, wo er in der Reihe der
Schneegebirge gegen Süden den letzten Platz einnimmt. Seine gerade Entfernung von Bern beträgt 28 Stunden, seine Höhe nach der
eidg. Triang. 9970'. Seine Gebirgsart ist Kalk, der südliche Fuß
Gneis. Er wurde im Jahr 1739 zum erstenmal bestiegen. Noch
weiter östlich gewahren wir die Zacken des Geisbergs und den
beschneiten Felsendom des Wild=Geisbergs. Dieser erhebt sich
auf der Südseite des Juchlipasses im Kanton Unterwalden. Seine
Entfernung beträgt 25 Stunden, seine Höhe 8365', seine Gebirgsart
ist Kalk. Er wird auch Höhhut und Groß=Schaufelberg genannt. — Zur Seite des Wild=Geisbergs ist die Doppelzacke des
Groß=Spannort sichtbar. Die Spannörter oder Hügli liegen im Kanton Uri. Ihre Höhe beträgt 9845', ihre Entfernung 30
Stunden. Die Gebirgsart ist Gneis. — Selbst der Schloßberg,
der sich zunächst am Surenenpaß, in einer Entfernung von 30½ Stunden, zwischen diesem und den Spannörtern erhebt, tritt noch hinter
dem Grat der Bäuchlen hervor. Er liegt ebenfalls im Kanton Uri.
Seine Höhe beträgt 9849', seine Gebirgsart ist Kalkstein und der
südöstliche Fuß Gneis. — Endlich erscheint als äußerste Alpenspitze
der Gipfel des Feuersteins, welcher der Grenze zwischen dem Entlebuch und dem Kanton Unterwalden entsteigt. Er ist 17½ Stunden
entfernt, liegt 6700' hoch und seine Gebirgsart besteht aus Flysch.

Wenn wir noch die Umgebungen der Stadt ins Auge fassen, die
sich am rechten Aarufer befinden, so ist es vorzugsweise die dominirende Anhöhe der Schöneck und des Galgenfeldes, welche eine
prachtvolle Ansicht der Alpen gewährt. Hier, kaum 10 Minuten von
der Stadt entfernt, sieht man das Gebirgspanorama östlich bis zur
Schratte, südlich über die Gipfel der Stockhornkette bis zum Ochsen
vor sich ausgedehnt. Man wähnt sich dem Gebirge bedeutend näher
gerückt, und es erscheint dasselbe deßhalb auch großartiger, weil man tiefer an den Fuß der Berge hinabsieht. Im Vordergrunde liegt die
reizende, mit Landhäusern besäete Ebene der Schoßhalde ausgebreitet.
Um das Panorama zu vollenden umgürtet gegen Norden und Westen
der blaue Jura in sanfter Wellenlinie den Horizont.

Obige Andeutungen mögen genügen, um den Leser auch über diejenigen Theile des Alpenpanoramas von Bern aufzuklären, welche

nicht in die vorhergehende Schilberung aufgenommen werben konnten. Mit Fleiß wurden für biese ergänzenden Notizen nur solche Stanbpunkte gewählt, welche der Stadt selbst ober ihrer nächsten Umgebung angehören, wiewohl mit jedem Schritte weiterer Entfernung der Gesichtskreis gegen bie Alpenkette sich erweitern unb neuen Stoff zu belehrender Unterhaltung bieten würde.

Register.

Berichtigung.

Seite 189 Zeile 16 v. o. lies **Breitlauenengletscher** statt Breithorngletscher.

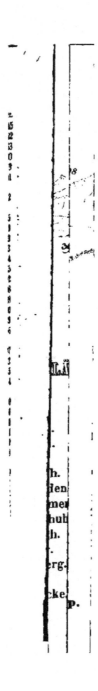

Printed in Great Britain
by Amazon

23559633R00149